D1234927

# 刺杀骑士团长

骑士团长殺し

第2部
流变隐喻篇

第2部
遷ろうメタファー編

KILLING
COMMENDATORE

［日］村上春树 **著**

林少华 **译**

上海译文出版社

# 目　录

# 33 差不多和喜欢眼睛看不见的东西一样喜欢眼睛看得见的东西

　　星期日也是晴得漂漂亮亮的一天。没有像样的风，秋天的太阳把染成种种色调的山间树叶照得流光溢彩。白胸脯的小鸟们在树枝间往来飞跃，灵巧地啄食树上的红果。我坐在阳台上面百看不厌地看着眼前的光景。大自然的美丽公平地提供给每一个人——无论富翁还是贫民——如同时间……不，时间或许不是这样。生活富裕的人花钱多买时间也有可能。

　　不前不后恰好十点整，光闪闪的蓝色丰田普锐斯爬上坡来。秋川笙子上身穿米色高领薄毛衣，下身穿修长的浅绿色棉质长裤。脖子的金项链闪着含蓄的光。发型一如上次大体保持理想造型。随着秀发的摇颤，好看的颈项时而一闪。今天不是手袋，肩上挎着鹿皮挎包。鞋是褐色防滑鞋。打扮漫不经心而又无微不至。而且，她的胸部的确形状漂亮。据其侄女内部情报，似乎是"没有填充物"的胸部。我为其乳房——仅仅在审美意味上——多少动心。

　　秋川真理惠一身休闲打扮：褪色的蓝色直筒牛仔裤、白色匡威运动鞋，和上次截然不同。蓝牛仔裤这里一个洞那里一个窟窿（当然是刻意为之）。上面穿薄些的灰色游艇夹克，外面披一件仿佛樵夫穿的厚格子衬衫。胸部依然没有隆起。而且依然一副不开心的样子，表情俨然正吃得兴起当中被拿走食盘的猫。

我像上次那样在厨房沏红茶拿来客厅，接着给两人看了上星期画的三幅素描。秋川笙子对这素描似乎一见欢心："哪一幅都那么生动，远比照片什么的像现实中的小惠！"

"这个、给我可以的?"秋川真理惠问我。

"可以呀，当然！"我说，"画完成后给。画完前我也可能要用。"

"话是那么说……给我们真的没关系的?"姑母担心地问。

"没关系的。"我说，"画一旦完成，往下就没多大用处了。"

"这三幅中的哪一幅作草图用?"真理惠问我。

我摇头道："哪一幅都不用。这三幅素描，可以说是为立体地理解你而画的。画布上画的你还要有所不同。"

"形象什么的，已经在老师脑袋里具体形成了?"

我摇摇头："不，还没有形成。往下和你两人考虑。"

"立体地理解我?"

"是的。"我说，"从物理上看，画布仅仅是个平面。但画必须立体描绘才行。明白的吧?"

真理惠脸色严肃起来。想必从"立体"这一说法想到自己胸部的凸起状态。事实上她也一闪瞥一眼姑母薄毛衣下娇美隆起的乳房，而后看了看我。

"怎样才能画得这么好呢?"

"素描?"

秋川真理惠点头。"素描啦速写啦。"

"练习！练习当中自然画好。"

"可有很多人怎么练也画不好，我想。"

她说的不错。美大时代，怎么练也全然不见好的同学看得太多太多了。无论怎么挣扎，人也要为与生俱来的东西所大大左右。问题是说起这个来，话就不可收拾了。

"可那也不等于不练也可以。不练就出不来的才华和资质也的确是有的。"

秋川笙子对我的话大大点头。秋川真理惠则仅仅斜了斜嘴角，仿佛说真是那样的？

"你是想画好的吧?"我问真理惠。

真理惠点头："喜欢眼睛看得见的东西，和喜欢眼睛看不见的东西差不多。"

我看真理惠的眼睛。眼睛浮现出某种特殊种类的光。她具体要说什么，一下子很难琢磨。但较之她说什么，引起我兴趣的更是其眼睛深处的光。

"相当不可思议的说法啊!"秋川笙子说，"像是出谜语似的。"

真理惠没有应声，默默看自己的手。稍后扬起脸时，特殊光闪从眼睛里消失了——稍纵即逝。

我和秋川真理惠走进画室。秋川笙子从挎包里取出和上星期同样的——从外观看来我想是同样的——小开本厚书，靠在沙发上马上看了起来。看样子被那本书迷住了。什么种类的书呢? 我比上次还有兴趣，但问书名还是忍住了。

真理惠一如上星期，隔两米左右距离同我对坐。和上星期不同的是，我面前放着有画布的画架。但画笔和颜料还没拿在手里。我交替看着真理惠和空白画布，思索怎样才能把她的形象"立体地"移植到画布上来。那里需要某种"物语"，并非只要把对方形体直接画下来即可。仅仅那样是不成其为作品的，那有可能仅以头像画告终。找出那里应被画出的物语，乃是之于我的重要出发点。

　　我从木凳上久久凝视坐在餐椅上的秋川真理惠的脸庞。她没有躲开视线，几乎一眨不眨地直盯盯回视我的眼睛。尽管不是挑战性眼神，但可以从中读取"往下决不后撤"那种类似决心的东西。由于长相端庄得令人联想到偶人而容易让人怀有错误印象，实则是个性格有硬芯的孩子。具有无可撼动的自身做法。一旦画一条直线，就不轻易妥协。

　　细看之下，总觉得秋川真理惠的眼睛有让人想起免色眼睛的东西。上次也感觉出了，此刻再次为其共通性而惊讶。那里有很想称之为"瞬间冻结的火焰"的神奇光点，在含有光热的同时而又绝对冷静，令人想起内部具有自身光源的特殊宝石，向外坦率诉求的力同向内指向完结的力在那里两相交锋。

　　不过，我之所以这么感觉，有可能是事先听了免色向我坦言秋川真理惠没准是分得其精血的女儿之故。或许正因为有这条伏线，我才下意识地努力在两人之间寻觅某种相呼应的东西。

　　不管怎样，我必须把这眼睛的独特光点画进画幅之中。以此作为构成秋川真理惠表情的核心要素，作为贯穿其端庄外貌的坚定不移的东西。然而，我还未能发现将其画入画幅所需的语境。一旦失手，看上去难免沦为冷冰冰的玉石。里面所有的热源是从哪里产生的呢？又将去往哪里呢？我必须弄个水落石出。

交替盯视她的脸庞和画布十五分钟后，我无奈地停下，将画架推去一边，缓缓做了几次深呼吸。

"说点什么吧！"我说。

"好啊，"真理惠应道，"说什么？"

"想再多少了解你一下，如果可以的话。"

"比如说？"

"对了，你父亲是怎样一个人？"

真理惠稍稍扭起嘴角。"父亲的事不大清楚。"

"不怎么说话？"

"见面都没有多少。"

"因为父亲工作忙吧？"

"工作不很了解。"真理惠说，"我想大概对我没多大兴趣。"

"没兴趣？"

"所以一直交给姑母。"

我对此没表示什么意见。

"那么，母亲可记得？是在你六岁的时候去世的吧？"

"母亲嘛，感觉上只是斑驳记得。"

"怎样一种斑驳？"

"转眼之间母亲就从我眼前消失了。人死是怎么回事，当时的我理解不了。所以只能认为母亲仅仅不在了，像烟被哪里的缝隙吸了进去。"

真理惠沉默片刻，而后继续道："因为那种不在的方式太突然了，所以一下子没能充分理解那里的道理。母亲死去前后的事，我不能很好地记起。"

"那时你脑袋非常混乱。"

"母亲在的时间和不在以后的时间就像被高墙隔成两个，连接不起来。"她默默咬了一会儿嘴唇。"这么说可明白？"

"觉得好像明白。"我说，"我妹妹十二岁死了上次讲过吧？"

真理惠点头。

"妹妹天生心脏瓣膜有缺陷。做了大手术，本应平安无事了，却不知为什么有问题留了下来，好比体内带一颗炸弹活着。所以，全家平时就在一定程度上做了应付最坏情况的心理准备。就是说，不像你母亲被金环胡蜂蜇得离开人世那样简直晴天霹雳。"

"晴天……"

"晴天霹雳。"我说，"晴朗的天突然轰隆隆响起雷声——始料未及的事突然发生了。"

"晴天霹雳。"她说，"写什么字？"

"晴天，晴朗的天。霹雳字难写，我也不会写，也没写过。想知道，回家查字典好了。"

"晴天霹雳。"她再次重复，似乎把这句话塞进她脑袋的抽屉。

"反正那是某种程度上可以预想的事。但妹妹实际突然发作当天就死了的时候，平日的心理准备完全不顶用。我的的确确呆若木鸡。不光我，全家都一样。"

"那以前和那以后，老师身上有好多事都变了？"

"呃，那以前和那以后，我的身上也好我的身外也好，好多事整个变了。时间的流程都不一样了。就像你说的，那两个连接不起来。"

真理惠目不转睛看我看了十秒钟。"妹妹对老师是非常非常宝贵的人，是吧？"

我点头："嗯，宝贵得不得了。"

秋川真理惠低头沉思什么，而后扬起脸说："记忆就那样被隔开了，所以我不能完整地想起母亲：什么样的人？长的什么样？对我说了怎样的话？父亲也很少给我讲母亲的事。"

说起我对秋川真理惠母亲所知道的，无非是免色细致入微讲述的免色和她最后一次性爱场景——在他办公室沙发上进行的剧烈性行为有可能使得秋川真理惠受胎。但这种话当然说不出口。

"不过关于母亲总会多少记得什么吧？毕竟一起生活到六岁。"

"只有气味。"真理惠说。

"母亲身体的气味？"

"不是。雨的气味。"

"雨的气味？"

"那时下雨来着，听得见雨点落地声那么大的雨。但母亲没打伞就到外面走，拉着我的手一起走在雨中。季节是夏天。"

"可是夏天傍晚的雷阵雨？"

"好像，因为有一股雨打在被太阳晒得发烫的柏油路面时的气味。我记得那气味。那里像是山顶观光台那样的地方。母亲还唱歌来着。"

"什么歌？"

"旋律想不起来，但歌词记得：河对岸舒展着广阔的绿色田野，那边流溢着灿烂的阳光，这边一直阴雨绵绵……便是那样的歌。嗳，老师可听过那样的歌？"

我没有听得那样的歌的记忆。"好像没有听过。"

秋川真理惠做微微耸肩那样的动作。"这以前问过好多人，但谁也没听过那样的歌。为什么呢？难道是我在脑袋里随意捏造的歌？"

"也可能是母亲当场编的哟，为你！"

真理惠扬脸看我，微微笑道："没有那么想过。不过果真那样，那可是太好了！"

目睹她面带笑容，这时大约是第一次。就好像厚厚的云层裂开了，一线阳光从那里流溢下来，把大地特选的区间照得一片灿烂——便是这样的微笑。

我问真理惠："如果再去一次那个场所能记起就是这里？去山顶观光台那样的地方？"

"有可能。"真理惠说，"倒是没多大把握，但有可能。"

"自己的心中能有一方那样的风景，是很美妙的事。"我说。

真理惠点头。


接下去一小会儿，我和秋川真理惠两人倾听外面鸟们的鸣啭。窗外舒展着漂亮的秋日晴空，一丝云絮也找不见。我们在各自的心间漫无边际地放飞各自的思绪。

"那幅反过来的画是什么？"稍后真理惠问我。

她手指的是画有（想画的）白色斯巴鲁男子的油画。我为了不让人看见那幅画布而反过来靠墙立着。

"画开头了的画。想画那个男子，但没有画下去。"

"让我看看可好？"

"好好！倒还是草图阶段。"

我把画幅正过来放在画架上。真理惠从餐椅立起，走到画架跟前，抱臂从正面看画。面对画，她的眼睛回之以锐利的光闪，嘴唇紧紧闭成一条直线。

画仅以红绿黑三色构成。上面应画的男子还没被赋以明确的轮廓。用木炭画的男子形象隐身于颜料之下。他拒绝被施以血肉，拒斥着色。但我知道他就在那里，我在那里捕捉到了他存在的基干，一如海中鱼网捕捉看不见形影的鱼。我准备找出拉网方法，而对方企图阻止这一尝试——如此推拉造成了中断。

"在这儿停下了?"真理惠问。

"正是。无论如何都没办法从草图阶段推向前去。"

真理惠静静地说："不过看上去已经完成了。"

我站在她旁边，以同一视角重新打量那幅画。莫非她的眼睛看出了潜伏在黑暗中的男子形象?

"你是说没必要再往这画上加什么了?"我问。

"嗯，我想这样就可以了。"

我轻轻屏住呼吸。她说出的，和白色斯巴鲁男子向我诉说的几乎是同样内容。

画就这样好了! 别再动这画!

"为什么这么想?"我再次问真理惠。

真理惠好一会儿没有回答。又聚精会神看了一阵子画，而后放下抱臂的双手，贴在面颊上，像是要冷却那里的热度。

"这样就已具有足够的力。"她说。

"足够的力?"

"那样觉得。"

"不会是不太友善的那种力?"

真理惠没有答话,两手仍贴着脸颊。

"这里的男子,老师很了解的?"

我摇头:"不,说实话,一无所知。前不久一个人长途旅行时在遥远的小镇上偶然碰见的人。没打招呼,名也不知道。"

"这里有的,是善的力还是不善的力,我不知道。或许有时变成善的,有时变成恶的。喏,看的角度不同,看上去就有种种不同。"

"可你认为最好不要把那个画成画的形式,是吧?"

她看我的眼睛。"如果成形,假如那是不善的,老师你怎么办?假如朝这边伸过手来怎么办?"

有道理,我想。假如那是不善的,假如那是恶本身,而且假如朝这边伸过手来,那么我到底如何是好?

我把画从画架上卸下,反过来放回原来位置。作为感触,使之从视野中消失后,画室中紧绷绷的紧张感才好像迅速缓解。

我想,或许应该把这幅画结结实实包起来塞进阁楼才是,一如雨田具彦把《刺杀骑士团长》藏在那里以免被人看见。


"那么,那幅画你怎么看?"我指着墙上挂的雨田具彦的《刺杀骑士团长》。

"喜欢那幅画。"秋川真理惠毫不迟疑地回答。"谁画的画?"

"画它的是雨田具彦,这座房子的主人。"

"这幅画在诉说什么,简直就像小鸟要从小笼子里飞去外面的世界——有那样的感觉。"

我看她的脸。"鸟？到底什么样的鸟呢？"

"什么样的鸟？什么样的笼子？我不知道，形体也看不清楚，只是一种感觉罢了。对于我，这幅画可能有点儿太难了。"

"不但你，对我也好像有点儿太难了。不过如你说的，作者有某种想向人诉求的事物，把那强烈的意绪寄托在画面上。我也有这样的感觉。可是他究竟诉求什么呢？我百思不得其解。"

"谁在杀谁，咬牙切齿地。"

"正是。年轻男子在坚定的意志下用剑狠狠刺入对方胸口。被刺杀的一方对自己即将死去只是惊诧不已。周围的人大气不敢出地注视这一进展。"

"有正确的杀人？"

我就此沉吟。"不清楚啊！什么正确什么不正确，取决于选择的基准。比方说，人世间有很多人认为死刑是从社会角度来说正确的杀人。"

或者暗杀，我想。

真理惠略一停顿，说道："不过，这幅画虽然人被杀了流了很多血，但并不让人心情黯淡。这幅画想要把我领去别的什么地方——同正确不正确基准不同的场所。"


这天归终我一次也没拿画笔，只是在明亮的画室中同秋川真理惠两人漫无边际地交谈。我边谈边把她表情的变化和种种样样的动作一个个打入脑海。不妨说，如此记忆的累积将成为我应该画的画的血肉。

"今天老师什么也没画。"真理惠说。

"这样的日子也是有的。"我说，"既有时间夺走的东西，又有时间给予的东西。把时间拉向自己这边是一项重要工作。"

她什么也没说，只是看着我的眼睛，就像把脸贴在玻璃窗上窥视里面的房间。她在思考时间的意义。

十二点时传来往日的钟声。我和真理惠两人离开画室转来客厅。沙发上，戴黑边眼镜的秋川笙子看小开本厚书看得如醉如痴，甚至呼吸动静都感觉不出。

"看的什么书呢？"我忍不住地问。

"说实话，我有类似厄运的东西。"她莞尔一笑，夹上书签，合上书。"一旦把正看的书的书名告诉别人，不知为什么，书就不能最后看完了。一般都要发生什么意外事，看到中间就看不下去了。莫名其妙，但的确如此。于是决定不把正在看的书的书名告诉任何人。看完了，那时倒是乐意告诉……"

"看完当然可以。见你看得那么专心，就有了兴趣，心想什么书呢？"

"非常有意思的书，一旦看开头就停不下来。所以决定只在来这里时看。这样，两个小时一晃儿就过去了。"

"姑母看好多好多书的。"真理惠说。

"此外没多少事可做，看书就像是我生活的中心。"姑母说。

"没做工作吗？"我问。

她摘下眼镜，一边用手指按平眉间聚起的皱纹一边说，"只是大体每星期去一次本地图书馆当志愿者。以前在城里一家私立医科大学工作来着，在那里当校长的秘书。但搬来这里后辞职不做了。"

"真理惠的母亲去世时搬来这里的吧?"

"那时只是打算一起住一段时间，在事情安顿下来之前。可实际来了和小惠一块儿生活以后，就没办法轻易离开了，自那以来一直住在这里。当然，如果哥哥再婚，就马上返回东京。"

"那时我也一起离开。"真理惠说。

秋川笙子仅仅浮现出社交性微笑，避免就此表态。

"如果不介意，一起吃饭好吗?"我问两人，"色拉和意大利面什么的，手到擒来。"

秋川笙子当然客气地推辞，但真理惠看样子对三人吃午饭深感兴趣。

"可以的吧? 反正回家爸爸也不在。"

"实在简单得很。调味汁准备了很多，做一个人的做三个人的，花的工夫没什么区别。"我说。

"真的合适吗?"秋川笙子有些疑惑。

"当然合适，请别介意。我总是在这里一个人吃，一日三餐都一个人吃。偶尔也想和谁一起吃。"

真理惠看姑母的表情。

"那么就承您美意，不客气了。"秋川笙子说，"不过真不打扰的?"

"完全谈不上!"我说，"请随便好了。"

我们三人移到餐厅。两人在餐桌前落座。我在厨房烧水，把芦笋和培根做的调味汁用深平底锅热了，用莴苣、西红柿、洋葱和青椒做了色拉。水烧开后煮意面。那时间里把欧芹切得细细的，从电冰箱取出冰红茶倒进杯里。两位女性颇为稀罕地看我在厨房里敏捷利落地干活身姿。秋川笙子问有没有什么需要帮忙的。我说值得帮忙的事一概没有，只管在那里老老实实坐着好了。

"真是训练有素啊！"她佩服似的说。

"天天干的关系。"

对我来说，做饭并不难受。向来喜欢手工活：做饭，做简单的木匠活，修理自行车，修剪庭园。不擅长的是抽象性数学思考。将棋❶啦国际象棋啦九连环啦，那种知性游戏使得我简单的头脑大受损坏。

接下去，我们对着餐桌吃饭。晴朗秋日星期天的开心午餐。而且，秋川笙子是餐桌上的理想对象。话题丰富，懂得幽默，富于知性和社交性。餐桌礼仪优美动人而又没有做作之处。一位在甚有品位的家庭长大、上花钱学校的女性。真理惠几乎不开口，闲聊交给姑母，注意力集中在吃上。秋川笙子说希望我以后教她调味汁的做法。

我们快要吃完时，响起音色明亮的门铃声。推测按响门铃的是谁，对我不是多么难的事。因为稍往前一点觉得有那辆捷豹粗犷的引擎声隐约传来。那声音——同丰田普锐斯文静的引擎声处于对立的两极——传到我的意识与无意识之间薄薄的隔层的某处。所以门铃响决不是"晴天霹雳"。

我道声失礼，从座位立起，放下餐巾，把两人留在后面走去门口，明知无从预料往下将有怎样的事情发生……

---

❶ 将棋：日式象棋。

**那么说来，最近没有测过气压**

打开房门，免色站在那里。

他上身穿领扣衬衫、带有精巧高雅花纹的毛背心、灰绿色苏格兰花呢夹克。下身穿浅芥末色卡其裤。脚上是褐色绒面皮鞋。不出所料，所有衣服都给他穿得恰到好处赏心悦目。丰厚的白发在秋日阳光下熠熠生辉，身后可见银色捷豹。旁边停着蓝色丰田普锐斯。两辆车并排相邻，看上去好像牙齿不整齐的人张嘴而笑。

我一声不响地将免色让进门来。他的表情因紧张显得有些僵硬，让我联想刚涂过还没干透的石灰墙。目睹免色浮现这样的表情当然是第一次——他总是冷静地控制自己，尽可能不让感情显露于外。即使被关在漆黑的洞底一小时之后，脸色也丝毫未变。然而此刻他的脸近乎苍白。

"进去也不碍事的吗？"他问。

"当然不碍事。"我说，"现在正在吃饭，不过差不多要吃完了。请进！"

"可是我不想做打扰吃饭那样的事。"说着，他几乎条件反射地眼看手表，无谓地久久盯视表针，就好像对表针走法有什么异议。

我说："马上就吃完的，简单的午餐。然后一起喝咖啡什么的好了！请在客厅等着，把您介绍给两个人。"

免色摇头道："不不，介绍可能还太早。以为两人都已经从这里撤走了，所以才到府上来，不是想被介绍才来的。可是看见府上门前停着一辆没见过的车，就不知道如何是好……"

"正是好机会。"我打断对方似的说，"顺水推舟。交给我好了！"

免色点头，开始脱鞋。却不知何故，好像不知鞋怎么脱似的。我等他好歹把两只鞋脱掉，领进客厅。本来已经来过几次了，但他活像生来初次目睹，好奇地四下打量。

"请在这里等候！"我对他说。然后把手轻放在他肩上。"请坐在这里放松一下。估计用不了十分钟。"

我把免色一人留在那里——心里总好像七上八下——折回餐厅。我不在时间里两人已经吃完，餐叉放在盘子上。

"来客人了？"秋川笙子担忧地问。

"嗯。不过不要紧，只是住在附近的熟人顺路一晃儿来看看罢了。让他在客厅里等着。一个爽快人，用不着介意。我这就吃完。"

随即我把剩的一点点东西吃了下去。两位女性拾掇餐桌碟盘之间，我用咖啡机做了咖啡。

"不去客厅一起喝喝咖啡？"我对秋川笙子说。

"可客人来了，我们不打扰吗？"

我摇头道："完全谈不上打扰。这也是一种缘分，我来介绍一下。虽说住在附近，但因为住在隔着山谷的对面山上，您大概不认识……"

"那位叫什么名字呢？"

"免色先生。免除的免，颜色的色——免除颜色。"

"稀罕姓啊！"秋川笙子说，"免色先生，这名字是第一次听得。的确，隔着山谷，就算住得近也不大可能有像样的往来。"

我把四人份咖啡、砂糖和牛奶放在盘子里端来客厅。进客厅最吃惊的是免色没影了。客厅空无一人，阳台上也没有他，又不像去了卫生间。

"去哪里了呢？"我没有对谁说地说。

"来这儿了吗？"秋川笙子问。

"刚才还在。"

去门厅看，那里不见了他的绒面皮鞋。我穿上拖鞋打开房门，见银色捷豹停在刚才那个位置。这样，就不像是回家了。车窗玻璃在太阳光下炫目耀眼，看不清里边是否有人。我往车那边走去。免色坐在驾驶位上，像找什么似的东摸西看。我轻敲窗玻璃。免色落下窗玻璃，以困窘的神色向上看我。

"怎么的了？免色先生？"

"想测一下轮胎气压，可不知为什么，气压计找不到了。平时总是放在这手套箱里……"

"那是现在必须在这里马上做的事吗？"

"不，那也不是。只是往这里一坐，突然惦记起气压来。那么说来，最近没有试过气压……"

"反正轮胎情况并非不正常是吧？"

"呃，轮胎情况没有什么不正常，一般。"

"那么，气压的事先往后放，返回客厅好吗？咖啡做好了，两人正等着。"

"等着？"免色以干涩的嗓音说，"等着我？"

"嗯，说介绍你来着。"

"不好办啊！"

"为什么？"

"还没做好被介绍的准备——类似心理准备的东西。"

他的眼神惧怯而又困惑，就像被喝令从熊熊燃烧的十六楼窗口朝着看上去差不多只有杯垫大小的救生气垫跳下的人。

"最好来一下。"我果断地说，"好吧？非常简单的事。"

免色一声不响地点了下头，从座席欠身出来，关上车门。本想锁门，旋即发觉无此必要（谁也不来的山上），遂将钥匙揣进裤袋。

走进客厅，秋川笙子和真理惠两人在沙发上等我们。我们刚一进去，两人就彬彬有礼地从沙发上站起。我把免色简单介绍给两人，作为极为理所当然的日常性人情行为。

"也请免色先生当过绘画模特，有幸画他的肖像画来着。因为碰巧住在附近，所以那以来就有了交往。"

"听说您住在对面山上……"秋川笙子问。

提起房子，免色的脸庞眼看着变得苍白起来。"嗯，几年前开始住的。几年前来着？呃——三年了吧，还是四年？"

他询问似的看我。我什么也没说。

"从这里可以看见府上？"秋川笙子问。

"嗯，可以看见。"免色说。又马上补充一句，"不是什么了不得的房子，山上又十分不方便。"

"不方便这点，我家也彼此彼此。"秋川笙子和颜悦色地说，"买件东西也是一场麻烦。手机信号也好广播也好，都不能正常进来。加上又是陡坡，积了雪滑溜溜的，吓得车都不敢开。所幸只五六年前有过那么一次。"

"嗯，这一带几乎不下雪。"免色说，"海上有暖风吹来的关系。海的力量是很大的，就是说……"

"总之，冬天不积雪让人庆幸啊！"我插嘴道。放任不管，连太平洋暖流的构成都可能一一说个没完——免色身上有这种进退失据的意味。

秋川真理惠来回比较看着姑母的脸和免色的脸，似乎对免色不怀有特定感想。免色完全没向真理惠那边投以视线，只是一味看着真理惠的姑母，就好像自己的心从个人角度被她的脸庞强烈吸引住了一样。

我对免色说："其实眼下正在画这位真理惠小姐的画，求她当模特。"

"所以每个星期日开车送来这里。"秋川笙子说，"以距离看，就在我家眼皮底下，但由于路的关系，不绕很多弯路是来不到这里的。"

免色这才从正面看秋川真理惠的脸庞。可是，他的双眼如冬天忐忑不安的苍蝇那样急切切转动不已，试图在其脸庞周边哪里找到落脚点。然而那样的位置似乎哪里也没能找到。

我像派船救援似的拿出素描簿给他看。"这是已经画好的她的素描。素描阶段刚刚结束，还没有真正开始画。"

免色像要吞进去一样久久盯视那三幅素描。看样子，较之看真理惠本人，看画她的素描对于他要意味深长得多。但当然不可能那样，他只是不能从正面注视真理惠，素描终究不过是其替代。如此切近地接近实实在在的真理惠毕竟是第一次，想必一下子把握不好心情。秋川真理惠简直就像观察珍稀动物似的看着免色杂乱不堪的表情。

"太好了！"免色说，随即看着秋川笙子那边说，"哪一幅素描都栩栩如生，气氛捕捉得恰到好处。"

"嗯，我也那么认为。"姑母笑吟吟地说。

"不过真理惠可是很难画的模特。"我对免色说，"画成画不容易。由于表情处于时刻变化之中，把握其核心要素相当花时间。所以还没能着手画真要画的画。"

"难画?"说着，免色眯细眼睛，像看晃眼睛的东西那样再次看真理惠的脸庞。

我说:"那三幅素描，表情应该各有很大不同。而表情稍一变化，整个气氛就变了。要把她确定画在一幅画上，就必须舍弃其表面变化，而抓住其核心要素。抓不住，就只能表现整体的一个小小侧面。"

"原来如此!"免色显得钦佩有加。而后把三幅素描同真理惠的脸庞比较看了好几次。如此一来二去，他原本苍白的脸上缓缓出现了红色。红色起初似乎是一个小点，而后变成乒乓球大小，继而变为棒球一般大，很快扩展到整张面孔。真理惠饶有兴味地注视着其面孔颜色的变化。秋川笙子为了避免失礼而将眼睛得体地从那变化上移开。我伸手拿起咖啡壶，往自己杯里倒第二杯。

"打算从下星期开始正式作画。也就是使用颜料在画布上画……"为了填补沉默空白，我没有针对任何人地这样说道。

"构思已经形成了?"姑母问。

我摇头:"构思还没形成。如果不实际拿笔实际面对画布，具体意念一个也浮现不出脑海。"

"您画了免色先生的肖像画，是吧?"秋川笙子问我。

"嗯，倒是上个月的事了。"我说。

　　"无与伦比的肖像画！"免色来劲儿了，"因为需要一段时间让颜料干透，所以还没镶框，就那样挂在我的书房墙上。不过，说'肖像画'恐怕并不准确。因为那里画的，既是我又不是我。那是非常深的画——倒是说不好——看起来百看不厌。"

　　"既是您又不是您？"秋川笙子问。

　　"就是说不是所谓肖像画，而是在更深的层面画的画。"

　　"想看一眼。"真理惠说。这是移来客厅后她出口的第一句话。

　　"小惠，那不礼貌，别人府上……"

　　"那是一点儿关系也没有的！"免色像用锋利的劈柴刀利利索索砍掉姑母发言语尾一样插嘴道。其语气的尖锐使得所有人（也包括免色自身）一时屏住呼吸。

　　他略一停顿继续下文："毕竟就住在附近，务请来看一次画！我一个人生活，不必顾虑什么。随时欢迎两位！"

　　如此说罢，免色脸色更红了。想必从自己本身的发言中听出了迫不及待的韵味。

　　"真理惠小姐喜欢画？"这回他转向真理惠问，调门已恢复正常。

　　真理惠默默轻点一下头。

　　免色说："如果方便的话，下星期的星期日，差不多和今天同一时刻来这里迎接。接下去就去我家看画好吗？"

　　"不过，添那样的麻烦……"秋川笙子说。

　　"可我想看画。"这回真理惠以不容分说的语声斩钉截铁。


　　归终，商定下星期的星期日偏午时分免色来接两人去他家。本来叫我一起去，但我说那天下午有事，婉言谢绝了。作为我，不想更多地深度介入此事。而想把往下的事交给当事者本人。无论那里发生什么，我都想尽可能止于局外人。我仅仅在结果上——本来无意做这种事——居中牵线搭桥罢了。

我和免色出门目送美丽的姑侄二人返程。秋川笙子饶有兴味地看了一会儿停在普锐斯旁边的免色的银色捷豹，眼神就像爱狗人士看一条别人的狗。

"这是最新款的捷豹吧?"她问免色。

"是的。眼下是捷豹最新的轿跑。您喜欢车?"免色问。

"不，不是那个意思。只是，去世的父亲过去开捷豹轿车来着。常坐进去，偶尔也开过。所以看见车身前面的这个标志，一下子感到很亲切。怕是 XJ6 吧，有四个圆圆的头灯，直列六缸 4.2 升发动机。"

"是三系列吧! 噢，那是非常漂亮的车型!"

"家父看上去很中意那辆车，开了相当长时间。不省油和小故障多倒是够伤脑筋的……"

"那个车型是不省油，电气系统也可能故障不少。捷豹在传统上电气系统就不够强。但在没有故障行驶的时候，只要不介意汽油费，那么一贯出类拔萃。无论乘坐感觉还是驾驶体验，都充满独一无二的魅力。当然世间绝大多数人都把故障和油耗牢牢放在心上。正因如此，丰田普锐斯才卖得飞一样快。"

"这是兄长给我买的所谓私人专用车，不是我自己买的。"秋川笙子指着丰田普锐斯好像辩解似的说，"车是好开，安全，对环境也友好。"

"普锐斯是非常优秀的车。"免色说，"其实我也认真考虑买一辆来着。"

　　果真？我在心里歪头沉思，想像不来乘坐丰田普锐斯的免色的身姿，一如想像不来在饭店点尼斯色拉的金钱豹的身姿。

　　秋川笙子一边往捷豹里面窥视一边说："有个十分唐突的请求，我稍微坐一坐可以吗？只坐驾驶席就行……"

　　"当然可以！"免色说。而后像调试声音似的轻咳一声，"请尽管坐好了。如果愿意，开也没关系的。"

　　目睹她对免色的捷豹表现出如此兴致，对于我很是意外。因为看其清秀文静的外表，看不出她是对车感兴趣那一类型。然而秋川笙子两眼闪闪生辉地钻进驾驶席，让身体适应奶油色皮座，仔细盯视仪表盘，双手置于方向盘，接着左手摸在换挡杆上。免色从裤袋里掏出车钥匙递给她。

　　"请发动引擎！"

　　秋川笙子默默接过钥匙，往方向盘旁边插了进去，按顺时针方向旋转，那只猫科巨兽顿时醒了。她入迷地倾听了一会儿深沉的引擎声。

　　"这引擎声有听过的记忆。"她说。

　　"4.2 升的 V8 发动机。令尊开的 XJ6 是六缸，阀门数量和压缩比都不一样，但声音或许相似。在毫不反省地大量燃烧化石燃料这点上，古往今来一成未变，实属罪孽深重的机械。"

　　秋川笙子抬起换挡杆，亮起右转向灯。独特的宏亮的砰砰声随之响了起来。

　　"这声音实在让人怀念！"

　　免色微微笑道："这是只有捷豹才能发出的声音，和其他任何车的转向灯声都不一样。"

"我年轻时用心练过 XJ6，拿得了驾驶证。"她说，"制动系统和一般车多少有所不同，所以第一次开其他车的时候相当困惑来着，不知怎么样才好。"

"很能理解，"免色微微笑道，"英国人对微妙的地方有某种执著。"

"但车里的气味和家父的车有点不一样。"

"很遗憾，有可能不一样。所用内饰的材料因种种缘由，不可能和过去完全相同。尤其二〇〇二年康诺利公司不再提供皮革之后，车内气味变化很大。因为康诺利公司本身不复存在了。"

"可惜！本来我非常喜欢那个气味来着。怎么说呢，和关于父亲气味的记忆合在一起了。"

免色似乎难以启齿地启齿道："实不相瞒，此外我还有一辆老捷豹。或者那辆同令尊车有同样气味也不一定。"

"您有 XJ6？"

"不，E-Type。"

"E-Type？就是那敞篷车？"

"是的。一系列敞篷跑车。虽是六十年代产品，但跑起来仍毫无问题。引擎同是六缸 4.2 升，原装双座。车篷到底更新了，在准确意义上，倒是不能说原装……"

我对车完全不熟悉，两人说的什么几乎不能理解。秋川笙子似乎对这一信息有某种感触。不管怎样，得知两人有捷豹车这一共同趣味——领域恐怕相当狭窄——这点让我多少如释重负。这样，为初次见面的两人寻找交谈话题的必要就没有了。真理惠看上去比我对车还没有兴趣，百无聊赖地听两人的交谈。

秋川笙子从捷豹下来关合车门，把车钥匙还给免色。免色接过钥匙，揣回裤袋。她和真理惠随后钻进蓝色普锐斯。免色为真理惠关上车门。我再次深感捷豹和普锐斯关车门的声音截然有别。即使一种声音，世界上都有如此之多的差异。一如"砰"一声拉响低音大提琴同一根空弦，查尔斯·明格斯❶的声音和雷·布朗❷的声音听起来也分明有所不同。

"那么，下星期日见!"免色说。

秋川笙子对免色妩媚地一笑，握着方向盘离去。丰田普锐斯敦敦实实的背影消失后，我和免色折回家中，在客厅喝冷咖啡。我们好半天都没开口。免色整个人都像瘫痪了似的，如同跑完过于艰难的长跑路线而刚刚冲刺完的运动员。

"好漂亮的女孩啊!"我终于开口，"我说的是秋川真理惠。"

"是啊，大了应该更漂亮。"免色说。不过他好像边说边在脑袋里思考别的什么。

"近看她的感觉怎么样?"我问。

免色难为情地微笑道:"说实话，没怎么看清楚。太紧张了!"

"可多少看了吧?"

免色点头。"嗯，当然。"接下又沉默有顷。而后陡然扬起脸以一本正经的眼神看着我。"那么，您是怎么看的呢?"

---

❶ 查尔斯·明格斯（Charles Mingus, 1922—1979），20 世纪美国最伟大的爵士音乐家之一。他不仅是技艺精湛的贝斯大师、钢琴家，还是突破古典与爵士界限的杰出作曲家。其音乐对于后世有至关重要的启迪作用。

❷ 雷·布朗（Ray Brown, 1926—2002），美国爵士乐演奏大师，曾荣获众多奖项，包括格莱美奖、Downbeat 杂志的读者票选奖、爵士乐评票选奖等。

"怎么看、看什么？"

免色脸上再次漾出少许红晕。"就是，她的长相和我的长相之间，有某种类似共通点的东西吗？您是画家，又是长期专门画肖像画的画家，这方面不是看得出的吗？"

我摇头。"的确，我在迅速捕捉面部特征上面有不少历练。但亲子区分方法上并不明白。世上既有全然不像的亲子，又有长相一模一样的纯粹的他人。"

免色深深喟叹一声，那是仿佛从全身挤榨出来的喟叹。他对搓双手的手心。

"我并不是求您做什么鉴定，只是想听一下纯属个人性感想。极琐碎也没关系。如果有什么注意到的，很想请您告诉我……"

我就此略加思考。而后说道："就一个个面部具体造型来说，你俩之间可能没有多少相似之处。只是眼神让我觉得有某种相通的东西——时不时让我一惊。就是这样的印象。"

免色抿着薄嘴唇看着我："你是说我们的眼睛有共通的地方？"

"感情直接流露于眼睛这点，怕是你俩的共通点。例如好奇心啦、激情啦、惊讶啦，或者疑虑啦、抵触情绪啦这类微妙的情感，都会通过眼睛表现出来。表情绝不能说丰富，但双眼发挥心灵窗口那样的功能。和普通人相反。多数人就算表情相对丰富，眼睛也没那么灵动。"

免色显出意外神色。"我的眼睛看起来也是那样的？"

我点头。

"没那么意识到啊！"

"想必那是自己想控制也控制不了的东西吧！或者，因为有意控制表情，而被控制的感情集中到眼睛流露出来。不过，这是要十分仔细观察才能读取的信息。一般人可能觉察不到。"

"但你看见了？"

"不妨说，我以把握人的表情作为职业。"

免色就此考虑片刻。而后说道："我们具有那样的共通点。但若论是不是骨肉亲子，那你也是不清楚的。是吧？"

"我看人的时候会有若干绘画性印象，并且加以珍惜。但绘画性印象同客观性事实不是一个东西。印象什么也证明不了。好比被风吹来的轻飘飘的蝴蝶，几乎没有实用性可言。对了，你怎么样呢？面对她本人没有感觉出某种特别的东西？"

他摇了几下头。"一次短暂的见面什么也弄不明白，需要长些的时间。必须习惯于和那个少女在一起……"

继而他再次缓缓摇头，像要找什么似的双手插进夹克口袋又抽了出来，似乎自己忘了找什么。如此翻来覆去。

"不，可能不是次数问题。见的次数越多，困惑程度越大。或许任何结论都无法抵达。她没准是我的亲骨肉，或者不是也未可知。但是不是都没关系。面对那个少女，只要念及那种可能性，只要用这手指触摸假想，新鲜血液就能在一瞬之间流遍全身每个角落。迄今为止，我可能还没能真正理解生存的意义。"

我保持沉默。关于免色的心理趋向，或者关于生存的定义，我能说出口的一概没有。免色瞟一眼大约十分昂贵的超薄手表，挣扎似的勉强从沙发立起。

"得感谢你！如果没有你从背后推一把，我一个人怕是什么也做不来。"

　　如此说罢，他以不无踉跄的脚步走去门厅，花时间穿鞋和系好鞋带，然后走到外面。我从房门前目送他上车驶离。捷豹消失之后，周围重新被星期日午后的岑寂所笼罩。

　　时针稍稍转过午后二时。有一种疲惫不堪的感觉。我从壁橱里拿来旧毛毯，躺在沙发搭在身上睡了一会儿。醒来时三点过了。射进房间的阳光移动了一点点。奇妙的一天。看不出自己是前进了还是后退抑或原地兜圈子。方向感一塌糊涂。秋川笙子和真理惠，以及免色。他们三人每人都放出强有力的特殊磁性。我像被三人包围似的处于正中间，身上没带任何磁性。

　　但是，无论多么疲惫不堪，也不意味星期日已然终了。毕竟时针刚刚绕过午后三时，毕竟还没日落天黑。星期日已成为过往日期，到明天这一新的一天降临还有那么多时间。然而我没心绪做什么。午睡后脑袋深处也还是有模模糊糊的块体留了下来，感觉就像桌子狭小的抽屉里端塞满了旧毛线团。有人把那样的东西强行塞进那里，以致抽屉不能完全关合。这样的日子说不定我也应当测试车轮气压。在什么都没心思做的时候，人至少应该测一测轮胎气压什么的。

　　可是细想之下，有生以来自己还一次也没亲手测过轮胎气压。顶多偶尔在加油站人家说"气压好像下降了最好测一下"的时候让对方测一下。气压计那样的东西当然也没有。连那东西什么样都不知道。既然能装进手套箱，那么应该不会有多大，不至于是必须分期付款买的昂贵商品。下次买一支好了！

及至四周天色暗了，我进厨房喝着罐装啤酒准备晚饭。用电烤箱烤糟腌鲥鱼，切咸菜，做醋拌黄瓜裙带菜，又做了萝卜油豆腐味噌汤。做好一个人默默吃着。没有应该搭话的对象，找不到应说的话语。如此简洁的单人晚餐快吃完的时候门铃响了。看来人们似乎存心在我差一点点就吃完的当口按响门铃。

一天尚未结束，我想。预感这将是个漫长的星期日。我从餐桌前站起，缓步走去门厅。

**35 那个场所保持原样就好了**

我迈着徐缓的步子走向门厅。按响门铃是谁全然判断不出。假如有车停在门前，理应听见声响。虽说餐厅位置偏里，但夜晚十分安静，倘有车来，引擎声、车轮声必然传来耳畔。即使是夸耀低噪混合动力引擎的丰田普锐斯。然而那样的声响一无所闻。

基本不会有太阳落山后不开车而一步步爬上长长坡路的好事者。路很暗，几乎没有照明。人的动静也没有。房子孤零零建在独山顶上，附近没有可称为邻人的人。

说不定是骑士团长。但无论怎么想都不至于是他。他现在已经能够随时随便进入这里，根本不会特意按门铃。

我也没确认来人是谁就拉掉门锁开门。秋川真理惠站在那里。打扮和白天完全一样，只是现在在游艇夹克外面披了件薄些的藏青色羽绒服。日落后毕竟这一带温度骤然下降。还戴一顶棒球帽（何苦非克里夫兰印第安人队❶不可呢?），右手拿一个大手电筒。

"进去可以?"她问。没说"晚上好"，没说"抱歉突然来访"。

"可以可以，当然。"我说。更多的什么也说不来。我脑袋里的抽屉好像没有完全关好，里端仍塞着毛线团。

我把她领进餐厅。

"正吃饭。最后吃完可以的?"

她默默点头。社交性那一啰啰嗦嗦的概念，不存在于这个少女的脑海。

"喝茶?"我问。

她仍然默默点头。随即脱去羽绒服，摘掉棒球帽，整理一下头发。我用水壶烧开水，把绿茶倒进茶壶。反正我也正要喝茶。

秋川真理惠胳膊拄在餐桌上，像看什么稀奇罕物似的看着我吃糟腌鲥鱼、喝味噌汤、吃米饭，简直就像在森林散步当中碰见巨蟒吞食熊洞里的熊仔场面而坐在附近石头上观看。

"糟腌鲥鱼是我自己做的。"为了填补继续加深的沉默我解释说，"这样一来，能放的时间就长了。"

她没有任何反应，甚至我的话是否进入耳朵都不确定。

"伊曼纽尔·康德❷是有着极为井然有序生活习惯的人。街上的人几乎看着他散步的身影来对手表时间。"我试着说。

当然是没有意义的发言。我只是想看秋川真理惠对没有意义的发言有何反应，看我的话是否切实传入她的耳朵。但她仍完全无动于衷。周围沉默更沉了。伊曼纽尔·康德天天准时从哥尼斯堡❸一条街默默散步到另一条街。他人生最后一句话是"此即足矣（Es ist gut）"。这样的人生也是有的。

---

❶ 克里夫兰印第安人队（Cleveland Indians），美联八支创始球队之一，1901 年成立于克里夫兰，是一支位于俄玄俄州克里夫兰的职业棒球队伍，目前隶属于美国职棒大联盟美国联盟的中区，从 1994 年开始以杰克布斯球场为主场。

❷ 伊曼纽尔·康德（Immanuel Kant, 1724—1804），德国哲学家、德国古典唯心主义哲学创始人，主张自在之物不可知，人类知识是有限度的，提出星云假说，著有《纯粹理性批判》、《实践理性批判》等。

❸ 俄罗斯加里宁格勒州首府，位于桑比亚半岛南部，由条顿骑士团北方十字军于 1255 年建立，先后被条顿骑士团国、普鲁士公国和东普鲁士定为首都或首府。这里曾是德国文化中心，伊曼努尔·康德、E·T·A·霍夫曼和达维德·希尔伯特都曾在此居住过。

　　吃完饭，我把用过的餐具拿去洗碗槽。然后泡茶，拿两个茶杯折回餐桌。秋川真理惠坐在餐桌前一动不动注视我的一个个动作，以验证文献细琐脚注的历史学家般慎之又慎的眼神。

　　"不是坐车来的吧?"我问。

　　"走路来的。"秋川真理惠总算开口了。

　　"从你家一个人走来这里?"

　　"是。"

　　我默然等对方说下去。秋川真理惠也默然。隔着餐厅桌子，沉默在两人之间持续了好一阵子。但在维持沉默上面，我决不会有什么为难。毕竟一直独自在山尖上生活。

　　"有秘密通道。"真理惠后来说道，"开车来路程相当长，但从那里钻近得很。"

　　"可这一带我也没少散步，没见过那样的通道。"

　　"找的方法不对。"少女说得干脆，"一般走一般找，找不到通道。藏得很妙。"

　　"你藏的吧?"

　　她点头:"我出生后不久就来了这里，在这里长大的。从小整座山就是我的游乐场，这一带哪个角落都知道。"

　　"那条通道巧妙地藏了起来?"

　　她再次大大点头。

　　"你从那条通道走来这里。"

　　"是。"

　　我叹了口气。"饭吃了?"

"刚吃过。"

"吃的什么?"

"姑母做饭不怎么做得来。"少女说。固然不成为对我的问话的回答,但我没再问下去。想必自己刚才吃的什么都不乐意想起。

"那么你姑母知道你一个人来这里?"

真理惠对此没有回答,嘴唇紧闭成一条直线。所以我决定由自己回答:"当然不知道。地道的大人不会让一个十三岁女孩天黑以后独自在山里转来转去。是那样的吧?"

又一阵子沉默。

"有秘密通道她也不知道。"

真理惠左右摇了几下头,意思是说姑母不知道通道的事。

"除了你没人知道那条通道。"

真理惠上下点了几下头。

"不管怎样,"我说,"从你家所在的方位看,走出通道后,肯定是穿过有一座旧的小庙的杂木林来这里的,是吧?"

真理惠点头:"小庙完全知道。前些日子使用大机械挖庙后石堆的事也知道。"

"你看现场了?"

真理惠摇头:"挖的时候没看,那天上学了。看的时候地面全是机械痕迹。为什么做那种事?"

"情况复杂。"

"什么情况?"

"从头说明起来,要很长时间。"我说,我没有说明。如果可能,我不想把免色参与其中的事告诉她。

"那里是不应该那样开挖的。"真理惠唐突地来了一句。

"为什么那么认为?"

她做出仿佛耸耸肩的动作。"那个场所保持原样不动就好了。大家都那么做。"

"大家都那么做?"

"很长时间里那里一直就那样不动。"

或许果如这位少女所说,我想。或许不该动手捅那个场所。或许以前大家都是那么做的。可是事到现在再说那个也晚了。石堆已经被挪开,洞已经被打开,骑士团长已经被放开。

"拿开盖在洞口的盖子的没准是你吧?"我问真理惠,"看完洞又盖回盖子,镇石也按原样压在上面——不是那样的?"

真理惠扬起脸直直地看我,似乎说你怎么知道的。

"盖子上石头的排列方式多少有所不同。视觉性记忆力我一向出类拔萃,一点点差异也一目了然。"

"嗬!"她似乎由衷佩服。

"可打开盖子洞里也是空的,除了黑暗和潮湿的空气什么也没有。是吧?"

"竖着一架梯子。"

"下到洞里了?"

真理惠断然摇头,仿佛说何至于做那种事。

"那么,"我说,"今晚这个时刻你是有什么事才来这里的吧? 还是纯属社交性访问?"

"社交性访问?"

"偶尔来到这附近，顺便进来寒暄什么的?"

她就此想了想，而后轻轻摇头："也不是社交性访问。"

"那么是哪一种类访问呢?"我说，"当然你来我家玩，作为我也是高兴的。不过，要是事后给你姑母和父亲知道了，说不定会招致微妙的误解。"

"什么误解?"

"世上有所有种类的误解。"我说，"远远超出我们想像的那样的误解也是有的。弄不好，不再允许以你为模特画画都有可能。作为我，那可是非常伤脑筋的。对你也怕是伤脑筋的吧?"

"姑母不会知道。"真理惠斩钉截铁，"晚饭后我回自己房间，姑母再不到我房间来——这么商定好了的。所以偷偷从窗口钻出去，谁都不会知道，一次都没暴露。"

"以前就常在夜间山里走来走去?"

真理惠点头。

"一个人在夜晚的山里不害怕?"

"此外有更害怕的事。"

"举例说?"

真理惠仅仅做了个微微耸肩动作，没有应答。

我问道："姑母倒也罢了，父亲怎么办?"

"还没回家。"

"星期日也?"

真理惠不回答。看样子想尽量不谈及父亲。

　　她说："反正老师不用担心，谁也不知道我一个人外出。就算知道了，也决不提老师名字。"

　　"那好，不再担心。"我说，"可是，今晚为什么特意到我家来呢？"

　　"跟老师有事。"

　　"什么事？"

　　秋川真理惠拿起茶杯，静静喝了口热绿茶。而后以锐利的目光四下扫了一圈，仿佛确认此外有没有人在听。不用说，周围除了我们别无他人——如果骑士团长不回来在哪里侧耳倾听的话。我也环视四周，但没见到骑士团长的形影。话虽这么说，倘骑士团长不形体化，谁的眼睛都看不见他。

　　"今天中午来这里的老师的那位朋友，"她说，"一头漂亮白发的人，什么名字来着？有点儿稀罕的名字……"

　　"免色。"

　　"对，免色。"

　　"他不是我的朋友，只是前不久结识的人。"

　　"是也好不是也好。"

　　"那、免色先生怎么了？"

　　她眯细眼睛看我。而后多少压低嗓音说："那个人大概心里藏着什么，我想。"

　　"比如藏着什么？"

　　"具体什么不知道。但免色今天下午只是偶尔路过这点，我想可能不是真的，觉得是有明确的什么才来这里的。"

　　"那个什么，比如是什么呢？"我对她眼力的敏锐多少有些惧怯。

　　她仍目不转睛看着我："具体的不知道。老师也不知道？"

　　"不知道，没那个感觉。"我说谎道。但愿别被秋川真理惠一眼看穿才好。我向来不擅长说谎。说谎即形露于色。可是我不能在这里挑明真相。

　　"真的？"

　　"真的。"我说，"完全没有想到他今天会来我家。"

　　真理惠似乎大体相信了我的说法。实际上免色也没说今天到我家来，他的突然来访对我也是出乎意料的事。我并非说谎。

　　"那人有着不可思议的眼睛。"

　　"不可思议？怎么不可思议？"

　　"眼睛总显得有某种打算，和《小红帽》里的狼一样。就算装出外婆模样躺在床上，一看眼睛也马上知道是狼。"

　　《小红帽》里的狼？

　　"就是说，你在免色先生身上觉出了 negative 的东西？"

　　"negative？"

　　"否定的、有害的什么。"

　　"negative。"她说。随后好像把这个说法塞进了她记忆的抽屉，一如"晴天霹雳"。

　　"那也不是的。"真理惠说，"不认为有不良意图。可我觉得一头漂亮白发的免色的背后藏着什么。"

　　"你感觉出了那个？"

　　真理惠点头。"所以到老师这里确认来了，以为老师会就免色知道什么。"

"你的姑母也是像你那么感觉的?"我岔开她的提问。

真理惠略略歪头。"不,姑母不会有那样的想法,她一般不对别人抱有 negative 的心情。她对免色怀有兴趣。虽然年龄多少有差距,但对方一表人才,衣着考究,又好像非常有钱,还一个人生活……"

"你姑母对他有好感?"

"我觉得。和免色说话时好像开心得不得了。脸上闪闪生辉,声音也有点儿变样,和平时的姑母不同。而且免色也应该多少感觉出了那种不同,我想。"

对此我什么也没说,往两人茶杯里倒入新茶。继续喝茶。

真理惠一个人琢磨了好一会儿。"可是,免色为什么知道我们今天来这里呢? 老师告诉的?"

我慎重地斟酌字眼以便尽可能不说谎就了结。"我想免色先生根本没有今天在这里见你姑母的打算——知道你们在我家以后本想直接回去,是我硬让他留下来的。他怕是偶然来我家,你姑母偶然在我家,见了才有兴趣的。毕竟你姑母是非常有魅力的女性。"

真理惠看上去不像完完全全认可我的说法,但也没再继续追究这个问题。只是好一阵子把臂肘支在餐桌上一副不开心的样子。

"不过反正你们下星期日去他家访问。"我说。

真理惠点头道:"是的,为了看老师画的肖像画。姑母好像对这个满怀期待,期待星期日去免色家访问。"

"姑母也还是需要期待什么的。毕竟在这人烟稀少的山上生活,和住在城里不同,新结识男性的机会也不会有多少。"

秋川真理惠嘴唇紧紧闭成一条直线。一会儿坦言相告:"姑母有个

长期恋人的，一个认真相处了很长时间的男的。是来这里之前在东京当
秘书时的事。但因为这个事那个事最终没能成功，姑母为此深受伤害。
也是因为这个，母亲死后就来我家跟我们住在一起。当然不是从她本人
口中听得的。"

　　"但眼下没有相处的人。"

　　真理惠点头。"眼下大概没有相处的人，我想。"

　　"而你对姑母作为一个女性对免色先生怀有那种淡淡的期待多少有
些放心不下，所以来这里跟我商量。是这样的吧？"

　　"嗳，不认为免色先生诱惑我姑母？"

　　"诱惑？"

　　"不是以认真的心情。"

　　"那个我也不明白。"我说，"我对免色先生没有了解到那个程度。
再说他和你姑母今天下午刚刚碰见，具体的还什么也没发生。何况那是
人心和人心之间的问题，事情会根据进展情况发生微妙变化的。微乎其
微的心理变动有时会迅速膨胀起来，而相反的场合也会有。"

　　"可我有预感那样的感觉。"她说得相当干脆。

　　尽管没什么根据，但我觉得相信她类似预感的感觉也未尝不可。这
也是我类似预感的感觉。

　　我说："你担心发生什么使得姑母再次深受精神伤害。"

　　真理惠频频点头："姑母不是小心谨慎的性格，对受伤害也不怎么
习惯。"

　　"那么听来，好像是你在保护姑母啊！"我说。

　　"在某种意义上。"真理惠以一本正经的神情说。

"那么你怎么样呢？你是习惯受伤害的了？"

"不知道，"真理惠说，"但起码我没恋什么爱。"

"迟早也要恋爱。"

"可现在没有。在胸部多少膨胀之前。"

"我想不会是多么久远的事。"

真理惠轻皱一下眉头。大概是不相信我。

这时我的心间倏然冒出一个小小的疑点：说不定免色是以确保同真理惠的联系为主要目的而在有意接近秋川笙子，不是吗？

关于秋川真理惠，免色这样对我说道：一次短暂的见面什么也弄不明白，需要长些的时间。

对于免色，秋川笙子应是为了往下也能继续同真理惠见面的重要中介者。因为她是真理惠的实质性监护人。因此，免色首先要把秋川笙子——或多或少——纳入手中。对于免色这样的男人，很难说那是伴随多大困难的作业，即使不能说是小菜一盘。尽管如此，我并不想认为他藏有那样的意图。或许如骑士团长所说，他是不得不经常怀揣某种企图的人。但在我眼里，他这个人并没有那么刁钻。

"免色先生的家可是很有看头的家哟！"我对真理惠说，"怎么说呢，该说是饶有兴味吧！反正看看是没亏吃的。"

"老师去过免色的家？"

"一次，请我吃晚饭来着。"

"在这山谷的对面？"

"大体在我家的正对面。"

"从这儿能看见？"

我略一沉吟。"嗯，倒是显得小。"

"想看一眼。"

我把她领到阳台，手指山谷对面那座山上的免色宅邸。庭园灯隐约照出那座白色建筑物，看上去仿佛夜间海上行驶的优雅的客轮。几扇窗还亮着灯光，但无一不是低姿态的弱小光闪。

"就是那座大白房子？"真理惠惊讶地说，往我脸上目不转睛看了一阵子。而后不再说什么，把视线再度转回远处的宅邸。

"若是那座房子，从我家也看得清楚，看的角度倒是和这里有点儿不一样。很早以前就有兴趣，心想到底什么人住在那样的房子里呢？"

"毕竟房子很显眼。"我说，"反正那就是免色先生的家！"

真理惠把身子探出栏杆，久久观望那座大房子。房顶上有几颗星闪闪眨眼。无风，小而坚挺的云在天空同一位置一动不动，一如用钉子牢牢钉在三合板背景作为舞台设置的云。少女时不时歪一下头，笔直的黑发在月光下闪着幽艳的光。

"那座房子里，果真住着免色一个人？"真理惠转向我说。

"是啊！那座大房子一个人住。"

"没结婚？"

"说没结过婚。"

"是做什么工作的人？"

"不太清楚。据他说是广泛意义上的信息商务。可能是 IT 方面的。但眼下没做固定工作。把自己成立的公司卖了，用那笔钱和股票分红那样的东西生活。更详细的我不知道。"

"没做工作？"真理惠蹙起眉头问。

"本人是那么说的，说几乎不出家门。"

说不定免色正用高性能双筒望远镜看着此刻从这边眼望免色家的我们两个人。目睹并立在夜幕下阳台上的我们，他到底会做何感想呢？

"你差不多该回家了，"我对真理惠说，"时间已经晚了。"

"免色倒也罢了，"她低声告密似的说，"能让老师画我的画，我很高兴。这点我想明确讲一声。会画成怎样的画呢？我非常期待。"

"但愿我能画好。"我说。她的话很让我动心。这个少女谈到画，心就能近乎不可思议地完全敞开。


我送她到门厅。真理惠穿上很贴身的薄羽绒服，把印第安人队棒球帽拉得低低的。这一来，看上去像是哪里的小男孩。

"送到半路上怎么样？"我问。

"不怕。熟路！"

"那么下星期日见！"

但她没有马上离开，站在那里一只手按在门框上按了一会儿。

"有一点让我介意，"她说，"铃。"

"铃？"

"刚才来的路上好像听见铃声了，大约是和放在老师画室里的铃一样的铃声。"

我一时瞠目结舌。真理惠盯视我的脸。

"在哪一带？"我问。

"那片树林里，小庙后头一带。"

我在黑暗中侧起耳朵。但没听见铃声。什么声音也没听见。降临的唯独夜的静默。

"没害怕?"我问。

真理惠摇头:"不主动发生关联,就没有可害怕的。"

"在这儿等一下可好?"我对真理惠说。而后快步走去画室。本应放在板架上的铃不见了,它消失去了哪里。

**根本就不谈比赛规则**

让秋川真理惠回去后，我再度折回画室。打开所有照明，满房间细细找了一遍。但古铃哪里也没找见——它消失去了哪里。

最后看见铃是什么时候的事呢？上星期日秋川真理惠第一次来这里时，她拿起板架上的铃摇晃来着，又放回了板架。当时的事我记得很清楚。后来见到铃没有？我想不起来。那一个星期我几乎没进入画室，画笔也一次没拿。我开始画《白色斯巴鲁男子》，但全然进退维谷。秋川真理惠的肖像也还没有着手，进入所谓创作瓶颈。

而不觉之间铃消失了。

秋川真理惠穿过夜间树林时，从小庙后头听见铃声传来。莫非铃被谁放回那个洞里了？我是不是应该这就去洞那里确认一下铃声是否实际从那里传来？

却又无论如何也没有心绪这就一个人踏入暗夜中的杂木林。这天始料未及的事纷至沓来，我多少有些累了。不管谁怎么说，今天一天份额"始料未及之事"的分配应该已经完成。

去厨房从电冰箱取出几块冰放进杯中，往上面倒入威士忌。时间才八点半。秋川真理惠可平安穿过树林、穿过"通道"返回家中了吗？估计没问题，不至于有值得我担心的事情发生。按她本人说法，那一带她从小就一直作为游乐场来着。那孩子比外表有主见得多。

我不紧不慢喝了两杯苏格兰威士忌，嚼了几块椒盐饼干，然后刷牙睡觉。或者半夜被那铃声叫醒也未可知，如以往那样在下半夜两点左右。没办法，到时再说吧！但最终什么也没发生——大概什么也没发生——睡到第二天早上六点半，一次也没醒来。

睁眼一看，窗外正在下雨。预告理应到来的冬天的冷雨，安静执著的雨，下法同三月妻提出分手时下的雨十分相似。妻说分手时间里，我大体背过脸观望窗外下的雨。

早餐后我穿上塑料雨披，戴上雨帽（两样都是旅行途中在函馆体育用品店买的），走进杂木林。没有撑伞。我绕到小庙后头，把盖在洞口的板盖挪开一半，用手电筒往洞里仔细探照。里面空空如也。没有铃，没有骑士团长。但为慎重起见，我决定利用竖在洞里的梯子下到洞底看看。下洞是第一次。金属梯由于身体的重量每走一步都弯一下，发出让人不安的吱呀声。但归终什么也没找到。仅仅是个无人洞。圆得很漂亮，乍看像是井，但作为井直径过大。若以汲水为目的，无需挖这么大口径的井。周围石块的砌法也一丝不苟，如园艺业者所说。

我长时间一动不动站在这里思来想去。头顶有切成半月形的天空出现，没有多少闭塞感。我关掉手电筒，背靠幽暗潮湿的石壁，闭目倾听头上不规则的滴雨声。自己也不大清楚自己在想什么，但反正我在这里围绕什么思来想去。一个想法连上另一个想法，又和一个不同的想法连在一起。但怎么说好呢？这里有的总好像是离奇的感觉。又怎么说好呢？简直就像自己被"想"这一行为本身整个吞噬进去。

一如我带着某种想法活着行动着，这个洞也在思考着，活着行动着，呼吸着伸缩着。我有这样的感触。我的思考同洞的思考在这黑暗中似乎相互盘根错节，让树液你来我往。如自己与他者融在一起的颜料那样混浊，界线越来越扑朔迷离。

不久，我被一种感觉——周围石壁渐渐变窄的感觉袭上身来。心脏在我胸间发着干涩的声响一张一缩，甚至心脏瓣膜一开一闭的动静都好像听见了。自己仿佛正在接近死后世界那种阴冷的气息就在这里。那个世界绝非给人以厌恶感的场所，但现在还不应该去。

我猛然回过神来，切断径自行动的思考。我重新打开手电筒四下探照。梯子还立在这里。头顶可以看见和刚才同样的天空。见了，我放心地舒了口气。我想，即使天空没有了梯子消失了也没什么奇怪。这里什么事情都可能发生。

我紧紧抓着梯子一格一格小心往上爬去。爬上地面，两腿站稳淋湿的地面，这才好歹得以正常呼吸。心脏的悸动也逐渐停止下来。之后再次往洞里窥看，用手电筒光照遍所有边边角角。洞恢复一如往日的洞。它没有活着，没有思考，墙壁也没有收拢变窄。十一月中旬的冷雨静静淋湿洞底。

我把盖子盖回，上面摆上镇石。照原样准确摆上石块，以便谁再挪动了马上即可了然。而后戴好帽子，折回刚才走来的路。

问题是，骑士团长究竟消失到哪里去了呢？我在林中路上边走边想。一晃儿两个多星期没见到他的身影了。而奇异的是，他这么久没现身多少让我感到有些怅惘。纵使莫名其妙的存在，纵使说话方式相当奇妙，纵使从哪里擅自观看我的性行为，我也还是在不知不觉间对这佩一把短剑的小个子骑士团长怀有了类似亲近感的感情。但愿骑士团长身上别发生不好的事。

返回家中，走进画室，坐在平时的旧木凳上（想必是雨田具彦作画时坐的凳子）久久凝视墙上挂的《刺杀骑士团长》。当我不知所措的时候，我往往这样没完没了地看这幅画。百看不厌。这一幅日本画本应成为某座美术馆最重要的藏品之一才是。而实际上却挂在这狭小画室简陋的墙壁由我一人所有。以前也没触及谁的目光，藏在阁楼里。

这幅画在诉说什么，秋川真理惠说，简直就像小鸟要从小笼子里飞去外面的世界。

越看这幅画，我越觉得真理惠一语中的。确实如此。看上去确实像有什么正拼命挣扎着要从那因禁场所脱身而出。它在希求自由和更为广阔的空间。使得这幅画变得如此强有力的，是其中的坚强意志。鸟具体意味什么呢？笼具体意味什么呢？尽管都还没有了然于心。


这天我想画什么想得不得了。"想画什么"的心情在自己体内逐渐高涨，简直就像晚潮汹涌扑岸。不过画真理惠肖像的心情还没有形成，那还太早。等到下星期日好了。而且，让《白色斯巴鲁男子》重新上画架的心情也没能上来。那里——如秋川真理惠所说——潜伏着某种危险的力。

我已经以画秋川真理惠的打算把新的中号画布准备在画架上。我在画架前面的木凳弓腰坐下，目不转睛久久盯视上面的空白。但没有涌起那里应的意象。不管看多久，空白仍是空白。到底画什么好呢？如此冥思苦索之间，终于碰到此刻自己最想画的画图。

我从画布前离开，取出大型素描簿。我坐在画室地板上，背靠墙，盘腿，用铅笔画石室画。用的不是常用的 2B，而是 HB。杂木林中石堆下出现的那个不可思议的洞。我在脑海中推出刚刚看过的场景，尽量详细描绘下来。画近乎奇妙地密实砌成的石壁，画洞口周围的地面，画那里如铺了一张美丽图案的湿乎乎的落叶。遮掩洞口的那片芒草被重型机械的履带碾得匍匐在地，一片狼藉。

画这画的过程中我再次陷入奇妙的感觉，恍惚自己同杂木林中的洞融为一体，那个洞无疑期盼被我画下来，被画得毫厘不爽。为了满足它的期盼，我几乎下意识地手动不止。这时间里我感觉到的是没有杂质的几近纯粹的造型喜悦。过去多长时间了呢？蓦然回神，素描页已被黑色铅笔线条涂得满满一片。

去厨房倒了几杯冷水喝，热了咖啡倒在马克杯里，拿杯折回画室。我把打开的素描簿放在画架上，从离开些的位置坐在凳上再次看这幅素描。树林中的圆洞无比精确地活生生出现在画中，看上去洞真正有了生命。或者莫如说，较之现实中的洞，更像是活物。我从凳上下来，凑近细看，又从不同角度看。我发觉，它令人联想起女性的隐秘部位。被履带碾碎的芒草丛看上去同阴毛毫无二致。

我独自摇头，不能不苦笑。完全是画成画的弗洛伊德式解释。岂不应了那方面的大头评论家似的腔调？"令人想起宛如孤独女性性器官那样的地面幽暗的洞穴，看起来仿佛作为从作者无意识领域中浮现出来的记忆与欲望的表象而发挥功能。"低俗！

尽管如此，树林中那个奇异的圆洞同女性隐秘部位产生关联这一念头仍在脑海中挥之不去。因此，当稍后电话铃响起的时刻，一听声就猜想是人妻女友打来的电话。

实际上也是她的电话。

"嗳，忽然有了时间，这就过去可以的？"

我瞟了眼钟："可以可以，一起吃午饭什么的好了！"

"买点儿能简单吃的东西过去。"她说。

"那好啊！一大早就一直工作，什么都没准备。"

她挂断电话。我去卧室整理床铺。拾起床上散乱的衣服，叠好收进衣柜抽屉。洗了洗碗槽里的早餐碟碗收好。

接着去客厅把理查德·施特劳斯的《玫瑰骑士》（乔治·索尔蒂指挥）的唱片一如往常放在唱机转盘上，在沙发一边看书一边等女友到来。随即倏然心想，秋川笙子到底看的什么书呢？到底看哪一种类型的书看得那么入迷呢？

女友十二点十五分赶来。她的红色迷你停在门前，怀抱食品店纸袋的她从车上下来。雨仍在悄无声息地下着，但她没有撑伞。身穿黄色塑料雨衣，头戴雨帽，快步走了过来。我打开房门，接过纸袋，直接拿去厨房。她脱去雨衣，下面穿的是鲜绿色高领毛衣，毛衣下一对乳房隆起动人的形状。虽然没有秋川笙子的乳房大，但大小程度适中。

"从早上一直工作？"

"不错。"我说，"不过不是受谁之托，是自己想画什么。兴之所至，乐此不疲。"

"任其徒然。"

"算是吧。"我说。

"肚子饿了？"

"啊，没怎么饿。"

"那好，"她说，"午饭不放在下一步?"

"好好，当然。"


"为什么今天干劲这么大呢?"她在床上稍后问我。

"为什么呢——"我说。也许因为从早上就闷头画地面开的那个直径约两米的奇妙洞穴的关系。画着画着，觉得颇像女性生殖器，于是性欲被多少刺激起来了……无论如何这话不能出口。

"好些天没见你了，所以强烈地需要你。"我选择较为稳妥的表达说。

"那么说真让我高兴。"她用指尖轻抚我的胸口说。"不过，实际上不是想抱更年轻女孩?"

"没那样的想法。"我说。

"当真?"

"想都没想过。"我说。实际也没想过。我把和她的性爱作为性爱本身加以纯粹享用，根本没想找除她以外的什么人（当然，同柚之间的那一行为另当别论，那完全是另一种构成）。

尽管如此，我还是决定不把现在画秋川真理惠肖像的事告诉她。因我觉得以十三岁美少女为模特画画这点，说不定微妙刺激她的嫉妒心。无论怎样的年龄，对于所有女性来说都无疑是微妙的年龄。四十一岁也罢，十三岁也罢，她们都总是面对微妙的年龄。这是我从迄今经历的少许女性中切身学得的一个教训。

"对了，不认为男女之间的关系总像是不可思议的东西?"她说。

"不可思议? 如何不可思议?"

"就是说，我们这么交往着——尽管前不久刚刚认识，却这样整个赤身裸体搂在一起。毫不设防地、毫不害羞地。这样子，想来不是不可思议的？"

"或许不可思议。"我静静认可。

"嗳，作为游戏考虑一下好了！虽说不纯属游戏，但类似某种游戏。如果不这么考虑，情理就讲不通。"

"考虑考虑。"我说。

"那，游戏要有规则的吧？"

"要有。"

"棒球也好足球也好，都有一本厚厚的规则手册，上面分门别类写着五花八门的琐碎规则。裁判员和选手们都得牢牢记住才行。不然比赛就不成立。对吧？"

"正解。"

她在此停顿片刻，等待我把那一场景深深植入脑海。

"这样，我想说的是，我们有没有曾就这游戏规则好好商量过一次。有的？"

我略一沉吟说道："我想大概没有。"

"但现实当中我们是按照某种假想规则进行这一游戏的。是吧？"

"那么说来，或许是那样的。"

"那可能就是这么回事，我想，"她说，"我按照我知道的规则进行游戏，你按照你知道的规则进行游戏。而且我们本能性地尊重各自的规则。只要两人规则不相撞而带来麻烦的混乱，这一游戏就得以顺利进行。大约是这样的吧？"

我就此思量片刻。"或许是那样的。我们基本尊重各自的规则。"

"但与此同时，我在想，同尊重或信赖什么的相比，恐怕更是礼仪问题。"

"礼仪问题?"我重复她的话。

"礼仪很重要。"

"的确怕是那样的。"我予以认可。

"不过，假如信赖啦尊重啦礼仪啦不再正常发挥作用，双方的规则相互冲撞，游戏不能一帆风顺的时候，那么我们就不得不中断比赛，商定新的共同规则。或者必须直接停止比赛，退出赛场。而选择哪一个，无需说，就是重大问题。"

那正是我的婚姻生活中发生的事，我想。我们直接中止比赛，悄然退出赛场，在三月一个冷雨飘零的星期日午后。

"那么，"我说，"你是希望在这里就我们的比赛规则重新谈一谈?"

她摇头道:"不，你什么都不懂。我所希望的，是根本就不谈游戏规则，一概不谈。正因如此，我才这样在你面前一丝不挂。这样无所谓的?"

"我倒是无所谓。"我说。

"最低限度的信赖和尊重，尤其礼仪!"

"尤其礼仪!"我重复一遍。

她伸手握住我身体的一部分。

"好像又变硬了。"她在我耳旁悄声低语。

"也许因为今天星期一。"

"星期几和这个有什么关系?"

"怕是因为从早上就一直下雨的关系，也可能冬天临近的缘故。或许因为候鸟开始出现了，或许因为蘑菇丰收了，或许因为水还在杯里剩有十六分之一，或许因为你的草绿色毛衣的胸部形状富有挑逗性。"

听得她哧哧笑了。看上去她对我的回答相当中意。

傍晚免色打来电话。他就上个星期日的事表示感谢。

值得感谢的事一件也没做，我说。说实话，我仅仅是把他介绍给两人而已。至于往下如何发展，那就不是与我有关的事。在这个意义上，我纯属局外人罢了。或者莫如说我希望自己永远止于局外人（尽管有事情未必顺利的预感）。

"其实今天这么打电话，是关于雨田具彦那件事。"免色寒暄结束后切入正题，他说，"那以后又多少有信息进来。"

他还在继续调查。不管实际开动双腿调查的是谁，让人家做如此繁琐的工作，肯定都要花相当大一笔钱的。免色对自己感觉有必要的事项固然不惜投入资金，可是雨田具彦的维也纳时代体验，对于他何以有必要性呢？必要性是何种程度的呢？我可是琢磨不出。

"这也许跟雨田先生维也纳时代的逸闻没有直接关系。"免色说，"但一来时期上相互重合，二来对雨田先生个人想必极具重要意义。所以我想还是讲给你为好。"

"时期上重合？"

"上次也说了，雨田具彦一九三九年初离开维也纳返回日本。形式上是强制遣送，而实质上是从盖世太保手中把雨田具彦'抢救出来'。日本外务省和纳粹德国外交部达成秘密协议，结论是不向雨田具彦问罪，而止于把他驱逐出境。暗杀未遂事件虽然是一九三八年发生的，但其伏线在于那年发生的一系列重要事件：德奥合并和水晶之夜。德奥合并发生在三月，水晶之夜发生在十一月。通过这两起事件，阿道夫·希特勒的暴力意图在任何人眼里都昭然若揭。而且奥地利也被结结实实捆入那一暴力装置，全然动弹不得。于是以学生为中心出现地下抵抗运动，力图阻止这一进程。就在这一年雨田具彦因参与暗杀未遂事件被捕。这前后经纬可以理解了吧？"

"大致可以理解了。"我说。

"喜欢历史？"

"知之不详，但喜欢看历史书。"我说。

"即使把目光转向日本的历史，那前后也发生了若干重要事件——几件走向致命性毁灭结局的后退不得的事件。可有想得起来的？"

我清理脑海中长期掩埋的历史知识。一九三八年即昭和十三年究竟发生了什么呢？欧洲西班牙内战白热化。德国秃鹰军团朝格尔尼卡❶实施无差别轰炸也应是那个时候。日本……？

"卢沟桥事件可是那年来着？"我说。

"那前一年。"免色说，"一九三七年七月七日发生卢沟桥事件，以此为契机，日本和中国的战争全面爆发。而且，那年十二月发生了从中派生的重要事件。"

那年十二月发生什么了？

"'南京入城'。"我说。

---

❶ 西班牙中北部城镇，位于毕尔巴鄂东北。始建于 1366 年，总面积 8.6 平方公里。1937 年 4 月在西班牙内战中，这里遭受了纳粹德国空军的轰炸，激发毕加索创作了其最负盛名的作品《格尔尼卡》。

"是的。就是所谓南京大屠杀事件。日军在激战后占据了南京市区，在那里杀了很多人。有同战斗相关的杀人，有战斗结束后的杀人。日军因为没有管理俘虏的余裕，所以把投降的士兵和市民的大部分杀害了。至于准确说来有多少人被杀害了，在细节上即使历史学家之间也有争论。但是，反正有无数市民受到战斗牵连而被杀害则是难以否认的事实。有人说中国人死亡数字是四十万，有人说是十万。可是，四十万人与十万人的区别到底在哪里呢？"

我当然不知道有那样的事。

我问："十二月南京陷落，很多人被杀害了。可这件事同雨田具彦的维也纳事件莫非有什么关系？"

"这点往下要说。"免色说，"一九三六年十一月日德反共产国际协定签定。其结果，日本和德国进入明白无误的同盟关系。但现实中维也纳和南京有相当遥远的距离，关于日中战争❶，当地恐怕没做详细报道。但说实话，雨田具彦的弟弟继彦作为一名士兵参加了南京攻城战。是被征兵而参加实战部队的。他当时二十岁，是东京音乐学校、即现在的东京艺大音乐学部的在校学生，学钢琴。"

"不可思议啊！据我所知，还在校的学生当时应该是被免除兵役的……"我说。

"嗯，完全如你所说。在校大学生毕业前免除兵役。然而雨田继彦被征兵派去了中国。何以如此，原因不得而知。但不管怎样，他在一九

---

❶ 日中战争：中国通称抗日战争。

三七年六月被征兵，在第二年六月之前作为陆军二等兵属熊本第六师
团❶。住的地方是东京，但户籍为熊本，所以被编入第六师团。这在文
件上有记载。在接受基础训练后被派去中国大陆，十二月参加了南京攻
城战。第二年六月退伍后返回学校。"

我默默等他说下去。

"但是，退伍复学后不久，雨田继彦中止了自己的生命。家人发现
他在自家房顶阁楼里用剃刀割腕死了。那是夏天快过去时候的事。"

在阁楼割腕自杀？
· · · · · · ·
"一九三八年夏天快过去的时候……就是说，弟弟在阁楼自杀的时
候，雨田具彦仍作为留学生在维也纳。是吧？"我问。

"是的。他没回日本参加葬礼。当时飞机还不怎么发达，回来只能
坐火车或坐船。所以终归赶不上弟弟的葬礼。"

"弟弟的自杀——几乎与此同时，雨田具彦在维也纳发动暗杀未遂
事件。你认为这二者之间可能有某种关联性？"

"可能有，可能没有。"免色说，"归根结底这属于推测范围，我只
是把查明的事实原原本本转告给你。"

"雨田具彦此外还有兄弟姐妹吗？"

"有个哥哥。雨田具彦是次男。三兄弟，死去的雨田继彦是三子。
他的自杀被作为不光彩的事而未在世间公开。熊本第六师团以豪胆勇猛
的部队驰名，如果事情是从战场光荣退伍归来之人就那样自杀了，家族

---

❶ 旧日本帝国陆军的一个甲种师团，是日军在二战爆发前 17 个常备师团之一，装备比较精良，战斗作风野蛮彪悍，
　是南京大屠杀期间参与暴行的日军主要部队之一。

也无颜面对世人。可是如你所知，传闻这东西总是要扩散的。"

我感谢他告诉我信息。尽管我还不清楚这具体意味着什么。

"我想再多少详细调查一下情况。"免色说，"弄明白了什么再告诉你。"

"拜托!"

"对了，下星期日偏午时分我去你那里，"免色说，"把那两位领来我家。为了让她们看你的画。那当然不碍事的吧?"

"当然不碍事。那画已经归您所有。给谁看也好不给谁看也好，一切都是您的自由。"

免色沉默有顷，就好像搜寻最为准确的字眼。而后无奈似的说道:"老实说，时不时很羡慕你。"

羡慕我?

我弄不清他想说什么。免色居然会羡慕我的什么，我简直无从想像。他无所不有，我一无所有。

"到底羡慕我的什么呢?"我问。

"你肯定不至于羡慕别人的什么吧?"免色说。

我略一沉吟说道:"确实，这以前我可能没羡慕过别人。"

"我想说的就是这点。"

可我连柚都没有。她眼下在什么地方被什么别的男人搂在怀里。有时甚至觉得自己一人被弃置在天涯海角。尽管如此，我也不曾羡慕别的什么人。莫非应为之惊异才对?


放下电话，我坐在沙发上，考虑在房顶阁楼割腕自杀的雨田具彦的

弟弟。虽说是阁楼，但当然不会是这座房子的阁楼。雨田具彦买这房子
已是战后的事了。弟弟雨田继彦是在自家阁楼里自杀的。估计是阿苏父
母家。即使那样，阁楼那个幽暗的秘密场所也还是将弟弟雨田继彦之死
同《刺杀骑士团长》那幅画联系在了一起。也许纯属偶然。或者雨田具
彦意识到这点而将《刺杀骑士团长》藏在了这里的阁楼也有可能。不管
怎样，雨田继彦为什么在退伍后不久即自绝性命了呢？毕竟从中国战线
激烈的战斗中得以九死一生四肢健全地回国了，然而……？

　　我拿起听筒给雨田政彦打电话。

　　"能在东京见一次吗？"我对政彦说，"差不多该去画材店买颜料什
么的了，于是想如果顺便能和你说说话……"

　　"好啊，当然！"说着，查看日程安排。结果，我们定在星期四中午
碰头一起吃午饭。

　　"去四谷那家常去的画材店？"

　　"是的。画布该买了，油也不够了。多少有些重量，开车去。"

　　"我公司附近有一家比较幽静能说话的餐馆，在那里慢慢吃好了！"

　　我说："对了，柚最近把离婚协议书寄来了，往上面签名盖章寄了
回去。所以我想不久正式离婚就可能成立。"

　　"是吗！"雨田以不无忧郁的语声说。

　　"啊，没办法的，无非时间问题。"

　　"不过我听了，作为我可是非常遗憾。本来以为你们会处得相
当好。"

　　"处得好的阶段处得相当好。"我说。和旧捷豹一回事，没发生故障
时跑得甚是得意。

"那么往下什么打算?"

"无所谓什么打算。暂时维持现状。再说此外也想不起要做的事。"

"画还在画?"

"正在画的有几幅。能不能顺利不晓得,反正是在画。"

"那就好。"雨田说,略一迟疑,补充一句,"电话打得正好。实不相瞒,正多少有事想跟你说。"

"好事?"

"无论好坏,总之是毫不含糊的事实。"

"关于柚?"

"电话中不好谈。"

"那么,星期四谈。"

我挂断电话,走上阳台。雨已彻底止息。夜晚空气澄澈清冷。云隙间闪出几颗小星。星看上去像是迸溅的冰碴。多少亿年也没能融化的硬冰,已经冻到芯了。山谷的对面,免色家一如往常在冷静的水银灯光照下若隐若现。

我一边看那光,一边考虑信赖、尊重与礼仪,尤其礼仪。但不用说,再考虑也推导不出结论。

**任何事物都有光明面**

　　从小田原近郊山上到东京，路程相当长。错了几回路，耗掉了时间。我开的二手车当然没有导航系统。ETC 仪器也没安装（保有放茶杯的地方恐怕都必须谢天谢地）。最初找到小田原厚木公路入口都费了一番周折。后来尽管从东名高速公路上了首都高速公路，但路上异常拥堵。于是决定在三号线涩谷出口下来，经青山大街开往四谷。一般道路同样混杂，致使从中选择合适的行车路线成了登天作业。找到停车场也不容易。世界似乎逐年沦为麻烦场所。

　　在四谷的画材店买完所需物品，装进后备厢，把车停在雨田公司所在的青山一丁目附近时，我已累得一塌糊涂。简直就像终于找到城里亲戚的乡下老鼠。时针已划过午后一时，比约定时间晚了三十分钟。

　　我走到他工作的公司的前台，请对方叫出雨田。雨田当即下来。我为自己的迟到致歉。

　　"不用介意。"他无所谓似的说，"餐馆也好这里的工作也好，这点儿时间还是能通融的。"

　　他把我领去附近意大利餐馆。位于一座小楼地下的餐馆。看情形他是常客，服务生见了，什么也没说就把我们领去里面一个小单间。没有音乐，不闻人声，安安静静。墙上挂着相当不赖的风景画：绿岬青空，白色灯塔。作为题材固然无足为奇，但能够让看的人产生"去那样的地方看看或许也不坏"的心情。

雨田要白葡萄酒，我点了巴黎水（Perrier）。

"往下要开车回小田原的，"我说，"路程相当了得。"

"的确。"雨田说，"不过么，和叶山啦逗子啦比起来要好得多！我在叶山住了一段时间，夏天开车在那里和东京之间往返，简直就是地狱。路给来海边玩的人的车堵得死死的。一去一回就是半天工作。在这点上，小田原方面路并没挤到那个程度，轻松快乐。"

食谱拿来，我们点了午间套餐。新鲜火腿前菜、芦笋色拉、海螯虾意面。

"你也终于有了想正经画画的心情。"雨田说。

"怕是因落得一人，没必要为了生计画画了吧！也就上来了想为自己画画的兴致。"

政彦点头说："任何事物都有光明面。哪怕云层再黑再厚，背面也银光闪闪。"

"——绕到云层背面去看也够麻烦的。"

"也罢，只是作为一种理论说说。"雨田说。

"另外，也许是住在山顶房子的关系。的确是适于集中精力画画的环境，无可挑剔。"

"啊，那里安静得不得了，基本无人来访，不分心。对于一般人是有些过于寂寞，但对于你辈，就没问题——我是这样看的。"

房间门开了，前菜端上桌来。摆盘子时间里，我们默不作声。

"而且，那间画室的存在可能也有很大作用。"服务生离开后我说，"那个房间，觉得好像有什么让人想画画。有时感到那里是房子的核心。"

"以人体来说就像是心脏?"

"或者像意识。"

"Heart and Mind❶。"政彦说,"不过么,说实话,对那个房间我是有点儿头痛的。那里实在浸染了太多的那个人的气味,甚至现在都满满充溢着那种气息。毕竟父亲住在那里时几乎整天闷在画室不动,一个人默默画画来着。而且对于孩子,那里是绝对靠近不得的神圣不可侵犯的场所。也许因为那种记忆还残留下来的关系,即使去那里,也至今都尽可能不靠近画室。你也当心才好!"

"当心? 当心什么?"

"当心别让父亲的魂灵那样的东西附在身上。毕竟是魂灵强大的人。"

"魂灵?"

"说魂灵也好,或者说像气那样的东西。他是个气流很强的人。况且那东西说不定经年累月之间已经把特定场所熏染得透透的了,像气息粒子似的。"

"被附在身上?"

"附在身上这个说法或许不好,反正是受某种影响吧! 被那个场的力那样的东西。"

"会不会呢? 我不过是看房子的,何况又没见过你父亲。所以不至于感觉出什么负担也有可能。"

---

❶ "Heart and Mind":心与意识 (精神)。

"是啊！"说着，雨田啜了口白葡萄酒。"说不定因为我是至亲才格外敏感的。再说，如果那种'气息'对你的创作欲望产生促进作用，那就再好不过了。"

"那么，你父亲身体还好？"

"啊，没有什么特不好的地方。毕竟九十都过了，不能说身体有多好，脑袋正无可避免地走向混沌。但拄着手杖能好歹迈步，食欲有，眼睛牙齿也都正常得可以。一颗虫牙也没有，肯定比我牙齿还结实。"

"记忆消失得厉害？"

"噢，几乎什么都记不得了，连作为儿子的我的长相都差不多想不起来了。父子啦家人啦那样的观念已不复存在。自己和他者的区别恐怕都已模糊不清。换个想法，这样子说不定利索了，反而轻松也未可知……"

我边喝倒在细杯里的巴黎水边点头。雨田具彦如今甚至自己儿子的长相都想不起来。维也纳留学时代发生的事，更应忘去九霄云外。

"尽管这样，刚才说的气流那样的东西仍好像留在本人身上。"雨田深有感慨地说，"很有些不可思议啊！过去的记忆几乎荡然无存，而意志力那样的东西仍顽强存留下来。这点一看就知道。到底是气场强的人。儿子我没能继承那样的资质，多少有歉疚之感，可那是奈何不得的。人各有与生俱来的器，并非仅仅有血缘关系就能继承那样的资质。"

我扬起脸，再次正面看他的脸。雨田如此直抒胸臆是极少有的事。

"有了不起的父亲想必是很让人吃不消的事。"我说，"我全然不明白那是怎么回事。我的父亲是个不怎么起眼的中小企业经营者。"

"父亲有名，当然有占便宜的时候，但有时也没多大意思。从数量上说，没意思的可能稍多一点儿。你不懂这个是幸运的，可以自由自在自主地活着。"

"看起来你倒是自由自在自主活着的……"

"在某种意义上。"说罢，雨田把葡萄酒杯在手里转来转去，"而在某种意义上不是那样。"

雨田具有相当敏锐的审美感觉。从大学出来后在一家中坚广告代理公司工作，现在拿相当高的薪水，看上去作为快乐的独身者自由享受都市生活。但实际如何，当然我也不知道。

"关于你父亲，有件事想问一下。"我提起正题。

"什么事呢？那么说，连我都对父亲所知无多。"

"听说你父亲有个叫继彦的弟弟。"

"啊，父亲的确有个弟弟——相当于我的叔叔。但这个人很早就去世了，那还是日美战争开始前……"

"听说是自杀……"

雨田脸上约略现出阴云。"哦，那大体算是家族内部秘密。不过一来是陈年旧事了，二来有一部分已经传了出去。所以说也怕没什么要紧。叔父是用剃刀割腕自杀的，才刚刚二十岁。"

"自杀的原因是什么呢？"

"何苦想了解那种事？"

"想了解你的父亲，就这个那个查阅了很多资料。结果走到了这一步。"

"想了解我的父亲？"

"看你父亲画的画，查阅履历过程中，渐渐来了兴致。到底是怎样的一个人呢？就想更详细地了解一些。"

雨田政彦隔桌注视我一会儿，然后说道："好吧！你对我父亲的人生有了兴致，这也有可能是有意义的事。你住在那座房子里怕也是某种因缘。"

他喝了一口白葡萄酒，开始讲述。

"叔父雨田继彦当时是东京音乐学校的学生，据说是有天分的钢琴手。对肖邦和德彪西得心应手，将来被寄予厚望。从自己嘴里说出是不合适，但家庭血统似乎表现在艺术方面有得天独厚的才华。啊，尽管程度有别。不料大学在校期间，二十岁时被征兵了。为什么呢？原因是大学入学时提交的缓征兵役文件有疏漏。只要好好提交那份文件，就暂且可以免征，而且往下也好通融。毕竟祖父是地方上的大地主，在政界也有门路。然而事务性手续总好像出了差错。对于本人也是如水灌耳。问题是系统一旦启动，就轻易停不下来。总之被不由分说地抓进部队，作为步兵部队的士兵在内地接受基础训练后被送上运输船，在中国的杭州湾登陆。当时哥哥具彦——总之是我的父亲——在维也纳留学，师从当地有名的画家。"

我默默听着。

"叔父体格不壮实，神经细腻，一开始就明知忍受不了严厉的军队生活和血腥的战斗。况且从南九州征集兵员的第六师团以粗野闻名。所以得知弟弟被意外抓进部队送去战场，父亲很是痛心。我的父亲是次男，性格争强好胜刚愎自用。但弟弟是在被疼爱中长大的小儿子，性格老实懦弱。而且作为钢琴演奏者必须经常注意保护手指。因此，保护小三岁的弟弟免受种种外压是父亲从小以来的习惯。即承担监护人那样的职责。然而现在远在维也纳，再担心也无济于事。只能通过不时寄来的信了解弟弟的消息。"

战地寄出的信当然受到严格检查。但也是因为是要好兄弟，他能够从压抑的行文读取弟弟的心理活动——根据巧妙伪装的语境，得以大致推测和理解本意。其中也包括弟弟的部队从上海到南京一路历经激战，途中反复进行无数杀人行为、掠夺行为之事，以及神经细腻的弟弟通过那样的诸多血腥体验而遭受的深重的心灵创伤。

他所在的部队占领的南京市区一座基督教堂有一架极漂亮的管风琴，弟弟在信中写道。管风琴完好无损地剩留下来。但接下去关于管风琴的长长的描写被检查官之手用墨水整个涂黑（基督教堂管风琴描写何以成为军事机密呢？就这个部队而言，责任检查官的检查标准相当莫名其妙。理所当然应该被涂的危险部分往往视而不见，而无甚必要涂黑的地方每每被涂得漆黑一片）。因此，弟弟是否得以演奏教堂的管风琴也不了了之。

"继彦叔父一九三八年六月结束一年兵役，马上办了复学手续。但实际上没能复学，在老家房子阁楼里自杀而死。剃须刀磨得很锋利，用来割了手腕。钢琴演奏者自行切割手腕，必定需要非同一般的决心。因为即使得救，恐怕再也弹不成钢琴了。发现时阁楼成了血海。他自杀一事对外严密封锁，表面上被处理为死于心脏病或什么病。

"继彦叔父因战争体验而心灵深受伤害，神经分崩离析——在任何人眼里这都明明白白是自杀原因。毕竟，一个除了弹一手好钢琴别无他想的二十岁青年被投入死尸累累的南京战场。若是现在，会被认定为精神创伤，但当时是彻底的军国主义社会，根本没有那样的术语和概念。而仅仅以性格懦弱、没有意志力、缺乏爱国精神处理了事。在当时的日本，那种'软弱'既不被理解，又不被接受，单单作为家族耻辱而埋葬在黑暗之中。如此而已。"

"没有遗书什么的?"

"遗书有。"雨田说，"相当长的遗书留在他自己房间的书桌抽屉里。较之遗书，似乎更接近手记。上面绵绵不断写了继彦叔父战争中的体验。看过遗书的只有叔父的父母（即我的祖父母）、长兄和我父亲这四人。从维也纳回来的父亲看完后，遗书在四人的注视下烧了。"

我什么也没说，等他继续下文。

"父亲绝口不提遗书内容。"政彦继续道，"一切都作为家庭黑暗的秘密封存起来——打个比方——好比拴上铅坠沉入深深的海底。不过只有一次，父亲喝醉的时候对我讲了大致内容。那时我还是小学生，第一次得知有个自杀的叔父。至于父亲对我讲那番话是由于确实喝醉了而松开嘴巴，还是因为早有打算迟早告诉我，这不清楚。"

色拉盘子被撤掉，海螯虾意面端了上来。

政彦拿着餐叉，以严肃的眼神注视片刻，像是在检验为特殊用途制作的工具。而后说道："喂，坦率地说，不太想边吃饭边讲这个话题。"

"那，讲别的好了!"

"讲什么?"

"尽可能远离遗书的。"

我们边吃意面边讲高尔夫。我当然没打过高尔夫，身边打过高尔夫的人也一个都没有。规则都几乎概不知晓。但政彦有工作上的应酬，近来常打高尔夫。也有解决运动不足这个目的。花钱买齐了用具，每到周末就去高尔夫球场。

"你肯定不知道，高尔夫这玩艺儿是彻头彻尾奇妙的游戏。那么变态的体育运动基本没有。同其他任何运动都毫无相似之处。甚至称为体育运动都好像相当勉强，我以为。然而奇怪的是，一旦习惯了它的奇妙，回头路就看不见了。"

他滔滔不绝讲起高尔夫比赛的奇妙性，披露了五花八门的奇闻逸事。政彦原本就是个会讲话的家伙。我一边高兴地听他讲一边吃饭，两人久违地谈笑风生。

意面盘撤下，咖啡端来后（政彦谢绝咖啡，又点了白葡萄酒），政彦返回原来话题。

"是说到遗书吧，"政彦语气陡然郑重起来，"据我父亲说，遗书中记述了继彦叔父砍俘虏脑袋的情形，非常生动详细。当然，作为士兵不带什么军刀，日本刀什么的以前从未拿过。毕竟是钢琴手。就算能读复杂的乐谱，砍人刀的用法也一无所知。但是上级军官递过一把日本刀，命令砍掉俘虏脑袋。虽说是俘虏，但一没穿军服二没带武器，年龄也相当不小了。本人也说自己不是当兵的。只不过是把那一带的男人们随便抓来绑上杀害罢了。查看手掌，有粗糙硬茧的，就是农夫，有时候放掉。但若有手柔软的，就视为脱掉军服企图混作市民逃跑的正规军，不容分说地杀掉。作为杀法，或者用刺刀刺，或者用军刀砍头，二者必居其一。如果附近有机关枪部队，就令其站成一排砰砰砰集体射杀。但普通步兵部队舍不得子弹（弹药补给往往不及时），所以一般使用刃器。尸体统统抛入扬子江❶。扬子江有很多鲇鱼，一具接一具把尸体吃掉。

---

❶ 扬子江: 长江。

以致——真伪程度不清楚——据说当时扬子江里因此有肥得像小马驹般大的鲇鱼。”

"上级军官递军刀给叔父，要他砍俘虏脑袋。那是个刚从陆军士官学校出来的年轻少尉。叔父当然不愿意做那种事。但若违背上级军官的命令，事情可就非同小可，单单制裁是不能了事的。因为在帝国陆军里面，上级军官的命令就是天皇的命令。叔父以颤抖的手好歹挥起军刀，但一来不是有力气的人，二来那是批量生产的便宜军刀，人的脑袋不可能那么一下子轻易砍掉。没办法砍中要害，到处是血，俘虏痛苦地百般挣扎，场面实在惨不忍睹。"

政彦摇头。我默默喝咖啡。

"叔父事后吐了。能吐的东西胃里没有了，就吐胃液。胃液也没有了，就吐空气。因此受到周围士兵嘲笑，骂他是窝囊废，被上级军官用军靴狠狠踢在肚子上踢飞。谁也不同情。结果，他一共砍了三次俘虏脑袋。为了练习，要一直砍到习惯为止。那就像是作为士兵的通过仪式。说是通过体验这种残忍场面才能成为合格士兵。可是叔父一开始就不可能成为合格士兵，天生就不是那块料。他是为悠扬弹奏肖邦和德彪西而出生的，不是为砍人头而出生的人。"

"哪里会有为砍人头而出生的人？"

政彦再次摇头。"那种事我不知道。但是，能够习惯于砍人头的人应该不在少数。人是能习惯许多事物的。尤其被置于接近极限状态之下，说不定意外轻松地习以为常。"

"如果那种行为被赋予意义和正当性的话。"

"不错。"政彦说，"而且大部分行为都会被赋予相应的意义和正当性。老实说，我也没有自信。一旦被投入军队那样的暴力性系统之中，又被上级军官下达命令，哪怕再讲不通的命令、再无人性的命令，我恐怕都没坚强到明确说 NO 的程度。"

我反躬自省。假如处在同一状况，我会如何行动呢？继而，倏然想起在宫城县海滨小镇共度一夜的那个不可思议的女子——性行为当中递给我一条睡袍带，要我狠狠勒她脖子的年轻女子。想必我不会忘记抓在双手的那条毛巾质地带子的触感。

"继彦叔父没能违抗上级军官的命令。"政彦说，"叔父不具有足够的勇气和能力。但后来他能够磨快剃刀自行了断生命来给自己一个交待。在那个意义上，我认为叔父决不是懦弱的人。对于叔父，自绝性命是恢复人性的唯一方式。"

"继彦的死，给了正在维也纳留学的你的父亲一个巨大打击。"

"不言而喻。"政彦说。

"听说你父亲维也纳时代卷入政治事件而被遣返日本——这一事件同弟弟的自杀有什么关联吗？"

政彦抱起双臂，神情肃然。"究竟如何不清楚，毕竟父亲对维也纳事件只字未提。"

"听说和你父亲恋爱的姑娘是抵抗组织的成员，由于这层关系而参与暗杀未遂事件……"

"啊，我听得的情况是，父亲的恋爱对象是在维也纳一所大学上学的奥地利姑娘，两人甚至有了婚约。暗杀事件暴露后，她被捕关进毛特豪森集中营，估计在那里没了性命。我的父亲也被盖世太保逮住，一九三九年初作为'不受欢迎的外国人'强制遣返日本。当然这也不是从父亲口中直接听得的，而是从亲戚那里听到的，有相当大的可信性。”

“你父亲所以对事件绝口不提，是因为被哪里下了缄口令?”

“呃，这怕也是有的吧！父亲被驱逐出境时，应该被日德当局双方严厉警告一句也不可说出那一事件。想必那是保住一条性命的重要条件。而父亲本身也好像不愿意谈那一事件。正因如此，即使战争结束后没人封口了，也还是守口如瓶。”

政彦在此略一停顿，而后继续下去。

“不过，父亲所以参加维也纳反纳粹地下抵抗组织，继彦叔父的自杀很可能成为一个动机。慕尼黑会议使战争得以暂时避免，但柏林和东京的轴心由此强化，世界越来越驶往危险方向。必须让那种潮流在哪里刹住——父亲理应怀有这样的坚定信念。父亲是个把自由看得比什么都重要的人，同法西斯和军国主义格格不入。弟弟的死对他毫无疑问具有重大意味，我想。”

“更多的不知道?”

“我父亲这个人不向他人谈自己的人生。不接受报刊采访，也没就自己写过只言片语。莫如说是一边用扫帚小心翼翼消除自己留在地面的足迹一边向后行走的人。”

我说：“你父亲从维也纳返回日本后没发表任何作品，彻底保持沉默，直到战争结束。”

“啊，父亲保持沉默八年之久，从一九三九年到一九四七年。那期间好像尽可能远离画坛那样的地方。一来他本来就不喜欢那样的地方，二来很多画家兴高采烈画歌颂战争的‘国策画’也不合父亲心意。所幸家境富裕，没必要担忧生计。战争期间没被抓去当兵也值得庆幸。但不管怎样，战后混乱告一段落后再次现身画坛的时候，雨田具彦已经摇身一变，成了地地道道的日本画画家。以前的画风彻底抛弃一尽，掌握了全新的画法。"

"往下成了传说。"

"说的对，往下成了传说。"说着，政彦做了个用手轻轻拂去头上什么的动作。就好像传说如棉絮一样飘浮在那里干扰了正常呼吸。

我说："不过听起来，觉得维也纳留学时代的经历对你父亲日后人生似乎投下很大的阴影，无论那是怎样性质的。"

政彦点头："呃，我也的确有那样的感觉。维也纳留学期间发生的事大大改变了父亲的人生选择。暗杀计划的受挫肯定包括若干黯淡的事实——无法简单诉诸语言的惨烈。"

"但具体细节不知道。"

"不知道。过去就不知道，现今更不知道。眼下，估计连本人都稀里糊涂。"

难免是那样的，我倏然心想。人有时忘记本应记得的事，想起本应忘记的事，尤其在面对迫在眉睫的死亡之时。

政彦喝罢第二杯白葡萄酒，觑了眼手表，轻皱一下眉头。

"差不多得回公司了，看来。"

"没有什么要对我说的?"我蓦然想起问道。

他忽然记起似的嗵嗵轻叩桌面。"啊是的是的，本来是有件事要一定向你说的。可是全都说父亲的事了。下次有机会再说吧，反正又不是要争分夺秒的急事。"

我再次注视站起身来的他的脸庞，问道："为什么向我坦率到这个地步？就连家族微妙的秘密都直言不讳？"

政彦把双手摊在桌面上，就此略一沉吟，而后搔了搔耳垂。

"是啊！首先一个，可能是我也对独自一人怀揣这种类似'家族秘密'的东西多少有些疲惫了，想对谁一吐为快，向尽可能嘴巴牢靠的、没有现实利害关系的一个人。在这个意义上，你是理想的听者。而且说实话，我对你多多少少有个人负债感，很想以某种形式偿还了结。"

"个人负债感？"我吃了一惊，"什么负债感？"

政彦眯细眼睛。"其实是想说这个来着。但今天没时间了，下面已有安排等着了。再找机会在哪里慢慢聊吧！"

餐馆账单是政彦付的。"不必介意，这点钱是可以通融的。"他说。我有幸白吃了一顿。

之后我开卡罗拉返回小田原。把满是灰尘的车停在房前时，太阳已临近西山头了。许多乌鸦叫着向山谷对面的巢飞去。

**那样子根本成不了海豚**

　　星期日早上到来之前，关于自己往下将要在为秋川真理惠肖像画准备的新画布上如何下笔，想法基本成形。不，具体画怎样的画还不清楚。但已清楚应怎样开始画。首先，在雪白的画布上以哪一支笔将哪一种颜色的颜料朝哪个方向拉出，那种构思已不知从哪里冒出脑海，不久获得了立足之地，作为事实在我的心中逐步确立起来。我热爱这一程序。

　　一个足够冷的早晨，告知冬天即将来临的早晨。我做了咖啡，简单吃罢早饭，进入画室备好必要的画材，站在画架上的画布前。但画布前放着我用铅笔细细描绘着杂木林洞穴的素描簿。那是几天前的早上我没有特定意图而兴之所至画的素描。

　　我已经忘记自己画过那样的画了。但站在画架前半看不看地看那素描时间里，我被那里画出的光景逐渐吸引过去。杂木林中不为人知地开着洞口的谜团石室，周围被雨淋湿的地表及其上面叠积的五颜六色的落叶，树枝间一道道射下的阳光——那样的情景在我的脑海里化为彩色画面浮现出来。想像力腾空而起，具体细部一个个填充其间。我得以吸那里的空气，嗅青草的清香，听鸟们的叫声。

　　大型素描簿上用铅笔细致描绘的那个洞简直就像要把我强烈诱往什么或者什么地方。那个洞在期盼我画它！我感到。我想画风景画是极为稀罕的事。毕竟近十年我只画人物。偶尔画风景画或许也不坏。"杂木林中的洞"。这幅铅笔画，说不定成其草图。

我把素描簿从画架上卸下，合上画页。画架上只有雪白的新画布剩了下来——那应该是即将用来画秋川真理惠肖像画的画布。

近十点时，蓝色的丰田普锐斯一如上次静静地沿坡路爬了上来。车门开了，秋川真理惠和姑母秋川笙子从车上下来。秋川笙子身穿长些的深灰色人字呢夹克、浅灰色毛料半身裙、带花纹的黑色长筒袜。脖子上围着米索尼彩色围巾——优雅的都会式晚秋装束。秋川真理惠身穿大码棒球服、游艇夹克、开洞的牛仔裤、匡威深蓝色运动鞋，打扮大体和上次一样。没戴帽子。空气凉浸浸的，天空薄云密布。

简单的寒暄完了后，秋川笙子坐在沙发上，照例从手袋里掏出厚厚的小开本书专心看了起来。我和秋川真理惠把她留在那里走进画室。我像往常一样坐在木凳上，真理惠坐在式样简洁的餐椅上。两人间有两米左右距离。她脱去棒球服叠起放在脚前。游艇夹克也脱了。下面套穿两件 T 恤，灰色长袖的外面套了一件深蓝色半袖的。胸部尚未隆起。她用手指梳理笔直的乌发。

"不冷?"我问。画室有老式煤油炉，但没点火。

真理惠微微摇头，表示不冷。

"今天开始往画布上画。"我说，"不过你可以不特意做什么，只坐在那里即可。往下是我的问题。"

"不可能什么也不做。"她盯视我的眼睛说。

我把双手放在膝头看着她的脸。"那是什么意思呢?"

"喏，我活着，呼吸着，想着好多事。"

"当然。"我说，"你只管尽情呼吸，尽情想好了。我想说的是，你没有必要刻意做什么。你只要是你，我这方面就可以了。"

然而真理惠仍径直看我的眼睛，仿佛说这么简单的说明根本没办法让她理解。

"我想做什么。"真理惠说。

"例如什么?"

"想帮助老师画画。"

"那当然求之不得。可说是帮助，怎么帮助呢?"

"当然是精神上。"

"原来是这样。"我说。但她如何在精神上帮助我呢? 具体想像不出。

真理惠说:"如果可能的话，我想进入老师体内，进入画我的时候的老师体内。想通过老师的眼睛看我。那一来，我大概就能更深入理解我。而老师或许也能因此更深入理解我。"

"能那样就太好了!"我说。

"真那样想?"

"当然真那样想。"

"不过，在某种情况下那说不定相当可怕。"

"更好地理解自己这点?"

真理惠点头。"为了更好地理解自己，必须把一个别的什么东西从哪里拉来。"

"不添加某种别的、第三者要素，就不能对自己自身有正确理解?"

"第三者要素?"

我解释说:"就是说要正确了解 A 与 B 关系的含义,就需要借助 C 这个别的观点——三点测定。"

真理惠就此思考,做了约略耸肩的动作。"或许。"

"至于往里边添加什么,在某种情况下可能是可怕的东西。这可是你想说的?"

真理惠点头。

"这以前你有过那种可怕的感觉?"

真理惠没有回答此问。

"假如我能正确地画你,"我说,"你也许能以你自身的眼睛看我的眼睛所看的你的姿态。当然我是说如果顺利的话。"

"我们因此需要画。"

"是的,我们因此需要画。或者需要文章、音乐那类东西。"

如果顺利的话,我对自己自身说道。

"开始画了!"我对真理惠说。随即一边看她的脸一边调制用于草图的褐色。我选用最初的画笔。

工作缓慢而又不停滞地向前推进。我在画布上画出秋川真理惠的上半身。诚然是美少女,但我的画不很需要美。我需要的是美的深层潜伏的东西。换个说法,需要那种资质来作为补偿,我必须找出那个什么投入画面。而那无需是美的。有时需是丑的也未可知。不管怎样,自不待言,为了找出那个什么,我必须正确理解她,必须把她作为一个造型、作为光与影的复合体——而不是作为话语和逻辑——把握她。

　　我全神贯注地把线条和颜色叠积在画布上。时而一挥而就，时而轻舒漫卷，小心翼翼。这当中真理惠表情一成不变地静静坐在椅上不动。可是我知道她将意志力高度集中于一点并使之恒定不变。我能感受到那里作用的力。她说"不能什么也不做"。而她正在做什么，想必是为了帮助我。我同这十三岁少女之间毫无疑问存在类似交流的东西。

　　我倏然想起妹妹的手。一起进富士风洞时，在阴冷的黑暗中妹妹紧紧抓着我的手不放。手指小小的、暖暖的，而又那么有力，有力得令人吃惊。我们之间有实实在在的生命交流。我们在给予什么的同时接受什么。那是只能在有限时间、有限场所发生的交流。少时模糊消失。但有记忆剩下来。记忆可以温暖时间。而且——如果顺利的话——艺术可以使记忆形态化将其固定在那里。一如凡·高让名也没有的乡村邮递员作为集体记忆一直活到今天。


　　两小时之间，我们闷声不响地将意识集中于各自的作业。

　　我使用被油溶淡的单色颜料将她的体貌树立在画布上，那将成为草图。真理惠在餐椅上继续作为她自己一动不动。时值正午，远处传来往日的钟声。听得钟声，知道既定时间到了，结束作业。我把调色板和画笔放在下面，在木凳上用力伸了个懒腰。这才觉察自己累得一塌糊涂。我大大舒了口气，松开注意力。真理惠也这才放松身体。

　　我眼前的画布上，真理惠的上半身像已经以单色树立起来。理应成为往下要画的其肖像基干的构架已在那里形成。尽管还不过是雏形，但其骨髓中的，是足以使她成其为她的热源那样的东西。尽管深藏在底层，但只要按一下大致所在位置，往下即可任意调整。无非在那里施以必要的血肉罢了。

关于这幅画开了头的画，真理惠什么也没问，也没说要看看。我也没特别说什么。我已经太累了，说不了什么。我们默默无言地离开画室，移入客厅。客厅沙发上，秋川笙子仍在专心看小开本书。她夹上书签合上，摘掉黑边眼镜，抬起脸看我们，脸上浮现出约略惊讶的神情——我们两人肯定显得疲惫不堪。

"工作可有进展？"她不无担忧地问我。

"眼下进展顺利。不过还是中间阶段……"

"那就好！"她说，"如果不讨厌的话，我去厨房沏茶可好？其实水已经烧开了，红茶在哪里也知道了。"

我有点儿吃惊地看着秋川笙子。她脸上漾出优雅的微笑。

"倒是有些厚脸皮，那样自是求之不得。"我说。实不相瞒，我非常想喝热乎乎的红茶，却又实在没心思起身去厨房烧水。便是累到这个地步。画画累成这样是时隔很久的事了，尽管是惬意的疲惫感。

大约过了十分钟，秋川笙子端着放有三个茶杯和茶壶的托盘返回客厅。我们各自静静地喝着红茶。真理惠移至客厅后还一言未发，只是时不时抬手撩一下额前头发。她重新穿上厚墩墩的棒球服，就好像用来保护身体免受什么伤害似的。

我们一边彬彬有礼安安静静喝红茶（谁也没弄出动静），一边茫然委身于星期日下午时间的河流。好半天谁也没开口。但那里的沉默始终是自然而然、合情合理的。之后不久耳熟的声音传来我的耳畔。最初听起来仿佛远处海岸懒洋洋义务性涌来的消极的涛声。后来逐渐加大，不久变成明晰的连续性机械声音——4.2升八缸从容的引擎声甚为优雅地

消耗高辛烷值化石燃料的声音。我从椅子上立起走到窗前，从窗帘缝隙
瞧见那辆银色轿车出场亮相。

免色身穿淡绿色对襟毛衣，毛衣下是奶油色衬衫。裤子是灰色毛料
裤。哪一件都干干净净，一道褶也没有，看上去像是刚刚从洗衣店返
回。却哪一件又都不是新品，已经穿到一定程度。但也因此显得分外整
洁。丰厚的头发一如往日闪着纯白色的光。无论夏日冬日，无论晴天阴
天，他的头发想必总是同时节和天气无关地银辉熠熠。只是银辉闪烁倾
向略有不同而已。

免色从车上下来，关上车门，仰望阴晦的天空，就天气思索片刻
（在我眼里似乎思索什么），而后定下心来，缓缓移步走来门前，按响门
铃，简直就像诗人写下用于关键位置的特殊字眼，慎重地、缓慢地。尽
管无论怎么看那都不过是普普通通的旧门铃。

我打开门，把他让入客厅。他笑吟吟地跟两位女性寒暄。秋川笙子
起身迎他。真理惠仍坐在沙发上把头发缠在指尖上，几乎看也没看免色
那边。我让所有人落下座来。问免色要不要茶。免色说不要。摇了几下
头，还摆手。

"怎么样？工作顺利吧？"免色问我。

大体还算顺利，我回答。

"怎样？当绘画模特也当累了吧？"免色问真理惠。免色真正迎面四
目相对地向真理惠搭话，在我能想得起来的限度内是第一次。从声音里
可以多少觉察免色的紧张，但今天的他即使面对真理惠，脸也不红不青
了，表情也几乎和平时没什么两样——已经能够充分控制自己的感情

了。估计如此做了某种形式的自我训练。

真理惠没有回答这句问话，仅仅把含糊不清类似自言自语的什么低低说出口来。她把十指在膝头紧紧交叉起来。

"她很盼望星期天上午到这里来的。"秋川笙子插嘴来填补沉默。

"做绘画模特是很吃不消的事。"我也不自量力地试图助以一臂之力，"真理惠小姐相当卖力气。"

"我也当过一阵子模特，当绘画模特总好像有些奇妙，时不时觉得魂儿像被掠走了似的。"说着，免色笑了。

"不是那样的。"真理惠差不多自言自语地说。

我、免色和秋川笙子几乎一齐朝真理惠看去。

秋川笙子显出像是不慎把不对的东西投入口中嚼掉之人那样的表情；免色脸上浮现出纯粹的好奇心；我终究是中立性旁观者。

"那是怎么回事?"免色问。

真理惠以没有起伏的语声说道："并没有被掠走，而是我递出什么，我接受什么。"

免色以沉静的声调欣赏似的说："你说的对。我的说法好像过于单纯了。那里当然不能没有交流，艺术行为决不是单方面的东西。"

真理惠默然。这个少女犹如好几个小时纹丝不动立在水边一味盯视水面的孤独的苍鸰一样目不转睛地注视餐桌上的茶壶——一个随处可见的无花白瓷茶壶。相当旧了（雨田具彦用过的），但做得相当实用，上面并没有值得细看的特别情趣。壶口也有一点点残缺。只是，此时的她需要有个凝眸注视的东西。

沉默再次降临房间。令人想起什么也没写的纯白广告板的沉默。

艺术行为，我想，这句话似乎具有唤取周围沉默的韵味，就好像空
气填补真空一般。不，这种场合莫如说应该由真空填补空气？

"如果去我家的话，"沉默中免色战战兢兢对秋川笙子开口道，"一
起坐我的车去好吗？之后还送回这里。后排座是有些局促，但去我家的
路相当复杂狭窄，坐一辆车去我想会容易些。"

"嗯，那当然可以的。"秋川笙子毫不迟疑地应道。"就坐您的车去
好了。"

真理惠还在注视白瓷茶壶静静思索什么。至于她心中想的是什么、
思索的是什么，我自是无由得知。她们的午饭怎么办？这也无由得知。
不过免色是个滴水不漏的人，这点儿事想必自有考虑，无需我一一
操心。

捷豹副驾驶位置坐秋川笙子，真理惠在后排座安顿下来。两个大人
在前，小孩在后。倒也不是有什么协定，自然而然成了如此座位配置。
我站在房门前目送轿车静静驶下坡路从视野消失。而后转身回屋，把红
茶茶杯和茶壶端去厨房洗了。

接下去，我把理查德・施特劳斯的《玫瑰骑士》放在唱机转盘，歪
在沙发上听音乐。没什么特别要做的事的时候，这么听《玫瑰骑士》成
了我的习惯。免色栽培的习惯。如他所说，这首音乐确有一种中毒性。
一气呵成的缠绵的情绪。始终色彩缤纷的乐器音响。"纵使一把扫帚，
我也能用音乐精确描述下来！"如此口吐狂言的是理查德・施特劳斯。
或者那不是扫帚亦未可知。但不管怎样，他的音乐绘画要素很浓。尽管
在方向性上同我追求的绘画不同……

良久睁眼一看，那里有骑士团长。他依然身穿飞鸟时期衣裳，腰挎宝剑，坐在我对面的椅子上。皮面安乐椅上，孤零零坐着一个身高六十厘米左右的男子。

"许久不见了啊！"我说。我的语声听起来像是从别的什么地方强拉硬扯来的。"一向可好？"

"上次也说了，理念无有时间观念。"骑士团长声音琅琅地说，"故而无有许久的感觉。"

"只是习惯性发言，请别介意！"

"不懂什么习惯。"

想必他说的不错。没有时间的地方不产生习惯。我起身走到唱机那里提起唱针，把唱片收进唱片套。

"言之有理。"骑士团长读懂我的心理，"在时间朝两个方向自由行进的世界，什么习惯云云，根本无从谈起。"

我询问早就耿耿于怀的一件事："理念不需要能源那样的东西吗？"

"这东西不好回答。"骑士团长现出甚是不好回答似的表情。"无论是怎样结构的东西，要想繁殖和存在下去，都需要某种能源。此乃宇宙的普遍性规律。"

"那就是说，理念也不能没有能源的了？也要遵循普遍性规律？"

"信哉斯言。宇宙规律无有例外。然而理念的优势在于本来无有形体。理念通过被他者认识才得以作为理念成立，才得以具有相应的形体。其形体当然不过是权宜性租借物……"

"就是说，没有他者认识的地方，理念不可能存在。"

骑士团长朝上竖起右手食指，闭起一只眼睛。"诸君由此如何进行类推呢?"

我进行类推。多少花了些时间,骑士团长耐心等待。

"我想,"我说,"理念将他者的认识本身作为能源而存在。"

"正确!"说着,骑士团长点了几下头。"脑袋反应极快。若无他者认识,理念就无由存在。同时以他者认识为能源而存在。"

"那么,一旦我认为'骑士团长不存在',你就不复存在。"

"在理论上。"骑士团长说,"但那归根结底是理论上的事。现实中那不是现实性的。为什么呢? 因为人即使想要中止思考什么,中止思考也几乎是不可能的。想中止思考什么也是一种思考。而只要有思考,那个什么就要被思考。为了中止思考什么,势必中止思考想中止思考本身。"

我说:"就是说,只要没有不巧因为什么而失去记忆,或者彻底地自然地完全地失去对理念的兴趣,那么人就不能够从理念中逃脱出来。"

"海豚能够。"

"海豚?"

"海豚能够让左右脑分别入睡。不知道的?"

"不知道啊!"

"因此之故,海豚对理念这个东西没有兴致。所以,海豚中途停止了进化。我们也相应做了努力,但遗憾的是未能同海豚结成有益关系。原本是大有希望的种族。毕竟在人真正出场之前,在哺乳类中以体重比而言是具有最大的大脑的动物。"

"但是同人结成有益关系了?"

"人和海豚不同,只有连成一体的大脑。一旦忽一下子产生了理念,那么就不能随意抖落下去。如此这般，理念能够从人那里获取能源来持续维持自己的存在。"

"像寄生体。"我说。

"别人听到不好！"骑士团长像老师训斥学生时那样左右摇晃指头。"虽说接受能源，但无有多大的量。只是一星半点，一般人几乎觉察不出来，不至于因此损害人的健康或干扰人的日常生活。"

"可你说理念没有伦理道德那样的东西。理念永远是中立性观念，使之变好变坏完全取决于人。果真如此，那么理念既可能对人做好事，也会反过来做坏事。是这样的吧？"

"$E=mc^2$ 这一概念本应是中立的，然而在结果上催生了原子弹。并且那东西实际投在了广岛和长崎。诸君想说的比如是这样的事吧？"

我点头。

"关于这个我也感到胸痛（不用说，这是措辞。理念无有肉体，故而无有胸）。但是，诸君，在这宇宙之中，一切都是 caveat emptor。"

"哦？"

"Caveat emptor。拉丁语，意指'买方责任'。交到人手里的东西如何利用，那不是卖方所能左右的。例如服装店的店面摆的衣服，由谁穿能选择吗？"

"听起来总好像于己有利的逻辑……"

"$E=mc^2$ 催生了原子弹，另一方面也催生了无数好东西。"

"举例说？"

骑士团长就此略加思考，似乎未能即刻想出恰当的例子，闭着嘴用两手的手心喀哧喀哧搓脸。或者未能再从这番议论中找出意义也有可能。

"对了，放在画室里的铃的去向你不晓得？"我忽然想起问他。

"铃？"骑士团长扬起脸来。"铃是什么？"

"就是你在那个洞底一直摇的那个古铃啊！放在画室板架来着，而最近意识到时已经不见了。"

骑士团长坚决摇头道："啊，那个铃？不晓得啊！近来无有碰过铃。"

"那么，到底谁拿走了呢？"

"这——我全然无由得知。"

"好像谁把铃拿走在哪里摇动。"

"唔——那不是我的问题。那个铃对我已经无有用处了。何况那本来也不是我的持有物。莫如说共有一个场。不管怎样，消失想必自有消失的理由。不久在哪里忽然碰上亦未可知。静等可也！"

"共有一个场？"我问，"指的是那个洞？"

骑士团长对此问没有回答。"不过，想必诸君是在此等待秋川笙子和真理惠返回，那还要花些时间。天不暗下来怕是不能返回的。"

"免色先生可有他特有的企图什么的？"我最后问了一句。

"啊，免色君总是有某种企图。必定稳妥布局，不布局是不会出动的。那像是与生俱来的毛病。左右大脑总是充分开动。那样子根本成不了海豚。"

骑士团长的形体徐徐失去轮廓，如无风的寒冬清晨的水蒸气变淡扩散开来，继而消失。我正面只有一把空空的旧安乐椅。由于剩在那里的不在感太深切了，以致我无法确信他刚才是否真的坐在我眼前。没准我是同空白面面相觑，同自己本身的语声相互交谈。

　　如骑士团长所预言的，免色的捷豹怎么等也没出现。看来秋川家的两位美丽女性在免色家中度过了很长时间。我走上阳台，眺望位于山谷对面那座白色豪宅。但那里谁的身影也没有。为了消磨等待时间，我去厨房准备做饭用的东西。用鲣鱼片、海带等做汤，煮了蔬菜，把能冷冻的东西冷冻了。但是，把大凡能想到的事情统统做完后，时间还有剩。我折回客厅，接着听理查德·施特劳斯的《玫瑰骑士》，躺在沙发上看书。

　　秋川笙子对免色怀有好意和兴趣。这点应该无误。她看免色的眼睛同看我时的眼睛，神采截然不同。极为公正地说，免色是有魅力的中年男人。一表人才，有钱，独身。衣着考究，举止温柔，住在山顶大房子里，拥有四辆英国车。世间多数女性笃定对他怀有兴趣（世间多数女性对我不怀有多大兴致——二者概率基本相同）。可是，秋川真理惠对免色抱有不少戒心，毫无疑问。真理惠是直觉极为敏锐的少女，有可能本能察觉免色的行动带有某种意图。唯其如此，她才在自己同免色之间有意保持一定距离，至少在我眼里显得如此。

　　事情往下会怎样展开呢？想看个究竟的自然而然的好奇心，同其中未必产生多少让人欢欣鼓舞的结果这一朦胧的疑惧在我身上僵持不下，一如在河口相互碰撞推拉的潮头与河浪。

　　免色的捷豹再次爬上坡路时，已经是时针稍微转过五点半的时候了。如骑士团长所料，周围已经彻底暗了下来。

# 39 以特定目的制作的假容器

捷豹在房门前缓缓停住，车门打开，免色首先下来。接着他绕到另一侧为真理惠和秋川笙子开门。又放倒副驾驶座靠背，让真理惠从后排座下来。女性们从捷豹下来后换乘自己的蓝色普锐斯。秋川笙子放下车窗，彬彬有礼地向免色致谢（真理惠当然脸朝一边佯作不知）。她们没有进来，直接回自己家去了。免色目送普锐斯背影从视野消失后，略一停顿，切换意识开关（大概），调整面部表情，而后朝我家门口走来。

"已经晚了，稍微打扰一会儿好吗？"他在门口客气地问我。

"好好，请进！反正也无事可干。"说着，把他让到里面。

我们在客厅落座。他坐在沙发上，我弓腰坐在对面骑士团长刚才坐的安乐椅上。椅子周围似乎还残留着他不无高亢的语声余韵。

"今天这个那个实在谢谢了！"免色说，"没少劳你帮忙。"

我说没做什么值得你感谢的事。实际也什么都没做。

免色说："不过若没有你画的画，或者莫如说没有画那幅画的你的存在，这样的状况恐怕不会出现在我面前而不了了之，我和秋川真理惠应该不会有这么近地个人性见面机会。关于这件事，你起了好比扇子轴钉那样的作用。那样的立场，也许有违你的意愿……"

"有违意愿的事完全没有。"我说，"只要能对你有用，作为我比什么都高兴。只是，什么是偶然、什么是刻意，这方面的界线很难推断。

不讳地说，心情不能说是多么愉快。"

免色就此思考，点头。"或许不能让你相信，并不是刻意写了这样的脚本。虽然不能说一切纯属偶然，但发生的事的大部分终究是水到渠成的结果。"

"你是说，在那种水到渠成的过程中我偶尔起了类似催化剂那样的作用?"我问。

"催化剂。是啊，也许不妨那么说。"

"不过老实说来，较之催化剂，总好像觉得自己成了'特洛伊木马'。"

免色扬起脸，像看什么晃眼睛东西似的看我。"那是什么意思呢?"

"往木马空肚子里偷偷塞入一群武装的士兵，伪装成礼品运进敌方城内——就是那个希腊木马。以特定目的制作的假容器。"

免色约略花时间斟酌词语，而后说出口来："就是说，我把你弄成特洛伊木马，巧妙利用了。是这个意思吧? 为了接近秋川真理惠?"

"也许让你不快，但那样的感觉在我身上多多少少是有的。"

免色眯细眼睛，嘴角漾出笑意。

"是啊! 的确，即使你那么想也奈何不得的地方恐怕也是有的。不过刚才也说了，事情大体是由偶然的累积推动的。推心置腹地说来，我对你怀有好意，个人的自然而然的好意。这一情形不会频繁发生，所以发生时我尽可能加以珍惜。我并没有为了一己之利而单方面利用你。我虽然在某一方面是利己主义者，但这个程度的礼仪我还是懂的。没有把你弄成特洛伊木马。请相信我!"

我觉得他说的似乎没有伪饰成分。

"那么，给那两个人看那幅画了?"我问， "书房里挂的你的肖像画?"

"嗯，那还用说，两个人是为这个专门去的嘛! 她们看了那幅肖像画，十分心悦诚服。话虽这么说，可真理惠没有表达任何类似感想的什么。毕竟是沉默寡言的孩子。但是她为那幅画所强烈打动是毫无疑问的，这点看表情就一清二楚。她在画前站了很长时间，一直默默地看，一动不动。"

不过说实话，尽管几星期前刚刚画完，而现在却想不大起来自己到底画的什么画了。以往也每每如此，画完一幅而开始画下一幅时，上次画的就差不多忘得一干二净。只能想起朦朦胧胧的整体形象。唯独画那幅画时的手感作为身体性记忆留在身上。对于我具有重要意味的，比之作品本身，更是那种手感。

"两人好像在府上度过了相当长时间。"我说。

免色不无羞赧地歪起脖子。"看完肖像画，拿出简单的饭菜。饭后领她们看了房子，像是房舍观光似的。笙子女士似乎对房子有兴趣，结果不知不觉过去了很长时间。"

"两人对府上肯定很欣赏的吧?"

"笙子女士有可能。"免色说，"尤其对捷豹 E - Type。但真理惠始终一言不发，估计不怎么欣赏。或者对房子什么毫无兴致也不一定。"

我想象可能毫无兴致。

"那时间里没能有同真理惠交谈的机会?"我问。

免色简洁地轻摇一下头："交谈也顶多三言两语，不是什么大不了的内容。就算我主动搭讪，也基本没有回应。"

对此我没有表达什么意见。因为那一场景想像起来如在眼前，没办法表达感想。免色对真理惠说什么也得不到像样的回应，无非时而口中嘟囔一两个含糊不清的单词罢了。她没有心思跟对方说话的时候，同她的交谈好比站在热浪灼人的空旷的沙漠正中用小勺子向周围洒水。

免色拿起茶几上放的有光泽的瓷蜗牛摆件，从各个角度仔细端详。这是这座房子里原本有的为数不多的装饰品之一。料想是迈森旧物。大小如小些的鸡蛋。大概是雨田具彦过去在哪里买得的。片刻，免色把这摆件小心翼翼放回茶几。随即缓缓抬起脸，看着坐在对面的我。

"恐怕要多少花些时间才能习惯。"免色自言自语似的说，"毕竟我们只是最近刚刚见面。本来就像是个不愿意说话的孩子，再说十三岁是思春期的初期，一般说是非常棘手的年龄。不过，能和她在同一房间呼吸同一空气，对我已经是无可替代的宝贵时光了！"

"那么，你的心情现在也没有变化？"

免色略略眯起眼睛。"我的怎样的心情呢？"

"不想知道秋川真理惠是不是自己亲生孩子真相的心情。"

"嗯，我的心情一丝一毫也没有变化。"免色果断地回答。随即轻咬嘴唇沉默有顷。而后开口道："怎么说好呢？和她在一起，她的容貌、身姿就在眼前，有一股相当奇异的感情袭上身来，觉得自己以往活过来的漫长岁月好像都在无为当中失去了。而且，自己这一存在的意义、自己这么活在这里的理由开始变得暧昧起来。以前视为确定的事物的价值，似乎意外变得不确定起来。"

"这对于你来说，是相当奇异的感情。是吧？"我叮问一句。因为对我来说，很难认为这是多么"奇异的感情"。

　　"是的，这样的感情体验以前从未有过。"

　　"就是说，同秋川真理惠一起度过几个小时，使得你心中产生了'奇异的感情'？"

　　"我想是这么回事。也许你认为傻里傻气。"

　　我摇头道："不认为傻里傻气。思春期第一次喜欢特定女孩的时候，我也好像怀有类似的心情来着。"

　　免色嘴角聚起皱纹，微微一笑——含有几分苦涩的微笑。"有时我一下子冒出这样的念头：在这个世界上无论我成就了什么，无论事业上取得了怎样的成功、积累了多少资产，我也终不过是将一对遗传因子从谁那里继承又引渡给谁的权宜性、过渡性存在罢了。除却这种实用性功能，剩下的我不过纯属一个土疙瘩罢了。"

　　"土疙瘩。"我说出口来。这一说法似乎含有某种奇异的回响。

　　免色说："实不相瞒，上次进入那个洞的时候，这种观念就在我心中萌发扎根了。就是小庙后边我们挪开石头打开的洞。那时的事记得吧？"

　　"一清二楚。"

　　"在那黑暗中待一个小时当中，我切切实实得知自己的软弱无力。假如你有意，我势必一个人留在那个洞底。没有水没有食物，就那样彻底腐朽回归一个土疙瘩。我这个人不外乎这样的存在。"

　　我不知说什么好，默不作声。

　　"秋川真理惠说不定是我的骨血——对于现在的我，仅仅这一可能性就足够了，没有决心搞清事实。我在那一可能性的光亮中审视自己。"

　　"明白了。"我说，"虽然具体缘由还不能充分理解，但大体想法明白了。可是免色先生，那么你在秋川真理惠身上究竟具体寻求什么呢？"

"当然不是没有考虑过。"说着，免色看自己的双手。他有一双手指细长好看的手。"人在脑袋里这个那个考虑很多东西，不能不考虑。然而事物实际走怎样的路线，不等时间过去是看不明白的。一切都在前头。"

我默然。他在脑袋里考虑什么，一来我无从猜测，二来也不硬要知道。如果知道了，我的处境没准变得更加麻烦。

免色沉默了一会儿。而后问我："不过秋川真理惠单独和你在一起的时候，说话好像相当主动——笙子女士这样说来着……"

"或许可以那样说。"我慎重地回答，"我们在画室时间里，可能自然而然说了很多话。"

真理惠夜晚从旁边一座山上穿过秘密通道找来这里的事，当然瞒住没说。那是我和真理惠之间的秘密。

"那意味着她已经习惯你了呢？还是个人怀有亲切感呢？"

"那孩子对画画或绘画性表达有浓厚的兴趣。"我解释说，"并不是时时、时常那样，在两人之间隔着画的情况下，有时就能比较轻松地交谈。的确是多少有些特殊的孩子。在绘画班几乎不和身边孩子说话。"

"就是说跟同代的孩子们不怎么处得来？"

"或许。据她姑母说，在学校也好像不怎么交朋友。"

免色就此默默想了一会儿。

"但对笙子女士好像能相应敞开心扉，是吧？"免色说。

"好像是的。听起来，对姑母似乎比对父亲还怀有亲切感。"

免色默默点头。我感觉他的这一沉默别有含义。

我问他："她的父亲是怎样的人呢？这点儿事是知道的吧？"

免色把脸转向一边，眯细眼睛。少时说道："比她大十五岁。所谓她，指的是他去世的太太……"

去世的太太，自然是免色曾经的恋人。

"两人是如何相识结婚的，那方面的情况我不知道。或者莫如说对那种事没有兴趣。"免色说，"但不管有怎样的情由，他珍惜太太这点似乎可以断定。所以太太意外去世，他受到很大打击。听说那以来人就整个变了。"

据免色介绍，秋川家曾是这一带的大地主（一如雨田具彦父母家曾是大地主）。尽管第二次世界大战后的农地改革使得所有土地差不多减少了一半，但仍有相当不少资产物件剩下来，光靠这方面带来的收入也足够一家悠然度日。秋川良信（秋川真理惠父亲的名字）是兄妹两人中的长兄，继承早年去世的父亲家业成一家总管。在自己所有的山顶上建了独门独院的房子，在小田原市内自有楼宇设了事务所。事务所负责位于小田原市内和近郊的几栋商业用楼和出租公寓楼、若干出租房屋、出租土地的管理。还时不时涉足不动产的卖出与买进。不过事业开展的范围并不是很广，始终以酌情处理秋川家所有的物业为业务中心。

秋川良信是晚婚。四十几岁结婚，第二年就有女儿出生（秋川真理惠。即免色心中怀有大概是自家孩子这一可能性的少女）。六年后妻被金环胡蜂蜇死。初春在位于自有地界上的大片梅树林中一个人散步时，被几只攻击性大型金环胡蜂蜇了。这一事件给秋川良信以巨大打击。或许是打算把让他想起不幸事件的东西尽可能消除的关系，妻葬礼结束后派人把梅树林的梅树砍得一棵不剩，连根拔除。结果那里成了了无情趣的普通空地。原本是一片非常美观气派的梅树林，很多人都对砍挖过程感到痛心。而且梅树林大量采摘的青梅适合制梅干和梅酒，附近居民自古以来就一定程度被允许自由采摘。而这一报复性胡作非为的结果，剥夺了很多人每年的一点点乐趣。可是那毕竟是秋川良信自家山上的他的梅树林，况且他的怒火——对于金环胡蜂和梅树林的个人怒火——也并非不可以理解，因此谁也没能公开抱怨。

以妻子的死为界线，秋川良信成了一个相当郁郁寡欢的人。本来就不像是多么社交型性格开朗的人，而此后其内向性格变本加厉。并且对精神世界的兴趣与日俱增，开始同一个宗教团体有了关联（我没听过名字的团体）。据说还去了印度一段时间。后来投入自有资金，为那个宗教团体在市郊建造了气派的道场，沉浸其间无以自拔。至于道场里面进行怎样的活动，这点不得而知。但秋川良信看样子在那里每天不断进行严格的宗教"修炼"，同时似乎在 Reincarnation❶ 的研究中发现了失去妻子后的人生价值。

这样，对工作不像以前那样用心了。好在原本就不是多么忙的公司，即使总经理不正经露面，早期就在公司的三名职员也处理得来。家也好像不怎么回了。回家也几乎只是睡觉。什么原因不知道，反正妻子去世后，对独生女儿的关心也迅速淡薄下去。可能因为看见女儿会想起去世的妻子的缘故。或者本来就对孩子没有兴趣也未可知。不管怎样，孩子也理所当然不亲近父亲。妻子留下的真理惠的生活照料，暂且由妹妹笙子承担下来。笙子中止了东京一所医科大学校长秘书的工作，临时

---

❶ Reincarnation: 轮回转世。

一起住在小田原山上的房子里。后来正式辞职在那里长住。大概感情移到真理惠身上。也可能小侄女的处境让她看了不忍。

讲完这些，免色用手指肚摸摸嘴唇说："家里有威士忌吗？"

"单一麦芽的差不多有半瓶。"我说。

"倒是有些厚脸皮，让我喝点可以吗？加冰。"

"当然可以。不过您是开车来的……"

"叫出租车。"他说，"我也不愿意因酒后驾驶丢掉驾驶证。"

我从厨房拿来威士忌酒瓶、装冰块的瓷碗和两个酒杯。这当中免色把我刚才听的《玫瑰骑士》唱片放在转盘上。两人一边听理查德·施特劳斯耳熟能详的音乐一边喝威士忌。

"喜欢喝单一麦芽威士忌？"免色问。

"哪里，这是别人给的，朋友作为礼物拿来的。倒是觉得非常够味儿。"

"家里有苏格兰一个熟人最近送的有些少见的艾雷（Islay）岛单一麦芽威士忌。从威尔士亲王访问那家酒厂时亲自挥锤打塞的桶里取出来的。如果喜欢，下次带来。"

我说请别那么费心。

"说起艾雷岛，那附近有座名叫朱拉（Jura）的小岛。可知道？"

我说不知道。

"岛上人口少，几乎什么也没有。同人的数量比，鹿的数量多得多。兔子、野鸡和海豹也很多。老酒厂有一家。不远处有好喝的泉水，适合酿造威士忌。朱拉岛上的单一麦芽威士忌，用刚打上来的朱拉冷水对着喝起来，味道真是好极了，的的确确是只有在那座岛上才能尝到的味道。"

听起来都极够味儿，我说。

"那里是因乔治·奥威尔创作《一九八四》而闻名的地方。奥威尔在这座不折不扣远离人烟的小岛的北端，一个人闷在租来的小房子里写这本书。以致冬天里弄坏了身体。房子里只有原始设备。想必他是需要斯巴达式环境的吧！我在这岛上大约住了一个星期。天天晚上一个人在火炉旁喝好喝的威士忌。"

"为什么一个人在那么偏僻的地方待一个星期呢？"

"商务。"他简单回答，笑了笑。

那是怎样的商务呢？他好像没有说明的打算，我也并不特想知道。

"今天心情上总觉得不能不喝似的。"他说，"说心情镇静不下来也好什么也好，所以禁不住这么随便相求。车明天来取。明天方便吗？"

"我当然无所谓。"

往下沉默片刻。

"问个个人问题可以吗？"免色问，"但愿别让你不快……"

"能回答我就回答，不至于不快。"

"你大概是结婚了的吧？"

我点头。"结了。实话实说，最近刚在离婚协议书上签名盖章寄了回去。所以，不晓得眼下正式算是怎样的状态。不过反正婚是结了，差不多六年。"

免色看着杯里的冰块沉思什么。而后问道："再问得深入些，关于导致离婚这一结果，你可有什么后悔的事情？"

我喝了口威士忌，问他："你用拉丁语说'买方责任'了吧？"

"Caveat emptor。"免色当即应道。

"还没能记准，不过词义能够理解。"

免色笑了。

我说："关于婚姻生活，后悔的事情不是没有。但是，即使能够返回某个时间点修正一个失误，那也恐怕还是要迎来同样的结果。"

"是不是说你身上有某种不能变通的倾向那样的东西，那东西成了婚姻生活的障碍呢？"

"或者我身上缺少不能变通的倾向那样的东西，那东西成了婚姻生活的障碍也不一定。"

"可你有想画画的渴望。那应该是同生之渴望强烈结合在一起的东西。"

"不过我有可能还没有好好越过前面应该越过的东西——我有这样的感觉。"

"考验迟早必然来临。"免色说，"考验是切换人生的好机会，越艰辛越对后来有帮助。"

"如果不败北一蹶不振的话……"

免色浅浅一笑，再没有触及离婚和有没有孩子。

我从厨房拿来瓶装橄榄作下酒菜。我们好一阵子闷声喝威士忌，吃带盐味的橄榄果。唱片一面转完后，免色翻过来。乔治·索尔蒂继续指挥维也纳爱乐乐团。

**啊，免色君总是有某种思惑。必定稳妥布局，不布局是不会出动的。**

现在他在布什么局呢？或者打算布什么局呢？我不知道。或者在这件事上眼下还没能稳妥布局也未可知。他说没有利用我的打算。想必不是谎言。但打算终不过是打算罢了。他可是拳打脚踢成功攻取最尖端商务的人。假如他有类似思惑那样的东西（纵然是潜在性的），我厕身其外怕是不大可能的吧！

"你是三十六岁了吧？"免色几乎突如其来地这么问道。

"是的。"

"大约是人生中最好的年龄。"

我横竖不那么认为，但忍住没表示什么。

"我已经五十四岁了。在我生存的这个行当，作为冲锋陷阵的现役，年龄则过大了；而要成为传说，又多少过于年轻。所以就这么无所事事地晃来晃去。"

"其中也好像有人年纪轻轻就成为传说……"

"那样的人当然多少也是有的。但是，年纪轻轻成为传说几乎没有任何好处。或者不如说——若让我说——那甚至是一场噩梦。一旦那样，漫长的余生就只能摩挲着自己的传说来度过。再没有比那更无聊的人生了。"

"您，不会感到无聊的吧？"

免色微笑道："在能想起的限度内，无聊一次也没感到过。说没工夫无聊也好什么也好……"

我佩服地摇了一下头。

"你怎么样？感到过无聊？"他问我。

"当然感到过，时不时就来一次。不过，无聊如今好像成了我人生不可或缺的一部分。"

"就是说无聊不会成为痛苦吧？"

"总好像已经习惯了无聊，没觉得痛苦。"

"那恐怕还是因为你身上有想画画这个一以贯之的坚定意志，是吧？那成为类似生活硬芯的东西，无聊这一状态起到了不妨说作为创作欲胚胎的作用。假如没有这样的硬芯，日复一日的无聊势必不堪忍受。"

"您现在没做工作？"

"嗯，基本处于引退状态。上次也说了，用网络多少搞一点外汇和股票交易，但不是迫于需要，而是兼做头脑训练那个程度的玩艺儿。"

"而且一个人住在那座大大的宅院里。"

"完全正确。"

"而并没有感到无聊？"

免色摇头："我有很多要想的事，有应该看的书，有应该听的音乐。搜集诸多数据加以分类解析、开动脑筋已经成了每天的习惯。要做体育运动，要练钢琴来转换心情。当然家务也必须做。没闲工夫感觉无聊。"

"上年纪不可怕吗？一个人孤零零上年纪？"

"我分明在上年纪。"免色说，"往下身体也要衰弱，孤独也怕要与日俱增。可是我还没有上年纪上到那个地步的经验。至于那是怎么回事，大体估计得出，但并未实际目睹真相。我是只信赖亲眼看过的东西的人。因此，往下自己将亲眼看到什么，我正在等待。不特别怕。足够的期待诚然没有，但些许兴致是有的。"

免色缓缓晃动手中的威士忌酒杯，看了我一眼。

"你怎么样？怕上年纪？"

"六年来的婚姻生活归终卡壳了。那期间之于自己的画一幅也没能画。通常看来，那六年大约是白白上了年纪——为了生计不得不画那么多那种不可心的画。然而在结果上反倒可能是有幸做的部分。近来我开始这样认为了。"

"你想说的或许能够理解。抛弃类似自我的东西，在人生某一时期也是有意义的。是这样的吧？"

也许是的。然而就我而言，大概仅仅意味着在寻找出自己身上存在的东西上面旷日持久。而且可能把柚也拉进了那条徒劳的弯路。

"上年纪可怕吗？"我自己问自己。害怕上年纪吗？"说老实话，我还没有那样的切身感受。三十大多的男人这么说也许听起来发傻，但我总觉得人生好像刚刚开始。"

免色微微一笑。"决不是发傻，有可能如你所说，你刚刚开始自己的人生。"

"免色先生，刚才你说了遗传因子，说自己不过接受一对遗传因子又将其传给下一代的容器罢了。还说除了职责，自己不外乎一个土疙瘩。是说了这个意思的话吧？"

免色点头："确实说了。"

"没有对自己不过是个土疙瘩这点感到惊惧什么的吗？"

"我仅仅是个土疙瘩，是非常不坏的土疙瘩。"这么说罢，免色笑了。"倒像是自吹自擂，但说是相当出色的土疙瘩怕也未尝不可。至少在某种能力上得天独厚。当然能力是有限的，而有限的能力也无疑是能力。所以活着期间竭尽全力活着，想确认自己能做什么、能做到什么地步。没闲工夫无聊。对我说，让自己不至于感到惊惧和空虚的最佳方法，莫过于不无聊。"

我们喝威士忌差不多喝到八点。威士忌酒瓶很快空了。免色趁机立起。

"得告辞了,"他说,"坐这么久!"

我用电话叫出租车。一说雨田具彦的家,对方当即明白。雨田具彦是名人。大约十五分钟到,负责派车的人说。我道谢放下电话。

等出租车时间里,免色坦白似的说:"秋川真理惠的父亲一头扎进一个宗教团体,刚才说了吧?"

我点头。

"多少是个来历不明的可疑新兴宗教团体。在网上查了一下,以前好像闹出过几件社会纠纷。民事诉讼也被提起过几次。教义是模棱两可的东西。若让我说,那是很难称为宗教的粗糙玩艺儿。可是不用说,信什么不信什么当然是秋川先生的自由。只是,近几年来他往那个团体投了不少钱进去,自己的资产和公司的资产几乎混在一起。原本是相当过得去的资产家,而实际上似乎处于每月仅靠房租生活的状态。只要不卖地不卖物业,收入自然有限。而他近来地和物业卖得过多了。无论谁看都是不健全的征兆。好比八爪鱼吃自己的爪子苟延残喘。"

"就是说,被那宗教团体弄成饵料了?"

"正是。或许可以说是成了真正的冤大头。一旦给那帮家伙扑食上来,很快就被敲骨吸髓,直至榨干最后一滴血。况且秋川先生本来就是有钱人家的公子哥儿——这么说不大合适——有点缺少防人之心。"

"你为此担忧?"

免色叹了口气。"秋川先生无论遭遇什么,那都是他本人的责任,毕竟是老大不小的成年人明知故做。问题是,及至蒙在鼓里的家人受到连累,事情就不那么简单。也罢,我再操心也无济于事。"

"Reincarnation 研究。"我说。

"作为假说固然是极为意味深长的想法……"说罢，免色静静摇头。

不一会儿出租车来了。钻进出租车前，他十分郑重地向我致谢。不管喝多少酒，脸色和礼节都毫无变化。

**那张脸不可能看错**

免色回去后，我在卫生间刷完牙立刻上床睡了。我本来入睡就快，喝了威士忌，就更有那种倾向。

睡到深夜，剧烈的声音把我吵醒了。料想实有其声。或者声音发生在梦中也有可能。抑或自己意识内侧发生的虚拟动静亦未可知。但不管怎样，那是"轰隆"一声山崩地裂般的巨大冲击，身体险些一跃而起。冲击本身是实实在在的，既不是梦，又不是假想。我睡得相当深沉，但也几乎从床上滚落在地，顿时睁眼醒来。

看床头钟，数字显示后半夜两点刚过。往常铃响时刻。但不闻铃声。冬日已近，虫声亦不闻。只有屋子里笼罩的深度静默。天空大部分被厚重的乌云遮蔽。侧耳倾听，微微传来风声。

我摸索着打开床头灯，在睡衣外套了一件毛衣，决定先把整个家中巡视一遍。没准发生什么变异，说不定一头大野猪从窗口一跃而入，或者小型陨石直击房顶也未可知。虽说哪一种都不大可能出现，但还是检查一遍有无异常为好。毕竟我大体被委托管理这座房子。何况就算想直接睡去，估计也没那么容易。我的身体仍在活生生感受那一冲击的余波，心脏怦怦直跳。

我一边一个个打开房间灯，一边依序查看家中情况。哪一个房间都没发现异样。一如往常的场景。房子不很大，倘有什么异样，不可能看漏。检查到最后，所有房间只剩画室了。我从客厅打开通往画室的门进入里面，手伸到墙壁准备按下照明开关。但这时有什么把我拦住，在耳边对我低语最好不要开灯。声音虽低，但很清晰。就这样黑着为好。我顺从地从开关上移开手，轻轻关合背后的门，凝眸盯视漆黑的画室。一声不响，屏息敛气。

随着眼睛一点点习惯黑暗，得知这房间中有除我以外的谁。那种动静很明显。总好像那个谁在我画画时一直使用的木凳上坐着。最初我以为是骑士团长，猜想他"形体化"返回这里。可是，作为骑士团长，那一人物实在太大了。隐隐约约浮现出的黑色剪影，显示出那是个瘦高个儿男子。骑士团长高不过六十厘米，但这个男子的身高似乎接近一百八十厘米。就像个子高的人时常表现的那样，男子以约略弓背的姿势坐着，就那样一动不动。

我也同样一动不动。脊背贴着门框，左手依然伸在墙上以便有什么可以随时按下照明开关。我盯视那个男子的背影。我们两人在深更半夜的黑暗中各自保持一个姿势绝然静止不动。不知何故，没觉得害怕。呼吸急促，心脏发出干巴巴硬邦邦的声音。但没畏惧。深夜时分有素不相识的男人擅自进入家中。说不定是小偷，也可能是幽灵。不管怎样，感到害怕是正常情况。却不知为何，没有涌出那大概可怕、大概危险那样的感觉。

骑士团长出现以来发生了五花八门的怪事，我的意识对此已经彻底习惯了——或许由于这个缘故。但不仅仅如此，相比之下，莫如说更为那个谜一样的人物在深夜画室搞什么名堂这点所强烈吸引。较之恐惧，好奇心占了上风。看上去男子在凳上沉思什么。或者仿佛目不转睛地看着什么。其注意力在旁人眼里也非同一般。他好像全然没有察觉我进入房间。或者我的出入对他来说是不值一提的小事也不一定。

我一边不出声地呼吸，竭力让心跳收敛在肋骨内侧，一边等待眼睛进一步习惯黑暗。随着时间的推移，我渐渐明白那个男子对什么全神贯注——似乎在专心注视旁边墙上挂的什么。那里挂的应是雨田具彦的画《刺杀骑士团长》。高个儿男子坐在木凳上纹丝不动，身体稍稍前倾凝视那幅画，双手放在膝头。

这时，一直厚厚遮蔽天空的乌云终于这里那里现出裂缝。从中泻下的月光一瞬间照亮房间，简直就像澄澈无声的水清洗古老的石碑以使上面隐藏的秘密文字呈现出来。旋即复归于黑暗状态。但没有持续多久。云层再次裂开，月光大约持续十秒钟把四周染成明亮的浅蓝色。我得以趁机看清坐在那里的人是谁。

他白发齐肩。白发似乎很久没有梳理了，上下乱蓬蓬的。看其姿势，年龄似乎相当老了，而且瘦如枯树。想必曾经是全身鼓满肌肉块的健壮的男人。可他老了，又好像得了什么病，变得瘦骨嶙峋。我感觉出这样的氛围。

因为他瘦得判若两人，所以花了些时间才想起来——在无声的月光下我终于看出他是谁了。虽说以前只在几幅照片上见过，但那张脸不可能看错。侧面看显而易见的尖状鼻形富有特征，尤其全身发出的类似强烈的灵光的东西告知我一个明白无误的事实。虽是气温骤降的夜晚，但我的腋下已然热汗淋漓。心跳更快、更硬了。诚然难以置信，却又没有怀疑的余地。

老人是画的作者雨田具彦。雨田具彦返回画室。

**只在我不回头看的时候**

　　那并非具有实际肉体的雨田具彦。实际雨田具彦进了伊豆高原一座高龄者护理机构。认知障碍症已相当严重，眼下几乎卧床不起，不可能单凭一己之力赶来这里。这样，我现在如此目睹的即是他的幽灵。但据我所知，他尚未去世。因此准确说来应称为"生灵"才对。或者他刚刚停止呼吸，化为幽灵来到这里也未可知——作为可能性当然可以设想。

　　总之并非纯属幻影这点我很清楚。作为幻影则过于现实、质感过于浓密。那里的的确确有人存在的气息、有意识的发散。雨田具彦通过某种特别作用而如此返回本来属于自己的房间，坐在自己的凳上，看自己画的《刺杀骑士团长》。他根本没有介意（恐怕都没觉察）我置身于同一房间，以一对穿透黑暗的锐利眼睛凝视那幅画。

　　伴随云的流移而间断性从窗口照入的月光赋予雨田具彦的身体以清晰的阴影。他以侧脸对着我。身披旧睡衣或长袍。赤脚，袜子和拖鞋都没穿。白色长发凌乱不整，从脸颊到下颏淡淡生着大约疏于修剪的白色胡须。面容憔悴，唯独目光清澈，炯炯有神。

　　我固然没有惧怯，但极度困惑。无需说，那里出现的不是寻常光景，不可能不困惑。我一只手仍搭在墙壁电灯开关上。但我无意开灯，只是保持这一姿势不让身体动罢了。作为我，不想妨碍雨田具彦——幽灵也罢幻影也罢——在这里的所作所为。这画室本来是他的场所，是他应在的场所。莫如说我是干扰者。如果他想要在此做什么，我不拥有干扰的权利。

于是我调整呼吸、让双肩放松，蹑手蹑脚地后退，退到画室外面，把门轻轻关上。这时间里雨田具彦坐在凳上岿然不动。纵使我不慎打翻茶几上的花瓶弄出惊天动地的声响，恐怕他也无动于衷。他的精神集中力便是如此不可撼动。穿出云隙的月光再次照出他瘦削的身体。我将其轮廓（仿佛他的人生凝缩成的轮廓）连同投射在那里的纤细的夜之阴影最终一并刻入脑际。不能忘记这个，我向自己强调。那是必须烙入我的视网膜、牢牢留在记忆里的形象。

返回餐厅坐在桌前喝了几杯矿泉水。想喝一点威士忌，但瓶已经空了。昨晚兔色和我两人喝空的。而此外家里没有酒精饮料。啤酒冰箱冷藏室里倒有几支，但不是想喝那东西的心情。

归终，过了早上四点困意还没来访。我坐在餐厅桌前漫无边际地想个没完。神经极度亢奋，没心思做什么。因此只能闭目想来想去。没办法持续思考同一事物。好几个小时只是茫然追逐形形色色的思维断片而已，活像转圈追逐自己尾巴的猫仔。

如此东想西想想累了，我就在脑海里推出刚才目睹的雨田具彦的身体轮廓。为了赋予记忆以确凿的形式，我将其简单素描下来。往脑海虚拟的素描簿上使用虚拟的铅笔描绘老人的形象。这是平时一有时间就做的事。无需实际纸笔。莫如说没有更为简便易行。作业原理大约同数学家在脑海虚拟黑板上排列数学公式并无二致。实际上我也可能迟早画这幅画。

我不想再去画室窥看一次。好奇心当然是有的。老人——怕是雨田具彦的分身——还在那画室里边吗？还坐在凳子上凝视《刺杀骑士团长》吗？并非没有想看个究竟的心情。我现在可能是遇上了某种极为难得可贵的状况并目击现场。那里或许提示了若干钥匙用以解开雨田具彦人生隐藏的秘密。

但是，即便果真如此，我也不愿意妨碍他注意力的集中。雨田具彦穿越空间钻过逻辑返回这个场所，乃是为了仔细观赏他自己画的《刺杀骑士团长》，或为了重新检查那里有的什么。而这势必消耗莫大的能量——消耗已经大约所剩无多的宝贵的生命能量。不错，无论付出多大的牺牲，他都要最后尽情看一次《刺杀骑士团长》。

睁眼醒来时已经十点多了。对于早起的我来说这是十分罕见的事。洗完脸，我做了咖啡，吃了早餐。肚子无端地饿得厉害。我吃了差不多比平时多一倍的早餐。三块烤吐司，两个煮鸡蛋，还有西红柿色拉。咖啡满满喝了两大杯。

出于慎重，饭后我往画室里窥看。雨田具彦的身影当然哪里也没有。那里有的，是一如往日的静悄悄的清晨画室。有画架，上面放着开始画的画布（画的是秋川真理惠），其前面是无人坐的圆形木凳。画布前放一把给秋川真理惠作为模特坐的餐椅。旁边墙上挂着雨田具彦画的《刺杀骑士团长》。板架上还是没有铃的形影。山谷上方晴空万里，空气清冷澄澈。马上迎来冬季的鸟们的叫声锐利地刺穿空气。

我试着给雨田政彦所在的公司打电话。虽然时近正午，但他的语声总好像还没睡醒，从中听得出星期一早上的倦怠意味。简单寒暄之后，我若无其事地打听他的父亲。雨田具彦是不是还在世？昨晚自己目睹的是不是他的幽灵？我要大致确认一下。假如他昨晚去世了，那么他儿子那里应该已有通知进来。

"你父亲还好吧？"

"几天前去看来着。脑袋方面是无可挽回了，但身体情况好像没有多糟。起码不至于刻不容缓。"

雨田具彦还在世，我想，昨晚见到的到底不是幽灵。那是活人意志造成的临时形体。

"近来你父亲的样子没有特别不同的地方吧？问得像是有些怪……"我试着问道。

"问我的父亲？"

"嗯。"

"为什么忽然问这个？"

我把事先准备好的台词说出口来："说实话，近来做了个奇妙的梦。梦见你的父亲深更半夜回这个家来了。而且我碰巧看见了。一个活灵活现的梦，几乎让我一跃而起。于是有点儿放心不下，不知发生什么没有……"

"嗬，"他感佩似的说，"有意思啊！我父亲深更半夜回家去了，回去干什么来着？"

"只是静静坐在画室凳子上。"

"只那样？"

"只那样。别的什么也没做。"

"凳子？那个三条腿旧圆凳？"

"正是。"

雨田政彦就此思索片刻。

"或者死期临近也有可能。"雨田以仿佛缺少起伏感的语声说，"听说人的灵魂在人生最后要去心里最挂念的地方看看的。据我所知，对于父亲，家里的画室应该是他最牵挂的场所。"

"但记忆那样的东西已经不存在了吧？"

"噢，通常意义上的记忆那样的东西是不存在了。但灵魂理应还在，只是意识不能很好地与之连接罢了。就是说，线路脱开了，意识连不上了，如此而已。灵魂应该好端端在里面等着，估计没受任何损伤。"

"原来是这样。"我说。

"没害怕？"

"梦？"

"啊，不是活灵活现的梦吗？"

"呃，没怎么害怕，只是觉得有些奇怪。简直就像本人实际就在眼前似的。"

"或者真是他本人也不一定。"雨田政彦说。

对此我没表示什么。雨田具彦恐怕是为了看《刺杀骑士团长》特意返回这个家的，而我不能向他的儿子明言（想来，把雨田具彦的灵魂招来这里的人，有可能是我。如果我不打开那幅画的包装，他未必返回这里）。如果明言，势必——说明我在这座房子的阁楼里发现了那幅画，而且自作主张地打开包装，又擅自挂在墙上。早早晚晚总要明言，但现在这个时候我还不想提起。

"对了，"雨田说，"上次我说没多少时间，想讲的事讲不成了，有件事必须讲给你——记得？"

"记得。"

"想去那边一次慢慢细讲。可以的?"

"这里本来是你的家,随你什么时候来。"

"这个周末要再去伊豆高原看望父亲,回来路上过去可好?小田原正好顺路。"

我说星期三星期五的傍晚和星期日上午以外的时间都可以。星期三星期五在绘画班上课,星期日上午要画真理惠的肖像画。

他说可能星期六下午过来。"反正会事先联系的。"

挂断电话,我进画室坐在凳子上。昨天深夜黑暗中雨田具彦坐的木凳。刚一弓身坐下,我就觉察那已不再是我的凳子了。毫无疑问,那是漫长岁月中雨田具彦作画使用的他的凳子,以后也将永远是他的凳子。不知情的人看来,不过是伤痕累累的三条腿旧圆凳,但那里沁有他的意志。我无非势之所趋地随便使用那个凳子罢了。

我坐在那凳子上盯视墙上挂的《刺杀骑士团长》。迄今我看的次数已经数不胜数了。那是具有值得反复欣赏价值的作品。换言之,是具有种种欣赏可能性的作品。现在,我有了想以不同于平日的角度重新验证那幅画的心情。那上面理应绘有雨田具彦终结其人生之前需要再次凝视的什么。

我久久注视《刺杀骑士团长》。从昨夜雨田具彦的生灵或分身坐在凳上目不转睛注视的那个位置,以同一角度同一姿势屏息敛气聚精会神。然而无论怎么细看,也没能从画面中看出此前未看到的什么。

思考累了,我走到外面。房门前停着免色的银色捷豹,停在同我的丰田卡罗拉稍离开些的地方。车在那里过了一夜，就像训练有素的乖觉的动物在那个场所静静栖身，一动不动等待主人来领走。

我一边怅怅思考《刺杀骑士团长》，一边围着房子信步而行。走在杂木林中小路时，有一种奇妙感觉，好像有谁从背后定定看着自己，一如那个"长面人"顶起地面方形盖子从画面一角偷偷观察自己。我迅速回头朝背后看去，但一无所见。地面没有开洞，长面人也没露脸。唯独积了一层落叶空无一人的小路在静默中伸展着。如此重复几次。但无论多么迅速回头，那里仍谁也没有。

或者洞也好长面人也好只在我不回头看的时候存在也不一定。可能在我即将回头的一瞬间有所觉察而立即隐藏起来了，就好像小孩子们做游戏。

我从杂木林中穿过，移步走到平时走不到的小路尽头，注意寻找这附近有没有秋川真理惠说的"秘密通道"入口。可是再怎么找也没找到仿佛入口的东西。"一般找，找不到通道。"她说。想必伪装得甚是巧妙。不管怎样，她是天黑后一个人沿着秘密通道从相邻山上走到我家的。钻过草丛，穿过杂木林。

小路尽头是不大的圆形空地。笼罩头顶的树枝中断了，仰脸可见小小的天空。秋天的阳光从那里笔直地朝地面照射下来。我在这一小块朝阳平地的平坦些的石头上弓腰坐下，从树干间观望山谷风景，想像秋川真理惠少时从哪的秘密通道中一晃儿出现。但不用说，谁也没从哪里出现。只见鸟们不时飞来落在树枝上，又腾空而去。鸟们每每两只一起行动，以嘹亮短促的叫声相互告知各自的存在。曾在哪里读过报道，说某种鸟一旦找到伴侣，就和对方终生相守。倘对方死了，剩下的一只就在孤独中度过余生。自不待言，它们不会在律师事务所寄来的附有寄达证明的离婚协议书上签什么字盖什么章。

从很远的那边懒洋洋传来巡回贩卖什么的卡车广播声，不久听不见了。之后，近处草丛深处"咯嚓咯嚓"响起不明所以的很大的声音。不是人发出来的，是野生动物发出的声音。莫非野猪？我心头一震（野猪连同金环胡蜂，是这一带最危险的生物）。但声音随即戛然而止，不复传来。

我趁机立起，走回家去。回家途中转到小庙后头查看洞的情况。洞口仍像往常那样盖着木板，板上摆着几块镇石。看上去没有被动过的痕迹。代替盖子的板上厚厚积了落叶。落叶被雨淋湿，早已失去艳丽的颜色。春天生机蓬勃长出的所有叶片，无可避免地迎来晚秋静谧的死。

盯视之间，恍惚觉得那木板就要被掀开，"长面人"倏然从中探出茄子般细长的脸。但不用说，木板未被掀开。何况"长面人"潜伏的是方形地洞，是小些的私人洞穴。再说这洞潜伏的不是"长面人"，是骑士团长。或者说是借用骑士团长形象的理念。他半夜里摇铃把我叫来，打开这个洞。

反正一切都始于此洞。我和免色使用重型机械把洞打开以来，我的周围开始接连发生莫名其妙的事情。或者一切都是从我在阁楼里发现《刺杀骑士团长》打开包装时开始的也未可知。按事情顺序来说是这样的。或者二者从一开始就密切呼应也有可能。没准是《刺杀骑士团长》这一幅画将理念引入这座房子里的。抑或作为对于我把《刺杀骑士团长》这幅画解放出来一事的所谓补偿作用，骑士团长出现在我面前。至于孰是原因孰为结果，越想越无从判断。

　　返回家时，房门前停的免色那辆捷豹已经消失了。想必是我外出之间免色乘出租车什么取走了。或者请人回收也不一定。总之停车廊只剩有我的灰头土脸的卡罗拉凄凄惶惶趴在那里。如免色所说，也该测一次轮胎气压了。但我还没买气压计，一生都未必买。

　　我想准备午饭。可是当我站在烹调台前时，察觉刚才还那么汹涌澎湃的食欲已彻底无影无踪。代之而来的是气势汹汹的困意。我拿起毛毯躺在客厅沙发上，就势睡了过去。睡的当中做了个短梦。异常清晰鲜活的梦。而什么梦却全然想不起来了。想得起来的，唯独那是异常清晰鲜活的梦这一点。较之梦，感觉上更像是因了什么闪失而混入睡眠的现实的边角料。醒来时，已化为敏捷的动物逃之夭夭杳无踪影。

**掉在地板上碎了，那就是鸡蛋**

　　这一星期很快就过去了，快得出乎意料。整个上午我都专心致志面对画布，下午或看书或散步或处理必要的家务。如此不觉之间，一天又一天流转不息。星期三下午女友来了，我们在床上搂在一起。旧床一如往常欢快地吱扭不已，女友来了兴致。

　　"这床肯定在不远的将来土崩瓦解。"做爱过程中小憩时她预言，"是床的碎片还是格力高百奇饼干条都分不清楚——就土崩瓦解到那个程度。"

　　"或许我们应该多少平和些安静些才是。"

　　"亚哈船长❶或许应该追沙丁鱼才是。"她说。

　　我就此思索。"你想说的是，世上也有很难变更的事?"

　　"大体上。"

　　停顿片刻，我们再次在茫茫大海上追逐白鲸。世上也有很难变更的事。

　　我每天在秋川真理惠肖像画上一点点添彩——往画布上画的草图骨骼上增加必要的血肉。我调制出几种所需颜色，用来布置背景——为她的面庞自然而然浮现在画面上打基础。如此等待星期日她再次来到画室。画的创作，有应该在实际模特面前推进的作业，有应该在模特不在时准备妥当的作业。两种作业我都分别喜欢。一个人投入时间就各种各样的要素斟酌再三，一边尝试种种的颜色和手法一边整顿环境。我以这种手工活为乐，乐于从整顿好的环境中自发地即兴地确立实体。

我一边画秋川真理惠的肖像，一边并行不悖地开始在另一幅画布上画小庙后侧的洞穴。洞的光景还历历印在我的脑际，画的时候无需将实物置于眼前。我将记忆中洞的样子绝对一丝不苟地画下去。我以百分之百的现实主义手法把这幅画画得极为写实。我基本不曾画写实画（当然作为商业活动画的肖像画另当别论），但画那一种类的画绝非不擅长。只要有意，足以被误为摄影画的那种精致写实的工笔画也手到擒来。偶尔画近乎超级现实主义的画，对于我一是转换心情，二是重温基础技术的训练。但我画的写实画，说到底是为了自娱，作品基本不对外。

这样，我眼前的《杂木林中的洞》一天比一天跃然纸上。几块厚木板作为盖子只盖一半的林中神秘的圆洞。骑士团长从中现出的地洞。画面描绘的只是一个黑洞，没有人影。周围地面铺着落叶。无比静谧的风景，却又让人觉得洞中有谁（有什么）即将爬上地面。越看越不能不怀有这样的预感。尽管造型出于自己笔下，但时而为之不寒而栗。

如此这般，每天上午时间都一个人在画室中度过。手拿画笔和调色板，兴之所至地交替画《秋川真理惠的肖像》和《杂木林中的洞》这两幅性质截然有别的画。我坐在雨田具彦星期日深夜坐的凳子上，面对并列的两幅画布埋头作画。也许因为注意力集中的关系，星期一早上我在凳上感觉出的雨田具彦浓厚的气息不觉之间消失了。这个旧凳似乎又回

❶ 亚哈船长：十九世纪美国作家赫尔曼・梅尔维尔所著小说《白鲸》中的主人公。他为追逐和猎杀白鲸而最后与之同归于尽。

归为之于我的现实性用具。雨田具彦恐怕返回了自己本来应在的场所。

　　这一星期，夜半时分我每每去画室把门扇打开一条小缝往里窥视。但房间总是空无一人。没有雨田具彦的身影，没有骑士团长的形体。唯有一个旧凳置于画布跟前。从窗口照入的些微月光使得房间里的物体静静浮现出来。墙上挂着《刺杀骑士团长》。没画完的《白色斯巴鲁男子》面朝里立着。两个并列的画架上放着正在绘制的《秋川真理惠的肖像》和《杂木林中的洞》。画室中飘荡着油画颜料、松节油和罂粟籽油的气味。无论开窗开多长时间，这些交相混合的气味都不会从房间消失。这是我迄今一直呼吸、以后大约也要一直呼吸的特别气味。我像确认这种气味似的将夜间画室的空气吸入肺腑，而后静静关合门扇。

　　星期五夜里雨田政彦联系说星期六下午过来。还说在附近渔港买鲜鱼带来，吃饭不必担心，开心等待就是。

　　"此外可有想买的？顺便买了，什么都行。"

　　"倒也没有什么。"我说。旋即想起酒来："那么说威士忌没了。上次你给的来人喝光了。什么牌子都无所谓，买一瓶来可好？"

　　"我喜欢芝华士（Chivas Regal），可以的？"

　　"可以可以。"我说。雨田过去就是挑喝挑吃的家伙。我那方面没多少讲究，有什么吃什么，有什么喝什么。

　　放下雨田打来的电话，我从画室墙上摘下《刺杀骑士团长》，拿去卧室蒙上。从阁楼偷偷拿下来的雨田具彦未发表的作品，不能让其儿子瞧见，至少现在不能。

　　这么着，画室中来客能看见的画只有《秋川真理惠的肖像》和《杂

木林中的洞》两幅了。我站在跟前左右轮流看这两幅作品。比较当中，
秋川真理惠绕到小庙后面凑到洞口的光景浮上脑海。有一种从中可能发
生什么的预感。洞盖闪开半边，里边的黑暗引导着她。在那里等待她的
莫非是"长面人"？还是骑士团长呢？

　　难道这两幅画在哪里有联系不成？

　　来到这座房子之后，我几乎一个劲儿画画。最初受托画免色的肖像
画，接着画《白色斯巴鲁男子》（在开始着色阶段中止了），现在同时画
《秋川真理惠的肖像》和《杂木林中的洞》。我甚至觉得这四幅画渐渐成
为拼图的拼块，组合起来好整体讲述一个故事。

　　或者我通过画这些画而在记录一个故事亦未可知。我有这样的感
觉。莫非我被谁赋予作为这种记录者的职责或者资格？果真如此，那个
谁究竟是谁呢？为什么这个我被选定为记录者呢？


　　星期六下午快到四点的时候，雨田开着黑色沃尔沃旅行车来了。方
方正正质朴强悍的旧版沃尔沃是他的喜好。已经开了相当长时间，跑的
距离也足够狠了，但他好像没有换买新版的打算。这天他特意带了自己
的烹调刀来。保养得很好的锐利刃器。他用这个把在伊东一家鱼铺刚买
的一大条新鲜鲷鱼在厨房料理了。原本就是心灵手巧多才多艺之人。他
得心应手地剔出鱼骨，恰到好处地分出鱼肉，用鱼骨鱼头取汁做高汤。
鱼皮用火烤了作为下酒菜。我只是由衷钦佩地在旁边看着这一系列作
业。即使当专业烹调师想必也会取得相应成功。

　　"说实话，这样的白肉鱼生最好隔一天吃，那一来就变软了，味道
也醇厚可口，但没办法，凑合一下吧！"雨田边说边熟练地使用烹调刀。

"岂敢贪心不足!"我说。

"吃不完,剩下的明天自己一个人吃好了。"

"吃就是。"

"对了,今晚就在这儿住下可以的?"雨田问我。"如果可能,今天想稳稳当当和你两个喝酒说话。可一喝酒车就开不成了。睡的地方客厅沙发就行。"

"当然!"我说,"本来就是你的家,随便你怎么住。"

"不会有哪里的女人找上门来?"

我摇头道:"暂且无此安排。"

"那好,住下。"

"何必睡客厅沙发,客卧有床。"

"啊,作为我还是客厅沙发舒心惬意。那沙发睡起来比看上去舒服得多。过去就喜欢在那上面睡。"

雨田从纸袋里取出一瓶芝华士,启封开盖。我拿来两个玻璃杯,从电冰箱拿来冰块。从瓶中往杯里注入威士忌时发出甚是快意的声音——亲朋故友敞开心扉时的声音。我们两人喝着威士忌准备开饭。

"两人这么慢慢一起喝酒,时隔好久啦!"雨田说。

"那么说还真是啊!倒是觉得过去没少喝……"

"哪里,我是没少喝。"他说,"你过去就不怎么喝。"

我笑道:"从你看来或许那样。其实作为我也喝得不算少哟!"

我不会喝得烂醉如泥,因为没等烂醉如泥就先睡成了一摊泥。但雨田不然。一旦坐下开喝,就要喝个淋漓畅快。

我们隔着餐厅桌子吃鱼生、喝威士忌。一开始各吃四个他连同鲷鱼一起买的新鲜生牡蛎，接下去吃鲷鱼鱼生。刚剔下的鱼生真是分外新鲜好吃。硬固然硬，但喝着酒不慌不忙吃就是。结果两人把鱼生吃得一片不剩。光吃这个我就吃了满满一肚子。除了牡蛎和鱼片，只吃了烤得嘎嘣脆的鱼皮、腌山葵和豆腐。最后喝了高汤。

"好久没吃得这般奢华了！"我说。

"在东京可是休想！"雨田说，"住在这地方也好像不坏，能吃到好鱼。"

"不过一直在这地方生活，对你怕是无聊的日子吧？"

"你无聊了？"

"怎么说呢，我过去就不觉得无聊有多么难受。再说这种地方也有好多戏上演。"

初夏搬来这里，不久同免色相识，和他一起打开小庙后头的地洞，而后骑士团长现身，不久秋川真理惠和她的姑母秋川笙子进入我的生活。同时有性方面瓜熟蒂落的人妻女友给我以安慰。甚至雨田具彦的生灵也光顾了。应该没有闲工夫无聊。

"我也可能有意外不无聊的。"雨田说，"我很早就是热心的冲浪迷，在这一带海岸没少冲风破浪。知道的？"

不知道，我说。那种经历一次都没听说。

"我想是不是该离开城市，重新开始这样的生活。早上起来看海，看有合适波浪，就抱起冲浪板出去。"

我无论如何也做不来那么麻烦的事。

"工作怎么办？"我问。

"一个星期去两次东京即可大体了事。我现在的工作几乎全是电脑上作业，即使住在远离城市的地方也没有什么不自由。世道够便利的吧?"

"不知道。"

他目瞪口呆地看着我:"现在已经是二十一世纪了哟! 这可知道?"

"说法倒是知道。"


吃完饭，我们转去客厅继续喝酒。秋天也快要结束了，但夜里还没冷到想生火炉的程度。

"对了，你父亲情况如何?"我问。

雨田轻叹一声。"老样子。脑袋彻底短路，几乎连鸡蛋和睾丸都分不清了。"

"掉在地板上碎了，那就是鸡蛋。"

雨田出声地笑了。"不过细想之下，人这东西也真够不可思议的。我父亲就在几年前还是条硬汉，打也好踢也好，眼皮都不眨一下。脑袋也总是清晰得活像冬天的夜空，几乎让人来气。而现在呢，成了记忆的黑洞，就像宇宙突然出现的漫无边际的黑暗洞穴。"

如此说罢，雨田摇了摇头。

"造访人的最大惊讶就是老龄，谁说的来着?"

我说不知道。根本没听说。不过或许的确如此。对于人，老龄说不定比死还要意外。或许远远超出人的预想。某一天被谁清楚告知:自己对这个世界已是生物学上（也是社会学上）没有也无妨的存在。

"那，你最近做的我父亲的梦真那么活生生的?"政彦问我。

"啊，活生生的，甚至很难认为是梦。"

"父亲在这房子的画室里了？"

我把他领进画室，用手指着房间正中那里的凳子。

"梦中令尊大人静静坐在这凳子上。"

雨田走到那凳子跟前，把手心贴在上面。

"什么也没做？"

"噢，什么也没做，只是坐在那里。"

其实他是从那里目不转睛地凝视墙上挂的《刺杀骑士团长》，但我隐瞒了。

"这是父亲中意的凳子。"雨田说，"虽说是普普通通的旧凳，但决不想丢弃。画画时也好想事时也好，总是坐在这里。"

"实际一坐，能奇异地让人平心静气。"我说。

雨田在那里站了一会儿，手搭凳子静静沉思什么。但根本没坐下去。他轮番看着凳前放的两幅画布：《秋川真理惠的肖像》和《杂木林中的洞》。两幅都是我现在正在画的画。他花时间仔仔细细地看，眼神俨然医师看 X 光片中的微妙阴影。

"非常有意味。"他说，"非常好。"

"两幅都？"

"啊，两幅都够意味深长。尤其两幅摆在一起，能感到类似奇特动向那样的东西。风格虽然格格不入，但两幅似乎在哪里息息相通——有这样的气氛。"

我默默点头。他的意见也是我这几天朦朦胧胧感觉到的。

"我想，你似乎正在缓缓把握自己新的方向，就像好歹要从深山老林穿出一样。最好珍惜这一流势。"

如此说着，他从手里的杯中喝了一口威士忌。冰块在杯中发出悦耳的声响。

我产生一股强烈的冲动，恨不得把雨田具彦画的《刺杀骑士团长》给他看看。想听一听政彦对他父亲的画发表怎样的感想。他口中的话，很可能给我以某种重要启迪。然而我还是竭力把这冲动按回胸间。

还太早，有什么制止我，为时尚早。

我们走出画室折回客厅。好像起风了，厚厚的云层从窗外向北款款流移。月亮还哪里都找不见。

"对了，要紧事情。"雨田破釜沉舟似的切入正题。

"总的说来，那怕是不好说的事吧?"我说。

"啊，总的说是不好说的事，或者不如说是相当不好说的事。"

"可我有必要听取。"

雨田在胸前喀哧喀哧搓着双手，简直就像马上要搬什么重得不得了的东西一样。而后终于讲了起来。

"事是关于柚的。我和她见了几次。你今春离家前见了，离家后也见了。她说想见，就在外面见面谈了几次。但她要我不要讲给你听。和你之间弄出秘密我是不情愿的，但还是跟她那么约定了。"

我点头。"约定很重要。"

"毕竟柚对我也是朋友。"

"知道。"我说。政彦看重朋友。有时这也成为他的弱点。

"她有个交往中的男人，我是说除你以外的。"

"知道。当然我是说现在知道。"

雨田点头。"从你离家大约半年前开始的，两人进入那种关系。这样的事跟你明说心里是很痛苦——那个男人是我的熟人，职场同事。"

我轻轻叹息一声。"不难想像，怕是英俊男士吧?"

"啊，是的是的，长相非常好看，以致学生时代被猎去当过临时模特。说实话，形式上像是由我把他介绍给柚的。"

我默不作声。

"当然是就结果而言。"政彦说。

"柚一向对长得好看的男人缺乏抵抗力。本人也承认那近乎病态。"

"你的长相也不多么无可救药嘛，我看。"

"谢谢! 今晚可能睡个好觉。"

我们各自沉默有顷。之后雨田开口道："反正那家伙是个相当了得的美男子，而人品也不坏。这么说未必成为对你的安慰，动粗打人啦，乱搞女人啦，显摆俊俏啦——完全不是那一类型的男人。"

"那比什么都好。"我说。本来没那个意思，而结果上我的语声听起来带有挖苦意味。

雨田说："去年九月的事了，我和他在一起时，偶然在哪里碰上了柚。因为正是午饭时间，三人就一起在那里吃午饭。不过那时做梦都没想到两人进入那种关系。而且他比柚小五六岁。"

"然而两人立马成了恋人关系。"

雨田做了微微耸肩的动作。想必事情发展势如破竹。

"他找我商量了。"雨田说，"你太太也找我商量了。使得我处于相当尴尬的立场。"

我默然。我知道，说什么自己都显得愚蠢。

雨田沉默片刻。"实不相瞒，她现在怀孕了。"

我一时无语。"怀孕？柚她？"

"噢，已经七个月了。"

"她希望受孕的？"

雨田摇头："这——那个地步我不知道。不过好像打算生下来。喏，都七个月了，无计可施的吧？"

"她可是一直对我说还不想要孩子的。"

雨田往杯里看了一会儿，略略蹙起眉头。"那是你的孩子这一可能性没有的吧？"

我迅速计算，摇头道："法律上另当别论，从生物学上说，可能性是零。八个月前我就已离开家了，那以来面都没见过。"

"那就是了。"政彦说，"不过反正眼下她想生下孩子，希望把这事转告给你。说没有因此给你添麻烦的打算。"

"为什么想把这事特意转告我呢？"

雨田摇摇头说："这——估计是想大致在礼仪上应该向你报告吧！"

我默然。礼仪上？

雨田说："总之我一直想就这件事在哪里向你好好道歉。知道柚和我的同事成了那种关系却什么也没能跟你说，对此我觉得对不住你，无论出于何种情由。"

"所以作为补偿让我住在这座房子里了？"

"不，那和柚的事无关。这里再怎么说也是父亲长期居住、一直作画的房子。若是你，我想可以和这个场所一拍即合。并不是谁都可以放心托付的。"

我没说什么。应该并非虚言。

雨田继续道："不管怎样，你在寄来的离婚协议书文件上盖章寄回柚了。是这样的吧？"

"准确说来是寄回律师了。所以眼下离婚理应成立了。估计两人不久就会选择佳期结婚的吧！"

想必建立一个幸福家庭。小巧玲珑的柚，英俊高大的父亲，幼小的孩子。风和日丽的星期日早晨，三人相亲相爱地在附近公园散步——好温馨的场景！

雨田往我的杯子和自己的杯子补加冰块，添威士忌。拿起自己的杯子喝了一口。

我从椅子立起走到阳台，眺望山谷对面免色的白色房子。窗口闪着几点灯光。免色此刻在那里到底做什么呢？想什么呢？

夜晚的空气现在凉得厉害。风微微摇颤树叶已经落光的枝条。我折回客厅，重新坐在椅子上。

"能原谅我？"

我摇头："也不是谁不好造成的吧！"

"作为我只是非常遗憾。柚和你原本是天造地设的一对，看上去和和美美。岂料就这样一下子变得七零八落。"

"掉在地板上试试，坏的一方是鸡蛋。"我说。

政彦无奈地笑道："那么现在怎么样？和柚分开后，可有交往的女性？"

"不是没有。"

"和柚不同？"

"我想不同。对于女性，过去我就有一贯追求的某种东西。而柚具有那个。"

"其他女性身上没有找见?"

我摇头:"眼下还没有。"

"可怜!"雨田说,"顺便问一句,你对女性一贯追求的到底是什么呢?"

"用语言不好表达。不过那应该是我在人生途中不明所以地丢失了而后来久久寻找不止的东西。人不都是这样爱上谁的吗?"

"恐怕很难说都是。"政彦约略现出苦相,"倒不如说那种人是少数派吧!不过,如果用语言不好表达,画成画不就可以了?你是画画的吧?"

我说:"语言不行就画成画——这么说倒是容易,可实际做起来并非易事。"

"可有足以追求的价值吧?"

"亚哈船长或许该追逐沙丁鱼才是。"我说。

听得政彦笑了。"从安全性这一观点来看,可能是那样的。但那里产生不了艺术。"

"喂,算了算了!说出艺术这个词儿来,话可就到此终了。"

"看来我们最好继续喝威士忌啊!"政彦边摇头边说。说罢往两人杯里倒威士忌。

"不能这么喝了,明天早上有工作。"

"明天是明天,今天只有今天。"

此说有奇特的说服力。

"有件事想求你。"我对雨田说。时候差不多该打住准备睡觉了。时针即将指向十一点。

"我能做的，什么都成。"

"如果可以，想见见你父亲。去伊豆护理机构时不能带我一起去？"

雨田以看珍稀动物的眼神看我："想见我父亲？"

"如果不添麻烦的话。"

"麻烦当然谈不上。只是，现在的父亲已经不是能正常交谈的状态了。浑浑噩噩，差不多跟泥沼似的。所以，如果你怀有什么期待的话……就是说，如果指望从雨田具彦其人那里获取某种有意义的东西……那么很可能失望。"

"不指望什么。作为我只是想见见你父亲——哪怕见一次也好——想好好看看那副面容。"

"为什么？"

我喘了口气，环视客厅。随即说道："已经在这屋子生活半年了。在你父亲的画室坐在你父亲的凳子上画画，用你父亲的餐具吃饭，听你父亲的唱片。这当中，在许许多多地方都能感觉他的气息什么的。于是觉得一定要实际见见雨田具彦这个人物才好。哪怕仅仅一次。即使不能像样交谈也没关系。"

"如果那样倒是可以。"雨田似乎理解了，"你去，我父亲既谈不上欢迎，也无所谓讨厌。毕竟谁是谁都分不清楚了。所以领你一起去没有任何问题。不久还要去伊豆高原的护理机构。医生说已经来日无多了，什么时候发生什么都无足为奇。如果你没安排，那时一起去好了！"

我拿来备用毛毯、枕头和被褥，在客厅沙发上做好睡觉准备。然后再次转圈环顾房间，确认没有骑士团长的形影。如果雨田半夜醒来在那里看见骑士团长——身着飞鸟时期衣裳的六十厘米高的男子——肯定魂飞魄散。说不定以为自己来了个酒精中毒。

除了骑士团长，房子里还有"白色斯巴鲁男子"。画反过来放着以免给人看见。但是，深更半夜黑暗中在我不知道的时间里将有什么事发生，我全然揣度不出。

"一觉睡到早上好了!"我对雨田说。这是真心话。

我把备用睡衣借给雨田。体形大体相同，尺寸没有问题。他脱去衣服换穿了，钻进准备好的被窝。房间空气多少有些凉，但被窝应足够暖和。

"没生我的气?"最后他问我。

"没生气。"我说。

"可多少受伤害了吧?"

"或许。"我承认。多少受伤害的权利在我也应当有的。

"不过杯里的水还剩有十六分之一。"

"完全正确。"我说。

而后我熄掉客厅照明，撤回自己卧室。带着多少受伤的心，很快睡了过去。

**那不可能作为单纯的梦了结**

醒来时，四周已经天光大亮。天空被灰色薄云遮得严严实实，但太阳还是把无限慈爱的光淡淡地静静地倾注在大地上。时近七点。

在卫生间洗完脸，调好咖啡机，然后看客厅动静。雨田在沙发上裹着被睡得死死的，全然没有醒来的征兆。旁边茶几上放着几乎空了的芝华士瓶子。我没有惊动他，收拾杯瓶。

作为我来说威士忌应该是喝了不少的，但没有宿醉之感。脑筋如平日清晨一般清晰，胸口也没觉得灼热。有生以来从未体验过宿醉是怎么个东西。原因不晓得。估计是天生体质使然。无论怎么喝，睡一晚上迎来清晨，酒精痕迹便荡然无存。吃了早餐就能投入工作。

烤了两片面包，煎了两个荷包蛋，边吃边听广播里的新闻和天气预报。股价忽高忽下，国会议员被爆丑闻，中东大城市发生大规模炸弹恐怖事件死伤多人。不出所料，令人欢欣鼓舞的新闻一则也没有。但也没有发生可能即刻给我的生活带来负面影响的事件。眼下那些都是某个遥远世界发生的事，都是出现在素不相识之人身上的事。虽然令人不忍，但那上面没有我马上能做的。天气预报暗示气候姑且无碍。心旷神怡的小阳春诚然谈不上，却也不算糟。即使一整天薄云轻笼，也不会下雨吧，大概。但官方或媒体人士都足够聪明，决不采用"大概"这类模棱两可的字眼，而有"降水概率"这一便利（谁也无须为之负责的）说法准备在那里。

新闻和天气预报广播完毕，我关掉广播，收拾早餐使用的碟盘和碗筷。而后坐在餐桌前喝着第二杯咖啡东想西想。一般人应该正在打开刚送来的早报阅读，而我没有订报。于是一边喝着咖啡望窗外好看的柳树一边思考什么。

我首先思考生产在即（据说）的妻。旋即意识到她已不再是我的妻。她和我之间早已没有任何关联，无论从社会契约上还是人与人之间的关系上。我对于她恐怕已是不具任何意义的外人。想到这里，觉得颇有些不可思议。几个月前还每天早上一起吃饭，用同样的毛巾和香皂，相互出示裸体，睡在一张床上，然而现在已成了两不相干的他人。

就此思考时间里，我逐渐感觉我这个人甚至对于我本身恐怕也是没有意义的存在。我双手放在餐桌上，看手看了一阵子。毫无疑问是我的双手。右手和左手左右对称，形状大同小异。我用这手画画、做饭吃饭，时而爱抚女人。然而这天早上，不知何故，它们已不像是我的手。手背也好，手心也好，指甲也好，掌纹也好，看上去统统成了素不相识之人的所有物。

我不再看自己的双手，不再思考曾是妻的女性。我从餐桌前立起，去浴室脱了睡衣，用热水淋浴。仔细洗发，在卫生间刮须。而后再次考虑很快生孩子——不是我的孩子的孩子——的柚。懒得考虑，却又不能不考虑。

她已怀孕七个月了。距今七个月前，大体是四月下半月。四月下半月我在哪里做什么了呢？我一个人离家开始长期单人旅行是三月中旬。那以后一直开着颇有年代的标致205在东北和北海道漫无目标地转来转

去。结束旅行回到东京时已进入五月了。说起四月下半月，是我从北海
道去青森县那段时间。从函馆去下北半岛的大间❶，利用的是渡轮。

我从抽屉深处掏出旅行期间简单写的日记，查看那时自己在哪一
带。那期间我离开海岸，在青森县山中到处移行。虽说四月也已过半，
但山区还相当冷，雪也毫不含糊地残留没化。至于为什么偏要去寒冷地
方，理由我想不大起来了。地名记不确切了，但记得在湖旁一家冷冷清
清的小旅馆一连住了好几天。了无情趣的混凝土旧建筑，饭食相当单调
（但味道不差），住宿费惊人地便宜。院子一角甚至有个可以全天入浴的
不大的露天浴池。春季营业刚刚开始，除了我几乎没有入住客人。

不知何故，旅行期间的记忆异常模糊。记在用来代替日记本的笔记
本上面的，不外乎所到之处的地名、入住的设施、吃的东西、行车距
离、一天的开支，如此而已。记得马马虎虎，干干巴巴。心情和感想之
类哪里也找不见。想必没有什么可写的吧。所以，即使回头看日记，这
一天和另一天也几乎区别不出。看记下的地名也想不起那是怎样的地
方。连地名都没写的日子也不在少数。同样的风景，同样的食物，同样
的气候（冷或不很冷，上面只有这两种气候）。现在的我想得起来的，
不外乎这种单调的重复感。

较之日记，小型素描簿上画的风景和事物多少能让自己的记忆清晰
复苏过来（没有照相机，照片一张也没留下。而代之以素描）。话虽这
么说，整个旅行期间也没画多少幅。时间多得不好打发了，就把短铅笔
或圆珠笔拿在手里，将那里眼睛看到的东西随心所欲素描下来。路旁的

---

❶ 位于日本青森县的下北半岛北端，是本州最北端的町。

花草、猫狗，或者山岭什么的。兴之所至，有时也画身边人的速写，但那差不多都给了讨要的对方。

日记的四月十九日那页的下端写道"昨夜，梦"。更多的什么也没写。是我住在那里时的事。而且"昨夜，梦"三个字下面用2B铅笔用力画了粗线。既然写进日记并特意画了粗线，那么必是具有特别意味的梦。但在那里做的什么梦，花了一会儿时间才得以想起。记忆随之一并复苏。

那天天快亮的时候，我做了一个非常鲜明而淫秽的梦。


梦中我在广尾公寓套间的一室。那是我和柚两人生活了六年的房间。有床。妻一个人睡在上面。我从天花板俯视她那样子，即我浮在空中。但没觉得多么不可思议。在梦中浮在空中对我是极为理所当然的事。决非不自然之举。而且无需说，我没以为是做梦。对于浮在空中的我来说，那无疑是此刻在此实际发生的事。

为了不惊醒柚，我悄悄从天花板下来站在床尾。当时在性方面我十分兴奋。因为很长时间没抱她的身子了。我一点一点扒开她盖的被子。柚似乎睡得相当深沉（或者吃了安眠药也未可知），即使把被子整个扒掉，也没有醒的反应。身子一动不动。这使得我更加肆无忌惮。我慢慢花时间脱去她的睡裤，拉掉内裤。淡蓝色的睡衣，小小的白色棉质内裤。然而她还是没有睁眼醒来。不抵抗，不出声。

我温柔地分开她的腿，用手指触摸她的那个部位。那里暖暖裂开，已充分湿润，简直像在等待我触摸。我已经忍无可忍，将变硬的阳具探了进去。或者莫如说那个位置如温暖的奶油纳入我的阳具，积极吞噬进去。柚没有醒，但这时大口喘息起来，发出低微的声音，仿佛已急不可耐。手摸乳房，乳头如坚果一般硬挺。

　　说不定她正在做一个深沉的梦，我想。可能在梦中把我错当成别的什么人了。这是因为，很长时间她都拒绝我的拥抱。但是，她做什么梦也好，梦中把我错当成谁也好，反正我都已经进入她的体内，这时不可能中止。倘若柚在这当中醒来得知对方是我，没准会受打击，气恼也说不定。果真如此，醒时再说就是。现在只能听之任之。我的脑袋在剧烈欲望的冲击下几乎处于决堤状态。

　　起初，为了不把熟睡的柚弄醒，我避免过度刺激，静静地缓缓地抽动阳具。但不久自然而然地加快动作。因为她的肉壁明显欢迎我的到来，希求更粗暴些的动作。于是我很快迎来射精瞬间。本想久些留在她的那里，可是我再也无法控制自己。一来对我是久违的性交，二来她尽管在睡眠中，却做出迄今从未有过的积极反应。

　　结果一泻而出，好几次反复不止。精液从她那里溢出，溢到外围流下，黏糊糊弄湿了床单。就算想中途停下，我也不知所措。以致我担心再这么倾泻下去，自己说不定直接沦为空壳。而柚却一不发出声音二不呼吸紊乱，只管昏昏沉睡。但另一方面，她的那里不肯放我出来——以坚定的意志急剧收缩不已，持续榨取我的体液。


　　这时我猛然醒来，察觉自己已实际射精。内裤被大量精液弄得一塌糊涂。我赶紧脱下以免弄脏床单，在卫生间洗了。然后走出房间，从后门进了院子里的温泉。那是个没有墙没有天花板的全开放露天浴池，走到之前冷得要命，而身体一旦沉入水中，往下简直暖到骨髓里去了。

在黎明前万籁俱寂的时刻，我一个人泡在温泉里，一边听着冰为热气溶化而变成水滴一滴滴下落的声音，一边再三再四在脑海里再现梦中光景。由于记忆伴随的感触实在太真切了，无论如何都不能认为是梦。我确实去了广尾的公寓套间，确实同柚性交了。只能这样认为。我的双手还真真切切记得柚的肌肤那滑润的感触，我的阳具还留有她内侧的感触。那里强烈地需求我，紧紧钳住我不放（或许她把我误为别的什么人了，但反正那个对象是我）。柚的那里从周围牢牢裹住我的阳具，力图将我的精液一滴不剩地据为己有。

关于那个梦（或者类似梦的东西），某种愧疚感也不是没有。一言以蔽之，我在想像中强暴了妻。我剥去熟睡中的柚的衣服，没征得对方同意就插了进去。纵使夫妻之间，单方面的性交在法律上有时也是被视为暴力行为的。在这个意义上，我的行为决不是值得褒奖的行为。不过归根结底，客观看来那是梦。那是我的梦中体验。人们称之为梦。我并非刻意制造那场梦。我没有写那场梦的脚本。

话虽这么说，那是求之不得的行为这点也是事实。假如现实中——不是梦中——被置于那种状况，我恐怕还是如法炮制，可能还是悄悄剥去她的衣服擅自插入她的体内。我想抱柚的身子，想进入其中。我被这种强烈的欲望完全控制了。于是我在梦中以可能比现实夸张的形式付诸实施（反过来说，那是只能在梦中实现的事）。

那活生生的性梦，一段时间给一个人持续孤独之旅的我带来某种幸福的实感，或者说是浮游感更合适？每当想起那场梦，我就觉得自己仍能作为一个生命同这个世界有机结合在一起，仍能通过肉感——不是理论不是观念——同这个世界密切相连。

　　但与此同时，一想起恐怕某人——别处一个男人——以柚为对象实际受用那样的感觉，我的心就觉出针扎般的痛。那个人触摸她变硬的乳头、脱下她小小的白色内裤、将阳具插入她湿润的缝隙一再射精——每当想像那样的场景，自己心间就有流血般的痛切感。那是我有生以来（在能记得起来的限度内）初次产生的感觉。

　　那是四月十九日天亮时分做的奇异的梦。于是我在日记中写下"昨夜，梦"，并在其下面用2B铅笔画了粗线。

　　柚受孕正值这一时期。当然不能以针尖点中受胎时日。但说是那个时候也不值得奇怪。

　　我想，这同免色所讲的十分相似。只是，免色是实际同肉身对象在办公室沙发上交合的，不是梦境。而恰在那时女方受孕了。之后马上同年长的资产家结婚，不久生了秋川真理惠。因此，免色认为秋川真理惠是自己的孩子自是有其根据的。可能性固然微乎其微，但作为现实并非不可能。而我呢，我同柚的一夜交合终归发生在梦中。那时我在青森县的山中，她在（大概）东京城中心。所以，柚即将生出的孩子不可能是我的。从逻辑上考虑，这点再清楚不过。那一可能性完全是零。如果从逻辑上考虑的话。

　　但是，相对于仅以逻辑这样轻率处理，我做的梦实在过于鲜明生动了。在那场梦中进行的性行为，相比于六年婚姻生活之间我以柚为对象任何实际进行的都要印象深刻，并且伴有远为强烈的快感。再三再四反复射精的瞬间，我的大脑状态就好像所有保险丝一齐跳开。几多现实层尽皆溶解，在脑袋里交相混合、混浊滞重，恰如宇宙的原初混沌。

那般活灵活现的事不可能作为单纯的梦了结，这是我怀有的实感。那场梦必然同什么结合在一起。而那应当给现实以某种影响。

快九点时雨田睁眼醒来，一身睡衣来到餐厅喝热乎乎的黑咖啡。他说不要早餐，只咖啡即可。他下眼皮有稍稍浮肿。

"不要紧？"我问。

"不要紧！"雨田揉着眼皮说，"比这厉害的宿醉也体验了好几次，这算轻的。"

"慢慢待着没关系的哟！"我说。

"可往下有客人来的吧？"

"客人来是十点，还有点儿时间。再说你在这里也没什么问题。把你介绍给两人。哪个都是可惊可叹的女性。"

"两个？不是绘画模特女孩一个吗？"

"陪同的姑母一起来。"

"陪同的姑母？好一个古风犹存的地方啊！简直是简·奥斯丁的小说。莫不是扎着紧身胸衣、坐两匹马拉的马车光临？"

"马车不至于，丰田普锐斯。紧身胸衣也没扎。我在画室画那个女孩的时候——大约两个钟头——姑母在客厅看书等着。虽说是姑母，但还年轻……"

"书？什么书？"

"不知道。问了，不肯告诉。"

"嗬！"他说，"对了对了，说起书，记得陀思妥耶夫斯基的《群魔》

里边，有个为了证明自己是自由的而用手枪自杀的人。叫什么名字来着？觉得问你能问明白……"

"基里洛夫。"我说。

"是，基里洛夫。近来一直促使自己想起，却怎么也想不起。"

"那又怎么了？"

雨田摇头："啊，怎么也不怎么。只是碰巧那个人物浮上脑海，我努力回想他的名字，却怎么也想不起来，就多少觉得是回事，像小鱼刺扎在嗓子眼似的。不过俄国人嘛，考虑的东西总好像相当奇特。"

"陀思妥耶夫斯基的小说里边，有很多人物为了证明自己是独立于神和世俗社会的自由人而做傻事。噢，当时的俄国也许并没傻成那个样子。"

"你怎么样？"雨田问，"你和柚正式离婚，利利索索成了自由之身。准备干什么？尽管不是自己追求的自由，但自由总是自由。机会难得，做一两件傻事不也蛮好的吗？"

我笑道："现阶段还没有特别做什么的打算。可能我暂且自由了，却也用不着向世界——证明什么吧？"

"那怕也是。"雨田显得兴味索然，"不过你大体是画画的吧？是Artist❶吧？从根本上说，艺术家这东西都是要玩花样出大格的。你倒是向来不做傻事，绝对不做。看上去总那么循规蹈矩。偶尔撒撒野不也可以的？"

"把放债的老太婆拿斧头砍了？"

---

❶ 艺术家，美术家（尤指画家）。

"不失为一策。"

"爱上老实厚道的娼妇?"

"那也非常不赖。"

"容我想想看。"我说,"问题是,即使不特意做傻事,现实本身也足够出格离谱的吧?所以,我想自己一个人尽可能做得地道些像样些。"

"哦,那也未尝不是一策。"雨田泄气地说。

我很想说不是什么那也未尝不是一策。实际上包围我的是大大出格离谱的现实。如果连我也出格离谱,那可真叫昏天黑地了。但现在我不能在这里把整个来龙去脉讲给雨田。

"反正得告辞了!"雨田说,"倒是想见见那两位女性再走,可东京有工作没做完。"

雨田喝干咖啡,换上衣服,驾驶漆黑的四方形沃尔沃回去了,带着约略浮肿的眼睛。"打扰了!不过好久没聊得这么开心了!"

这天有件事让人觉得蹊跷:雨田为了处理鱼带来的烹调刀没有找到。用完洗得干干净净,记忆中没再拿去哪里。但两人找遍整个厨房,却怎么也没找到。

"啊,算了!"他说,"大概去哪里散步了吧,回来时放好!毕竟偶一用之。下次来时回收。"

我说再找找。


沃尔沃不见了之后,我觑一眼手表。差不多是秋川家两名女性来的时候了。我回客厅收拾沙发上的铺盖,把窗扇大敞四开,置换房间里沉甸甸滞留的空气。天空仍是淡淡的灰色。无风。

我从卧室里拿出《刺杀骑士团长》，照旧挂在画室墙上。随后坐木凳上再次看画。骑士团长的胸仍在流红色的血，"长面人"继续从画面左下角目光炯炯地观察这一场景。一切一成未变。

但是，这天早上看《刺杀骑士团长》过程中，柚的面影总是从脑袋里挥之不去。无论怎么想那都不是什么梦，我再次思忖。我笃定那天夜里实实在在去那个房间了。一如雨田具彦几天前的深夜来此画室。我超越现实中的物理性制约，以某种方法跑去广尾那座公寓的房间，实际进入她的体内，往那里排出了真正的精液。人如果由衷期盼什么，总是能够如愿以偿的。我这样想道。通过某种特殊频道，现实可以成为非现实，非现实可以成为现实，只要人真心渴望。可是那并不等于证明人是自由的。所证明的莫如说是相反的事实，或许。

如果有再次见柚的机会，我想问她今年四月下半月那场性梦她做了没有——是不是梦见我黎明时分进房间把酣睡中（以至身体被剥夺自由）的她强奸了。换言之，那场奇妙的梦是否不限于我这边而作为相互通行的东西存在？作为我很想问个明白。但是，果真那样，果真她也和我做同样的梦，那么从她那边看来，那时的我可能就是或可称为"梦魔"的不吉利或邪恶的存在。我不愿意认为自己是那样的存在——不可能成为那样的存在。

我自由吗？这样的叩问对于我没有任何意义。现在的我比什么都需要的，终究是能够拿在手里的确凿无误的现实，是堪可依赖的脚下坚硬的地面。而不是梦中强奸自己妻子的自由。

# 44 类似人之所以成为那个人的特征那样的东西

真理惠这天完全不开口。坐在往次那把简朴的餐椅上当模特，像眺望远处风景一样目不转睛看着我。餐椅比凳子低，于是她多少取仰视的姿势。我也没向她说什么。一来想不起说什么好，二来没觉出有说什么的必要。所以我不声不响地在画布上挥动画笔。

我当然是想画秋川真理惠的。但与此同时，其中又好像融入了我死去的妹妹（路）、曾经的妻（柚）的面影。并非刻意为之，只是自然融入。或许我是向秋川真理惠这个少女内侧寻觅自己人生途中失却的宝贵女性们的形象。至于那是否属于健全行为，自己并不知晓。但我眼下只能采用如此画法。也不是眼下。回想起来，觉得自己从一开始就或多或少采用了这样的画法——让画中出现现实中无法求得的东西，将自己本身的秘密信号偷偷打入画面深层，不让别人看到。

不管怎样，我只管面对画布，几乎毫不踌躇地描绘秋川真理惠的肖像。肖像稳扎稳打一步步走向完成。好比河流因地形而不时迂回，或此起彼伏歇歇停停，但归终不断增加着流量朝河口、朝大海稳步推进。我能够像感觉血液循环一样在体内真切感觉出那种动向。

"过后来这里玩可以的？"真理惠快到最后的时候小声细气地对我说。语尾诚然有断定意味，但明显是询问——她问我过后来这里玩可以吗。

"来玩，顺那条秘密通路来？"

"嗯。"

"可以是可以，大约几点？"

"几点还不知道。"

"天黑以后最好就别来了。夜晚山中不知会有什么。"我说。

这一带的黑暗中潜伏着形形色色莫名其妙的什么。骑士团长、"长面人"、"白色斯巴鲁男子"以及雨田具彦的生灵。还有我自身的可能作为性之分身的梦魔。甚至这个我，也能成为夜幕下不吉利的什么。想到这里，不由觉出些微寒气。

"尽可能还亮时来。"真理惠说，"有事想跟老师说，两人单独地。"

"好的，等你。"

不久，正午钟声响了，我中断绘画作业。

秋川笙子照样坐在沙发上专心看书。看样子厚厚的小开本书已近尾声。她摘下眼镜，夹书签把书合上，扬脸看我。

"作业正在进行。往下再请真理惠小姐来这里一两次，画就大约完成了。"我对她说，"占用了时间，感到很对不起。"

秋川笙子微微一笑。极有品位的微笑。"哪里，那点儿事请别介意。真理惠似乎很开心当模特。我也盼望画的完成，而且在这沙发上看书也非常好。所以这么等着一点儿也不枯燥。对我来说，能外出一段时间也是一种心情转换。"

我想问上星期日她和真理惠一起去免色家访问时的印象。见得那座气派的宅邸有何感想？对免色这个人怀有怎样的印象？可是，既然她未主动提起话题，那么我问这些似乎有违礼仪。

秋川笙子这天的衣着也同样精心，完全不是一般人星期日早上去附近人家访问的装束。一道褶也没有的驼绒半身裙，带有大丝带的高档白色丝绸衬衫，深青灰色的外衣领口别着镶宝石的金饰针。在我眼里那宝石似乎是真正的钻石。相对于手握丰田普锐斯方向盘，未免过于时尚的感觉也是有的。但这当然是瞎操心。丰田广告负责人有可能持和我完全相反的见解。

秋川真理惠的衣服没有变化。眼熟的棒球服，开洞洞的蓝牛仔裤，那双白色旅游鞋比平时穿的鞋还要脏（后跟部分几乎磨烂）。

临走时真理惠在门厅那里趁姑母没注意悄悄朝我使了个眼色，传达"过后见"这一唯独两人间的秘密信息。我报以轻轻的微笑。


送走秋川真理惠和秋川笙子后，我折回客厅在沙发上睡了一会儿午觉。没有食欲，午饭免了。三十分钟左右深沉而简洁的午觉，没有做梦。这对我是难能可贵的事。梦中不知自己会干什么这点让我相当惶恐，而不知梦中自己会成为什么就更加惶恐。

我以和这天的天气同样阴晦的七上八下的心情送走了星期日的午后。淡云轻笼的安静的一天，没有风。读一会儿书，听一会儿音乐，做一会儿饭。可是不管做什么都无法把心情好好拢在一起。仿佛一切都要半途而废的午后。无奈之下，烧开洗澡水，长时间泡在浴缸中。我逐一想起陀思妥耶夫斯基《群魔》出场人物的冗长名字。包括基里洛夫在内想起了七个。不知何故，从高中生那时候开始，我就擅长记忆俄罗斯经典长篇小说出场人物的名字。或许该重读一遍《群魔》了。我是自由的，时间绰绰有余，又没有特别要干的事。正是读俄罗斯经典长篇小说的绝好环境。

之后又考虑柚。怀孕七个月，估计是肚子的隆起已经多少醒目的时候了。我想像她的那种样子。柚现在做什么呢？考虑什么呢？她幸福吗？那种事我当然无由得知。

雨田政彦说的或许不错。我或许应该像十九世纪俄罗斯知识分子那样为了证明自己是自由人而干一两桩傻事了。可是例如干什么呢？例如……闷在又黑又深的洞底一个小时什么的？于是我陡然想起，实际干这个的，不正是免色吗？他的一系列所作所为，也许不是傻事。然而无论怎么看，无论说得多么克制，都多少偏离常规。

秋川真理惠来到这里，是下午四点多钟。门铃响了。开门一看，真理惠站在那里。身体从门缝间滑一样迅速进入里边，俨然一片云絮。旋即疑心重重地四下环视。

"谁也没有？"

"谁也没有哟！"

"昨天有谁来了。"

那是询问。"啊，朋友留宿了。"我说。

"男性朋友？"

"是的啊，男性朋友。可你怎么知道有谁来了？"

"没见过的黑车停在门前来着，四方箱子似的旧车。"

雨田称为"瑞典饭盒"的老式沃尔沃。拉死掉的驯鹿估计足够方便。

"你昨天也来这里玩了?"

真理惠默默点头。没准她一有空儿就穿过"秘密通道"来看这房子情况。或者莫如说我来这里之前这一带就一直是她的游乐场,说"猎场"怕也未尝不可。而我只不过偶然搬来这里罢了。这么说,莫不是她也同曾经住在这里的雨田具彦接触过?迟早非问问不可。

我把真理惠领进客厅。让她坐在沙发上,我在安乐椅弓身坐下。我问她要不要喝什么,她说不要。

"大学时代的朋友来,住下了。"我说。

"要好的朋友?"

"我想是的。"我说,"对我来说,可能是唯一可称为朋友的对象。"

他介绍的同事把我的妻睡了也好,他知道事实真相而不告诉我也好,由此导致离婚最近成立也好,都不至于在两人关系上投下多大阴影——便是要好到这个程度。即使称作朋友,也不会有辱真实。

"你有要好的朋友?"我问。

真理惠没有回答问话。眉毛都没动一下,一副充耳不闻的神气。大概是不该问这个的。

"免色对老师不是要好的朋友。"真理惠对我说。虽然不带问号,但那纯属询问。她是在问:就是说免色先生不是对于我的要好的朋友?

我说:"上次也说了,对于免色先生这个人了解不多,没有了解到能称作朋友的地步。和免色先生说话是搬来这里以后的事,而我住来这里还不到半年。人和人要成为好朋友,是需要相应时间的。当然,免色先生是个极有意味的人。"

"极有意味?"

"怎么说好呢，personality❶和普通人多少有所不同，我觉得。较之多少，或许应说相当不同，不是那么容易理解的。"

"Personality?"

"就是类似人之所以成为那个人的特征那样的东西。"

真理惠好一会儿定定看着我的眼睛。看样子是在慎重选择往下应当说出口的词语。

"从那个人房子的阳台上，可以迎面看见我家的房子。"

我略一停顿应道："是的吧！毕竟地形上处于正对面。不过从他家房子，也能差不多同样看清我住的这座房子。不光是你家房子。"

"可是那个人在看我家。"

"在看?"

"倒是放在盒子里不让人看见，他家阳台上放着像大双筒望远镜那样的东西，还带三脚架。用那个，肯定能清楚看见我家的情形。"

这个少女发现了那个，我想。注意力厉害，观察力敏锐，关键东西不看漏。

"就是说，免色先生用那架双筒望远镜观察你家来着?"

真理惠痛快地点了下头。

我大大吸了口气，吐出。而后说道："可那终究是你的推测吧？只是阳台上放着高性能双筒望远镜这一点，恐怕并不能说明他在窥看你家。或者看星星看月亮也说不定。"

真理惠视线没有犹疑。她说："我有一种自己被看的直觉，有一段

---

❶ 人格，个性。

时间了。但谁从哪里看并不明白，但现在明白了。看的一定是那个人。"

我再次缓缓呼吸。真理惠推测正确。天天用高性能军用双筒望远镜观察秋川真理惠家的，确是免色无疑。不过据我所知——不是为免色辩护——他并非怀有不良用心而窥看的。他单单想看那个少女，想看说不定是自己亲生女儿的十三岁美少女的形影。为此、恐怕仅仅为此而把隔谷相对的那座大房子弄到了手，使用相当强硬的手段把以前住的一家人赶了出去。但是我不能在此把这些情况向真理惠挑明。

"假定如你说的那样，"我说，"他到底是以什么为目的那么上心地观察你家的呢？"

"不明白。没准对我姑母有兴趣。"

"对你姑母有兴趣？"

她微微耸了耸肩。

看来真理惠完全没有自己本身可能成为窥看对象这一疑念。这个少女大概还没有自己可以成为男人性幻想对象这种念头。虽然觉得有点儿奇怪，但我并未断然否定她的这一推测。既然她那么想，听之任之也未必不好。

"我想免色隐藏着什么。"真理惠说。

"比如什么？"

她没有回答，而代之以像传递重大情报似的说道："我姑母到这个星期，已经和免色幽会了两次。"

"幽会？"

"她去免色家了，我想。"

"一个人去他家？"

"偏午时候开车一个人出去，傍晚很晚都没回来。"

"但并没有把握说她去了免色家。"

真理惠说："可我明白。"

"如何明白?"

"她平时是不那样外出的。"真理惠说，"当然，去做图书馆的志愿者或买点东西什么的是有的。但那种时候不会认真淋浴、修指甲、喷香水、挑最好看的内衣穿上才出门的。"

"你对各种事观察得真是仔细啊!"我佩服地说，"可你姑母会的果真是免色先生不成? 没有免色先生以外的谁那种可能性?"

真理惠眯细眼睛看我，轻轻摇了下头，似乎在说我没有傻到那个程度。根据种种情况，很难设想对象是免色以外的人。而真理惠当然不傻。

"你的姑母去免色家和他单独打发时间。"

真理惠点头。

"而且两人……怎么说好呢，成了非常亲密的关系。"

真理惠再次点头，而且脸颊稍稍红了。"是的，我想是成了非常亲密的关系。"

"不过你白天是上学的吧? 不在家。不在家为什么会知道这种事呢?"

"我明白的。女人一看神色，一般事都能明白。"

可我不明白。即使柚和我一起生活却同其他男人有肉体关系，我也很长时间都没发觉。现在回想起来，本应心有所觉才是。就连十三岁女孩都即刻了然于心的事，我怎么就浑然不觉呢?

"两人的关系，发展可是够迅速的啊！"我说。

"我的姑母是能有条有理考虑事情的人，绝对不傻。可心中哪里有多少弱些的地方。免色这个人又具有不同一般的能量。能量大得我姑母根本不是对手。"

也许如此。免色这个人，的确具有某种特别的能量。如果他决定真心追求什么并循此发起行动，多数情况下普通人是难以抗阻的，我怕也包括在内。至于一个女性的肉体，对于他很可能易如反掌。

"你是在担心吧？担心你的姑母会不会被免色先生以什么目的利用了？"

真理惠把笔直乌黑的头发抓在手里，绕去耳后。白皙的小耳朵露了出来。耳形美妙无比。她点了下头。

"男女关系一旦启动，想要阻止可不是那么容易的事。"我说。

实非易事，我对自己说。如印度教教徒搬出的巨大彩车，只能宿命地碾压各种东西向前推进。

"所以这么找老师商量来了。"说着，真理惠目不转睛地盯视我。


四周已经相当暗的时候，我拿着手电筒把真理惠送到"秘密通道"稍前一点的地方。她说晚饭前必须赶回家中。晚饭开始大体七点。

她是来找我提供建议的，但我也想不出好主意。只能静观一段事态进展吧，我能说的只这么一句。即使两人有性关系，说到底那也是独身成年男女在相互自愿基础上做的事。我究竟能做什么呢？何况成为其背景的情由，我对谁（真理惠也好她姑母也好）都不能挑明。在这种状态下提供有效建议是不可能的，好比更好使的那只手被捆在背后和人摔跤。

我和真理惠几乎一声不响地在杂木林中并肩行走。行走当中真理惠握住我的手。手不大，但意外有力。被她突然握手，我稍微吃了一惊。不过想必是因为小时常握着妹妹的手走路的关系，没特别感到意外。对于我，反倒是令人怀念的日常性感触。

真理惠的手非常干爽。虽然温暖，但并不汗津津的。她似乎在思考什么。大概由于思考的内容的不同而使得握着的手时而突然变紧时而悄然放松。这种地方也和妹妹的手给我的感触甚是相似。

走到小庙跟前时，她放开握着的手，一言不响地独自走进小庙背后。我随后跟着。

芒草丛被履带碾得一片狼藉的痕迹仍整个留在那里。洞一如往常静悄悄位于后头。洞口有几块厚木板作为盖子压着，盖子上摆着镇石。我用手电筒光确认石头的位置和上次并无两样。上次看过以来，似乎没有谁挪过盖子。

“看一眼里边可以？”真理惠问我。

“如果只看一眼。”

“只看一眼。”真理惠说。

我挪开石头，拿开一块木板。真理惠蹲在地上，从打开的部分往洞里窥看。我照着里面。洞里当然谁也没有，只有一架金属梯子靠墙立着。如果有意，可以顺梯下到洞底再爬上来。洞深虽不出三米，但若没梯子，爬上地面基本不大可能。洞壁光溜溜的，一般人死活爬不上来。

秋川真理惠用一只手按着头发久久窥看洞底。凝眸聚目，好像在那里的黑暗中找什么。到底洞里的什么引起她如此大的兴趣呢？我当然不得而知。看毕，真理惠扬脸看我。

"谁修的这个洞呢?"她说。

"是啊，谁修的呢? 起始以为是井，但不像。不说别的，在这么不方便的地方挖井就没意思。但不管怎样，像是很久以前修的，而且修得非常精心。应该费了不少工夫。"

真理惠没说什么，定定往我脸上看着。

"这一带过去就一直是你的游乐场，是吧?"我问。

真理惠点头。

"可是，小庙后面有这样的洞，直到最近你都不知道?"

她摇了下头，表示不知道。

"老师你发现这个洞打开的?"她问。

"是的。发现的或许是我。我也不知道有这样的洞，但猜想一堆石头下面有什么。实际挪走石头打开洞的不是我，是免色先生。"我一咬牙如实道出。想必还是实话实说为好。

这时，树上有一只鸟发出一声尖叫，是那种仿佛向同伴发出什么警告的叫声。我抬头仰望四周，却哪里也没看见鸟。唯见抖落叶片的树枝重叠在一起。上方覆盖着平整呆板的灰云——冬日临近的晚空。

真理惠稍稍蹙了下眉头，什么也没说。

我说:"不过怎么说好呢，这洞看样子强烈需求被谁的手打开，简直就像为此把我召唤来一样。"

"召唤?"

"召来、呼唤。"

她歪头看着我。"求老师打开?"

"是的。"

"是这个洞求你?"

"或许不是我也无所谓,谁都可以。碰巧我在这里罢了。"

"而实际上是免色打开的?"

"嗯,是我把免色先生领来这里的。如果没有他,这个洞大概不会被打开。一来光靠人两只手无论如何也挪不动石头,二来我也没钱来安排重型机械。就是说,像是巧碰巧。"

真理惠就此思索了一会儿。

"恐怕还是不做那样的事好。"她说,"记得上次也说了。"

"你认为原封不动更好?"

真理惠默默从地面立起,用手拍了好几次蓝牛仔裤膝盖沾的土。而后和我两人盖上洞口,往盖子上摆好镇石。我把石头的位置重新打入脑海。

"那样认为。"她轻搓两手的手心说道。

"我在想,这个场所是不是有什么传说或者传闻那样的东西留下来,比如带有特殊宗教背景的……"

真理惠摇头。她不知道。"我父亲倒也许知道什么。"

她的父亲家族从明治以前就作为地主一直管理这一带。相邻的山也整个归秋川家所有。所以有可能知道这个洞和小庙的含义。

"问问你父亲可好?"

真理惠略略扭起嘴角。"过几天问问看。"说完想了一会儿,小声补充一句:"如果有那样的机会的话。"

"到底谁、什么时候、为了什么建造这样的洞呢? 要是有什么线索就好了……"

"也许是把什么关在里面再压上大石头来着。"真理惠凄然说道。

"就是说为了不让那个什么逃出去而往洞口堆了石头,又为避免作祟而建了小庙——是这么回事吧?"

"或许是的。"

"可我们把它打开了。"

真理惠又一次微微耸了下肩。

我把真理惠送到杂木林结束的地方。她说往下让她一个人好了,天黑了路也一清二楚,不怕的。不愿意被别人看见她顺着"秘密通道"回家的情形。那是唯独她知道的宝贝通道。于是,我把真理惠留在那里,一个人回家。天空已经几乎没有光亮了,冷冷的暗夜即将到来。

从小庙前通过时,同样的小鸟再次发出同样的尖叫声。但这回我没抬头看。只管从小庙前径直走过回家。为自己做晚饭。边做边约略加水喝了一杯芝华士。瓶里还剩一杯的分量。夜深邃而寂静,似乎空中的云吸收了全世界所有的声音。

这个洞是不该打开的。

是的,或许如真理惠所说。大概我是不该和那个洞发生联系的。自己近来尽干莫名其妙的事。

我试着想像怀抱秋川笙子的免色形象。在白色豪宅某个房间的大床上,两个人赤身裸体抱在一起。那当然是发生在与我无关的世界里的与我无关的事。但是,每次想到这两个人,我都产生一种飘零无寄之感,就好像目睹通过车站的空空无人的一长列火车。

　　不久，睡意上来。之于我的星期日结束了。我没有做梦，没有被任何人打扰，只是沉沉酣睡。

**有什么即将发生**

　　同时进行的两幅画中，先完成的是《杂木林中的洞》。星期五下午完成的。画这东西是奇怪的东西，随着完成日期临近，它逐渐获得独立的意志、观点和发言权。及至最后完成，会告知作画的人作业终了（至少我是这样感觉的）。在旁边看的人的眼里——如果有那样的人——基本分不清哪一阶段处于制作当中，哪一阶段已然完成。隔开未完成与完成的那条线，在多数情况下不会反映到眼睛里。但作画的人本身明白，作品会出声地告知不必再加工了——只要倾听那声音即可。

　　《杂木林中的洞》也不例外。画在某一节点告以完成，不再接受我涂涂抹抹了，恰如性方面已完全如愿后的女性。我把画布从画架取下，靠墙立在地板上。随后自己也在地板弓身坐下，长时间盯视画作。一幅洞口盖着半边的画。

　　至于自己何以突发奇想地画了这样的画，其意义和目的已无从追究了。那时我无论如何都想画《杂木林中的洞》那幅画。我只能这么说。这种情形时有发生。有什么——风景、物体、人物——极为纯粹地、极为简单地捕获我的心，我拿起笔开始将其画在画布上。并没有值得一提的意义和目的，纯属心血来潮。

　　不，不然，不是那样，我想，不是什么"心血来潮"。有什么要求我画这幅画，迫不及待地。是那一要求鼓动我开始画这幅画，用手推我

的后背使得我在短时间内完成作品的。或者是那个洞本身具有意志利用
我画其面目亦未可知——以某种意图。一如免色以某种意图（或许）让
我画自己的肖像。

极为公正客观地看来，画的效果不坏。能否称为艺术作品不敢断定
（非我辩解，我本来就不是以催生艺术作品的念头画这幅画的）。不过，
仅从技术性来说，应该几乎无可挑剔。构图完美。树间射下的阳光也好
落叶的色调也好都栩栩如生。而且，尽管是极为细腻极为写实的，却又
同时荡漾着某种莫可言喻的象征性和神秘性氛围。

久久凝视已然完成的画作之间，我强烈感觉到的，是画中潜伏着类
似动之预感的元素。表面上看，如画题所示，纯属描绘"杂木林中的
洞"的具象风景画。不，比之风景画，或许称为"再现画"更为接近事
实。作为毕竟长期以画画为职业的人，我运用自己掌握的技术将那里存
在的风景最大限度地如实再现于画布。与其说描绘，莫如说记录才对。

但那里有类似动之预感的元素。风景中即将有什么开始动——我能
够从画中强烈感受这样的气韵。有什么眼看就要动起来。在此我终于心
有所悟。我在这画中想要画的、或者某个什么想要我画的，是那种预
感、那种气韵。

我在地板上正襟危坐，重新审视这幅画。

究竟能从中看出怎样的动向呢？半开的圆形黑洞中有谁、有什么爬
出来不成？抑或相反，有谁要下到里面不成？我聚精会神久久注视那幅
画，但还是未能从画面中推导出那里将出现怎样的"动向"，而仅仅强
烈预感必有某种动向从中诞生。

还有，这个洞因为什么要我画它呢？它要告以什么呢？莫非要给予

我警告什么的？简直像出谜语。那里有很多谜语，谜底则一个也没有。我打算把这幅画给秋川真理惠看，听听她的意见。若是她，说不定会从中看出我的眼睛看不到的东西。

星期五是在小田原站附近的绘画班当老师的日子，也是秋川真理惠作为学生来教室的日子。课上完后，也许能在那里说上点什么。我开车朝那里赶去。

把车停进停车场后，到上课还有时间。于是我像往日那样走进咖啡馆喝咖啡。不是像星巴克那样光线明亮且富于功能性的咖啡馆，而是刚步入老年的老板一个人打理的老式巷内小店。浓黑浓黑的咖啡装在重得要命的咖啡杯里端来。老式音箱中流淌出过往时代的爵士乐。比莉·荷莉戴❶啦，克里夫·布朗❷什么的。之后在商业街逛来逛去之间，想起咖啡过滤纸所剩无多了，就买了补充。买完发现一家卖旧唱片的店铺，于是进去打量旧LP❸消磨时间。想来已经好久只听古典音乐了。雨田具彦的唱片架上只放古典音乐唱片。听广播我又除了AM新闻和天气预报以外基本不听别的（由于地形关系，FM电波几乎进不来）。

广尾公寓套间里的CD和LP——并非多么了不得的数量——全部留下了。因为书也好唱片也好，把我的所有物和柚的所有物一一区分开来，都让我觉得麻烦。不仅麻烦，而且那是近乎不可能的作业，例如鲍

❶ 比莉·荷莉戴（Billie Holiday, 1915—1959），美国著名爵士乐女歌手，被公认为二十世纪最重要的爵士乐歌手之一。
❷ 克里夫·布朗（Clifford Brown, 1930—1956），美国著名爵士小号手。
❸ LP: Long playing record之略，长时间播放的唱片。密纹唱片。每分钟转速33⅓转，单面演奏时间约30分钟。

勃·迪伦❶《纳什维尔地平线》（*Nashville Skyline*）和收有《阿拉巴马之歌》（*Alabama Song*）的"大门"乐队（The Doors）❷ 专辑，到底归谁所有呢？时至现在，谁买的都已无所谓了。总之我们在一定期间内两人共有同样的音乐，一起听着送走了朝朝暮暮。就算能把物体区分开来，那上面附属的记忆也是区分不开的。既然这样，就只能统统留下了事。

我在唱片店找《纳什维尔地平线》和"大门"乐队的第一张专辑，但两种都没找到。或者CD说不定有，但我还是想用传统的LP听这些音乐。何况雨田具彦家没有CD唱机。连盒式磁带机都没有。只有几台唱片唱机。雨田具彦大约是无论什么都对新器材不怀好感的那一类人。大约微波炉接近距离都没少于两米。

最后，我在店里买了两张闪入眼帘的LP。布鲁斯·斯普林斯汀❸的《河流》（*The River*）❹，萝贝塔·弗莱克（Roberta Flack）和唐尼·海瑟威（Donny Hathaway）的二重唱❺。两张都是令人怀念的专辑。从某一时间节点开始我就几乎不再听新音乐了，只是翻来覆去听中意的老音乐。书也一样。过去看过的书一再看个没完。对新出版的书几乎提不起兴致，时间简直就像在某个节点戛然而止。

有可能时间真的停止了。抑或时间尽管勉强在动而类似进化的东西

❶ 鲍勃·迪伦（Bob Dylan, 1941— ），美国摇滚、民谣艺术家。2016年获得诺贝尔文学奖，成为第一位获得该奖项的音乐人。
❷ 美国摇滚乐队，于1965年成立于洛杉矶。乐风融合了车库摇滚、蓝调与迷幻摇滚。1971年主唱莫里森去世后，乐队于1973年解散。
❸ 布鲁斯·斯普林斯汀（Bruce Springsteen, 1949— ），美国摇滚歌手、作词作曲家。他所在的东大街乐队（The E. Street Band）是美国最著名的摇滚乐队之一。其音乐以诗意的歌词和情绪化的表现方式打动人心。
❹ 布鲁斯·斯普林斯汀在1980年发表的专辑。
❺ 这是叱咤20世纪70年代美国乐坛的一对天才灵魂爵士乐组合，对美国乐坛，特别是灵魂爵士乐的发展和流行起了重要的推动作用。

却已终了亦未可知，一如餐馆在关门前一点时间不再接受新的订单。或者只我一个人尚未觉察也不一定。

我让店员把两张音乐专辑装进纸袋，付了款。然后去附近酒屋买威士忌。买哪个牌子好有点拿不定主意，最终买了芝华士。比其他苏格兰威士忌多少贵了些，但雨田政彦下次来时见有这个，想必很高兴。

上课时间差不多到了，我把唱片、咖啡过滤纸和威士忌放入车内，走进教室所在的建筑物。先上五点开始的儿童班，即真理惠所属的班。但真理惠没有出现。这是非常意外的事。她对绘画班的课非常上心，在我了解的限度内缺课是第一次。所以发现教室哪里也没见得她的身影，心里总觉得不踏实，甚至有些惴惴不安。她身上发生什么了呢？身体突然闹病？有什么突发性事件？

但我当然若无其事地给孩子们简单的课题让他们画，就每个人的作品发表意见或提供建议。这个班上完，孩子们回家去了。接下去是成人班。成人班也顺利结束了。和大家笑眯眯地闲聊（这并非我擅长的领域，但想做也不至于做不到）。然后和绘画班的办班者短时间商量了今后安排。秋川真理惠为什么没来班上上课，他也不知道，并说她家那边也没专门联系。

离开教室，我独自走进旁边一家荞麦面馆，吃了热乎乎的天妇罗荞麦面条。这也是老习惯，总是在同一家店，总是吃天妇罗荞麦面条。这已成了我的一个小小乐趣。吃罢开车返回山上的家。回到家时已时近夜间九点了。

电话机没有录音电话功能（那样的小聪明装置不符合雨田具彦的情趣），所以不晓得外出时间里有没有人打电话来。我定定注视了一会儿款式简单的旧式电话机。但电话机什么也没告诉我，只是一味保持黑沉沉的沉默。

我慢慢泡澡，温暖身体。然后把瓶里剩的最后一杯分量的芝华士倒入杯中，放了两块电冰箱里的冰块，走去客厅。喝着威士忌把刚买回来的唱片放在唱机转盘上。古典以外的音乐在这山顶住房的客厅里回荡开来，起初总觉得有违和感。想必是屋子里的空气在漫长岁月中依照古典音乐调整过来的缘故。但是，因为此刻这里回荡的是我早已听惯的音乐，所以随着时间的推移，怀旧感渐渐克服了违和感。不久，身体肌肉所有部位都为之放松的愉悦感在那里产生了。也许我的肌肉曾在我自己都浑然不觉之间这里那里变得僵硬起来。

听罢萝贝塔・弗莱克和唐尼・海瑟威的 LP 唱片的 A 面，开始斜举酒杯听 B 面第一支曲（《为我们所知的一切》[*For All We Know*]，美妙绝伦的演唱）的时候，电话铃响了。时针指在十点半。这么晚一般不至于有电话打到别人家里。我懒得拿听筒。然而铃的响法听起来——也许心理作用——很是迫不及待。我放下杯子，从沙发立起，提起唱针，抄过听筒。

"喂喂。"秋川笙子的语声。

我随之寒暄。

"这么晚实在不好意思。"她说。她的声音有一种平时没有的急切。"有件事想问问老师：真理惠今天没去绘画班上课吧？"

我说没有。这话问得多少有些奇怪。真理惠学校（当地公立初中）放学后直接来绘画班，所以总是一身校服来绘画班教室。下课后姑母开车来接她，两人一起回家。这是平日习惯。

"真理惠不见了。"秋川笙子说。

"不见了?"

"哪里也没有。"

"什么时候不见的?"我问。

"说去上学,就像平时那样一早离开家了。我说开车送到车站,真理惠说走路去不用送。那孩子喜欢走路,不怎么喜欢坐车。因为什么可能迟到的时候由我开车送,否则一般都是步行下山,从那里坐公交车去车站。真理惠早上七点半一如往常走出家门。"

一口气说到这里,秋川笙子稍微停顿下来,似乎在电话另一头调整呼吸。那时间里我也在脑袋中梳理所给信息。而后秋川笙子继续下文:"今天是星期五,是放学后直接去绘画班的日子。以往绘画班上完时我开车去接。但今天真理惠说坐公交车回去,不用接。所以没去接。毕竟是一旦话出口就不听劝的孩子。那种时候一般七点到七点半之间回到家来,稍后吃饭。但今天八点、八点半也没回来。于是放心不下,往绘画班打电话,请事务员确认真理惠今天去上课没有,得知今天没去。这么着,我担心得不行。已经十点半了,这种时候还没回到家,什么联系也没有。所以心想说不定老师您知道什么,就这样打了电话。"

"关于真理惠小姐的去向,我心中无数。"我说,"今天傍晚去教室没看见她,觉得有点奇怪,因为她从不缺课。"

秋川笙子深深叹了口气。"哥哥还没回来,什么时候回来不知道,连个电话也没有,甚至今天回不回来都不确定。我一个人在这个家里,不知如何是好……"

"真理惠早上是穿上学的衣服出门的?"我问。

"嗯，穿学校制服，肩挎书包，和往常一样，西服上衣半身裙。但实际上学了没有还不清楚。已经这么晚了，现在没办法确认。不过我想是上学了。因为随便旷课，学校会有联系。钱也应该带的是只够一天用的份额，手机倒是让她带了，但关机了。那孩子不喜欢手机。除了主动联系的时候，时常关机。我总是为这个提醒她：不要关机，以便有什么要紧事好联系……"

"以前没有这样的事吗？晚上回家很晚这样的事？"

"这种事真是第一次。真理惠是认真上学的孩子。并没有要好的同学，对学校也不是多么喜欢，但事情一旦定了，她就按部就班。在小学也拿了全勤奖。在这个意义上，是非常守规矩的。而且，放学总是直接回家，不在哪里游游逛逛。"

看来真理惠夜里时常离家外出的事，她姑母完全没有发觉。

"今早没有什么和往常不一样的地方？"

"没有，和平日早上没有不同，一模一样。喝了热牛奶，吃了一片烤吐司，就出门了。她只吃同样的东西，一成不变。早餐总是我来准备。今早孩子几乎没有说话。但这是常有的事。有时一旦开口就没个完，可更多时候连问话都不正经回答。"

听秋川笙子说的时间里，我也渐渐不安起来。时间快十一点了，周围当然一团漆黑，月亮也在云层里。秋川真理惠身上到底发生什么了呢？

"再等一个小时，要是和真理惠再联系不上，就想找警察商量。"秋川笙子说。

"那样也许好些。"我说，"如果有什么我能做的事，请只管说，晚也没关系。"

秋川笙子道谢放下电话。我喝干剩的威士忌，在厨房洗了杯子。

之后我进入画室。打开所有灯，把房间照得亮亮的，再次细看画架上没画完的《秋川真理惠的肖像》。再补画一点点就到完成阶段了。一个十三岁沉默寡言的少女应有的形象确立在那里。那不单单是她的外观，其中还应当含有她这一存在孕育的眼睛看不见的若干要素。尽可能表现视觉框外隐藏的信息，将其释放的意绪置换为别的形象——这是我在自己作品中——商业用的肖像画另当别论——所孜孜以求的。在这个意义上，秋川真理惠对我是个深有意味的模特。她的相貌，简直像错觉画一样隐含诸多暗示。而从今早开始她下落不明，就好像真理惠自己被拽进了错觉画之中。

接下去我看放在地板上的《杂木林中的洞》。当天下午刚画完的油画。这幅洞穴画似乎在和《秋川真理惠的肖像》又有所不同的意义上，从另一方向对我倾诉什么。

看画当中我再次感到：有什么即将发生！到今天下午还终究是预感的东西，此刻开始实际侵蚀现实。这已经不是预感，已经有什么开始发生。秋川真理惠的失踪一定同《杂木林中的洞》有某种联系。我有这样的感觉。有什么因为我今天下午完成这幅《杂木林中的洞》而蠢蠢欲动，并且动了起来。其结果，恐怕就是秋川真理惠消失去了哪里。

可是我不能把这个讲给秋川笙子。即使讲了，她也不明所以，只能使她更加困惑。

我离开画室，去厨房喝了几杯水，冲除口中的威士忌余味。而后拿起听筒，往免色家打电话。铃响第三遍，他接了起来。声音中微微带有仿佛等待有谁打来重要电话时的不无僵硬的语感。得知打来电话的是我，他似乎有点吃惊。但那种僵硬感即刻松缓开来，回复平素冷静而温和的语声。

"这么晚打电话实在抱歉！"我说。

"无所谓的哟，完全无所谓！我睡得晚，反正又是闲人。能和你说话，比什么都好。"

我略去寒暄，简要介绍秋川真理惠下落不明的事。那个少女说上学早上离家，仍未回去，绘画班也没出现。免色听了似很吃惊，一时无语。

"这上面你没有能想得起来的什么？"免色首先问我。

"完全没有。"我答道，"睡梦水灌耳。您呢？"

"当然没有，什么都没有。她几乎不肯跟我说话。"

他的语声没掺杂什么感情，仅仅是单纯陈述事实。

"本来就是个寡言少语的孩子，和谁也不正经说话。"我说，"但不管怎样，真理惠这个时候没回家，使得秋川笙子像是相当纠结。父亲还没回来，一个人不知如何是好。"

免色又在电话另一端沉默一阵子。他如此一再失语，据我所知，极其少见。

"这方面可有什么我能够做的事？"他终于开口这样问我。

"有个紧急请求，马上来这边是可能的吗？"

"去府上？"

"是的，有件事与此相关，想商量一下。"

　　免色略一停顿，旋即说道："明白了。这就过去。"

　　"那边不是有什么要紧事吧?"

　　"没要紧到那个程度，总有办法可想。"说着，免色轻咳一声，感觉上可能觑了眼时钟。"我想十五分钟左右可以到那边。"

　　放下听筒，我做外出准备。穿上毛衣，拿出皮夹克，把大手电筒放在旁边。然后坐在沙发上等免色的捷豹开来。

免色来到是十一点二十分。听得捷豹引擎声，我当即穿上皮夹克走到门外，等免色关引擎从车上下来。免色穿厚些的藏青色冲锋衣、黑色紧身牛仔裤。脖子围着薄些的围巾，鞋是皮革面运动鞋。丰厚的白发在夜幕下也很耀眼。

　　"想马上去看看树林中那个洞的情况，可以吗？"

　　"当然可以。"免色说，"不过那个洞同秋川真理惠的失踪可有什么关系？"

　　"那还不清楚。只是，刚才就很有一种不祥之感，一种有什么可能和那个洞连带发生的预感。"

　　免色再没多问什么。"明白了，一起去看看好了！"

　　免色打开捷豹后备厢，从中取出一个手提灯似的东西。而后关上后备厢，和我一起朝杂木林走去。星月皆无的黑夜，风也没有。

　　"深更半夜还把你叫来，实在对不起！"我说，"但我觉得去看那个洞，还是得把你请来一起去才好。万一有什么，一个人应付不来。"

　　他伸出手，从夹克上面嗵嗵轻拍我的胳膊，像是在鼓励我。"这个一点儿关系都没有，请别介意。凡是我能做的，尽力就是。"

　　为了不让树根拦在脚上，我们一边用手电筒和手提灯照着脚下一边小心迈步。唯独我们的鞋底踩落叶的声音传来耳畔，夜间杂木林此外没有任何声响。周围有一种令人窒息般的气氛，仿佛各种活物隐身屏息，一动不动监视我们。夜半时分深重的黑暗催生出这样的错觉。不知情的人看了我们这副样子，没准以为是外出盗墓的一对搭档。

"有一点想问问你。"免色说。

"哪一点呢?"

"你为什么认为秋川真理惠不见了这件事和那个洞之间，有什么关联性呢?"

我说前不久和她一起看过那个洞。她在我告诉之前就已经知道那个洞的存在。这一带是她的游乐场，周围发生的事没有她不知道的。于是我把真理惠说的那句话告诉了免色。她说，那个场所原封不动就好了，那个洞是不应该打开的。

"面对那个洞，她好像感觉到一种特殊的什么。"我说，"怎么说好呢……大概是心灵感应的东西。"

"而且有兴致?"免色问。

"有兴致。她对那个洞怀有戒心，同时好像给它的形状样式紧紧吸引住了。所以作为我才十分担心她身上和那个洞连动发生什么。说不定从洞里出不来了。"

免色就此想了想说:"这点你对她姑母说了? 就是对秋川笙子?"

"没有，还什么也没说。如果说起这个，势必从洞说起，因为什么缘由打开那个洞的? 你为什么参与其中? 一来要说很久，二来我所感觉到的不一定能传达完整。"

"而且只能让她格外担心。"

"尤其是如果警察介入，事情就更加麻烦。假如他们对那个洞来了兴致……"

免色看我的脸："警察已经联系了？"

"我跟她说话的时候她还没跟警察联系。不过现在估计已经报警了，毕竟都这个时刻了。"

免色点了几下头："是啊，那怕是理所当然。十三岁女孩快半夜还没回家，去哪里也不知道，作为家人不可能不报警。"

不过看样子，免色似乎不怎么欢迎警察介入。从他的声调里可以听出这种意味。

"关于这个洞，尽可能限于你我两人好了，好像最好还是不要外传。那恐怕只能惹来麻烦。"免色说。我也同意。

何况还有骑士团长问题。倘不明言从中出来的作为骑士团长的理念的存在，要想对别人解释洞的特殊性几乎是不可能的。而果真那样，如免色所说大概只能使事情变得更加麻烦（再说即使挑明骑士团长的存在，又有谁肯信呢？无非招致自家神志被人怀疑）。

我们来到小庙跟前，绕到后面。被挖掘车履带狠狠碾压的芒草丛现在仍一片狼藉。从那上面踩过后，前面就是那个洞。我们首先擎灯照那盖子。盖子上排列着镇石。我目测其排列。尽管微乎其微，但确有动过的痕迹。日前我和真理惠打开盖再关好后，有谁移石开盖又盖上了盖子，石头似乎有意尽可能和上次摆得一样——哪怕一点点差异都休想瞒过我的眼睛。

"有谁挪过石头打开盖子的痕迹。"我说。

免色往我脸上瞥了一眼。

"那是秋川真理惠吗?"

我说:"这——是不是呢? 不过别人一般不会来这里,况且除了我们知道这个洞的,也就是她。或许这种可能性大。"

当然骑士团长也知道这个洞的存在,毕竟他是从中出来的。但他终究是理念,本是无形存在,不可能为了进入里面而特意挪动镇石。

接下去,我们挪开盖上的石头,把盖在洞口的厚板全部掀开。直径约两米的圆洞再次豁然现出。看上去显得比上次看的时候大了,也更黑了。不过这也想必同样是暗夜带来的错觉。

我和免色蹲在地面用手电筒和手提灯往洞里探照。但里面没有人影,什么影也没有。唯有一如往常的石头高墙围着的筒形无人空间。但有一点和以前不同——梯子消失了。挪开石堆的园艺业者好意留下的折叠式金属梯子无影无踪。最后看的时候还靠墙立着来着。

"梯子去哪里了呢?"我说。

梯子马上找到了,躺在那边未被履带碾碎的芒草丛中。有谁拿出梯子扔在了那里。东西不重,拿走无需多大力气。我们搬回梯子,按原样靠墙立好。

"我下去看看。"免色说,"说不定发现什么。"

"不要紧吗?"

"呃,我嘛,不用担心。上次也下过一次了。"

说罢,免色无所谓似的一只手提着手提灯,顺梯下到里面。

"对了,隔开东西柏林的墙的高度可知道?"免色边下梯子边问我。

"不知道。"

"三米。"免色往上看着我说,"根据位置有所不同,但总的说来那是标准高度。比这洞高一点点。那东西大致持续一百五十公里。我也见过实物，在柏林分割为东西两个的时期。那可真是让人不忍的场景。"

免色下到洞底，用手提灯照来照去。同时继续对地面的我述说。

"墙本来是为保护人建造的，为了保护人不受外敌和风雨的侵袭。但它有时候也用于关押人。坚固的高墙让关在里面的人变得无力，在视觉上、精神上。以此为目的建造的墙也是有的。"

如此说完，免色好一会儿缄口不语，举起手提灯检查周围石壁和洞底所有角落。俨然考察金字塔最里端石室的考古学家，一丝不苟。手提灯的光度很强，比手电筒照出的面积大得多。而后他好像在洞底找到了什么，跪下细看那里的东西。但从上面看不出那是什么。免色什么也没说。大概找到的东西很小很小。他站起身，把那个什么包在手帕里揣进冲锋衣衣袋。随即把手提灯举在头顶，仰脸看着地上的我。

"这就上去。"他说。

"找到什么了？"我问。

免色没有回答，开始小心翼翼地爬梯子。每爬一步，身体的重量都使梯子发出钝钝的吱呀声。我一边用手电照着一边注视他返回地面。看他的一举一动，他平时功能性锻炼和调整全身肌肉这点就一目了然。身体没有多余的动作，只在有效使用必要的肌肉。上到地面，他一度大大伸直身体，而后仔细拍去裤子上沾的土，虽说沾的土不很多。

免色喘了一口气说："实际下到里边，觉得墙壁高度很有压迫感，让人生出某种无力感来。同一种类的墙壁前不久我在巴勒斯坦看见来着。以色列修建的八米多高的混凝土墙。墙头拉着通有高压电流的铁线，差不多绵延五百公里。想必以色列人认为三米无论如何高度不够，但一般说来有三米高，作为墙壁就够用的了。"

他把手提灯放在地上，灯光把我们的脚下照得一片明亮。

"那么说来，东京拘留所单人房的墙也将近三米高。"免色说，"什么原因不知道，房间墙非常高。日复一日眼睛看到的东西，只有三米高的呆板板的墙，其他可看的什么也没有。自不用说，墙上没有挂画什么的。纯粹的墙壁。简直就像自己待在洞底似的。"

我默默听着。

"过去有些时日了，我有一次因故被关在东京拘留所一段时间。关于这个，记得还没有对你说吧?"

"嗯，还没听得。"我说。他大约进过拘留所的事从人妻女友那里听说了，但我当然没说这个。

"作为我，不愿意你从别处听说这件事。如你所知，传闻这东西往往把事实歪曲得妙趣横生，所以我想从我口中直接告知事实。并不是多么开心的事。不过也算顺便吧，现在就在这里讲也可以的吗?"

"当然可以，请，请讲好了!"我说。

免色稍一停顿后讲了起来。"不是我辩解，我没有任何亏心的地方。过去我涉足很多行业，可以说背负种种风险活过来的。但我绝对不蠢，加上天生谨小慎微的性格，所以同法律相抵触那样的事决不染指。那条线我是经常留意的。但当时偶然同我联手的搭档不慎做出了缺乏考虑的事，以致触了霉头。自那以来，大凡同人联手的工作我一律回避，力争以自己一个人的责任活下去。"

"检察院拿出的罪状是什么呢?"

"企业内部股票交易和逃税漏税，所谓经济犯。虽然最终以无罪胜出，但被提起公诉了。检察官的审讯非同儿戏，在拘留所关了很长时间。找各种各样的理由一次又一次延长拘留期限。每当进入被墙围着的场所，至今都有怀旧之感——便是关了那么长时间。刚才也说了，应受法律惩罚的失误我这方面一个也没有，这是再明白不过的事实。问题是，检察院已经写好了起诉脚本，脚本上我被牢牢编排为有罪。而他们又不想改写。官僚系统就是这样的东西。一旦把什么定下了，变更几乎是无从谈起。如果回溯，势必有哪里的某人负起责任。由于这个缘故，我被长期收押在东京拘留所的单人房里。"

"多长时间呢?"

"四百三十五天。"免色若无其事地说，"这一数字一辈子都不会忘掉。"

狭窄单人房中的四百三十五天乃是长得可怕的漫长期间，这点我也不难想像。

"以前你被长期关进过哪里的狭小场所吗?"免色问我。

我说没有。自从被关进搬家卡车的货厢以来，我就有相当严重的幽闭恐惧倾向。电梯都不敢进。假如置身于那种状况，神经当即崩溃。

免色说:"我在那里学得了忍耐狭小场所的战术，天天那样训练自己。在那里期间，学会了几种外语:西班牙语、土耳其语、汉语。这是因为，单人房里能放在手头的书的数量有限，而辞典不在此限。所以拘留期间是学外语再好不过的机会。所幸我是得天独厚具有精神集中力的人，学外语时间里得以把墙的存在忘得一干二净。无论什么事都必有好的一面。"

哪怕云层再黑再厚，背面也银光闪闪。

免色继续道："但直到最后都害怕的是地震和火灾。无论来大地震还是发生火灾，都没办法马上逃生，毕竟被关在牢房里。一想到要在这狭小空间里被挤瘪压碎或活活烧死，有时就怕得透不过气。那种恐怖怎么都没能克服，尤其半夜醒来的时候。"

"可还是熬过来了，是吧？"

免色点头："正是。不能在那帮家伙面前认输，不能被体制挤瘪压碎！只要在对方准备的文件上姑且签名，我就能离开牢房回归普通世界。问题是一旦签名就完了，就等于承认自己压根儿没干的勾当。我促使自己认为这是上天赋予自己的重大考验。"

"上次你一个人在这暗洞里待了一个小时，那时候想当时的事了吧？"

"是的。我需要时不时返回原点，返回成就现在的我的场所。因为人这东西对舒服环境一下子就适应了。"

特异人物！我再次心悦诚服。一般人有了某种残酷遭遇，难道不是想尽快忘掉了事的吗？

随后，免色忽然想起似的把手插进冲锋衣衣袋，掏出包着什么的手帕。

"刚才在洞底找到了这个。"说着，打开手帕，从中拿起一个小东西。

小小的塑料实物。我接过用手电筒照。带一条黑色细绳吊带的全长一厘米半左右的涂成黑白两色的企鹅玩偶。女生书包或手机上常拴的那种小玩艺儿。没脏，看上去还是崭新的。

"上次我下到洞底时没这样的东西，这点不会错。"免色说。

"那么，就是后来有谁下洞丢在这里的了？"

"是不是呢？估计是手机上拴的饰物。而且吊带没断，恐怕是自己解下来的。所以，相比丢下的，有意留下来的可能性会不会更大呢？"

"下到洞底把这个特意留下？"

"或者从上面扔下去的也不一定。"

"可是，到底为了什么？"我问。

免色摇头，仿佛说不明白。"或者是谁把它作为护身符什么的留在这里也有可能。当然只不过是我的想像……"

"秋川真理惠？"

"恐怕是。除了她没有可能接近这个洞的人。"

"把手机饰物作为护身符留下走了？"

免色再次摇头："不明白。不过十三岁少女是会想到好多事情的。不是吗？"

我又一次看自己手中这个小塑料企鹅。那么说来再看，未尝不像某种护身符。那上面似乎漾出一种天真意味。

"到底谁提起梯子拿到那里去的呢？为了什么目的？"我问。

免色摇头，表示无从判断。

我说："反正回家就给秋川笙子打个电话，确认一下这个企鹅饰物是不是真理惠的东西吧！问她应该会清楚的。"

"那个暂且你拿着好了。"免色说。我点头把这饰物揣进裤袋。

我们仍让梯子竖在石壁上，重新把盖子盖在洞口，木板摆上镇石。为了慎重，我再次把石头的配置刻入脑海。然后沿杂木林小路往回走。看表，时钟已转过零点。往回走的路上我们没有说话。两人都用手里的光亮照着脚下，默默移动脚步，各自开动脑筋想来想去。

到了房前，免色打开捷豹的大后备厢，把手提灯放回那里。随即像是终于解除紧张似的身靠关闭的后备厢，抬头望一会儿天空——一无所见的黑暗的天空。

"去府上打扰片刻不碍事的吗?"免色对我说，"回家也好像镇静不下来。"

"当然不碍事，请进屋好了! 我也好像一时睡不着。"

但免色仍以那样的姿势一动不动，似乎沉思什么。

我说:"说是说不大好，可我总觉得秋川真理惠身上有什么不好的事发生。而且就在这附近哪里。"

"但不是那个洞。"

"好像。"

"比如发生的是怎么不好的事呢?"免色问。

"那不清楚。可是有一种预感，似乎有什么危害向她接近。"

"而且是在附近哪里?"

"是的。"我说，"是在这附近。梯子被从洞里拉上来就让我非常放心不下——谁把它拉上来故意藏在芒草丛里的呢? 所意味的到底是怎么一回事呢?"

免色直起身，再次轻轻用手碰我的胳膊，说道:"是啊，我也完全琢磨不透。可再在这里担忧也没个结果，反正先进屋吧!"

**今天可是星期五?**

　　回家脱去皮夹克，我马上给秋川笙子打电话。铃响第三遍接起。

　　"后来有什么明白了吗?"我问。

　　"没有，还什么也不明白，什么联系也没有。"她说。语声是人把握不好呼吸节奏时发出的那种声音。

　　"已经跟警察联系了?"

　　"不，还没有。不知道为什么，心想还是等一等再跟警察联系。总觉得马上就会一晃儿回来似的……"

　　我把洞底找见的企鹅饰物的形状向她说了一遍。没有提及找见的原委，只问秋川真理惠有没有那样的饰物带在身上。

　　"真理惠手机是拴了个饰物。记得好像是企鹅。……噢，对了，的确是企鹅，不会错。一个小小的塑料企鹅，买甜甜圈时附送的赠品。不知为什么，那孩子很珍惜，作为护身符……"

　　"那么她外出总是带着手机的了?"

　　"嗯。一般倒是关机，但带着还是带着的。即使不接不理，但有事也偶尔自己打过来。"秋川笙子说。隔了几秒补充一句:"那个饰物莫不是在哪里见到了?"

　　我无法回答。如果实话实说，势必把树林那个洞的事告诉她。而若警察参与进来，还必须对他们也加以同样说明——说得他们能够理解——及至说到在那里发现了秋川真理惠的持有物，那么警察们很可能要仔细查验那个洞，或者搜索整片树林也不一定。我们难免要接受刨根问底的询问，免色的老账被翻出来也未可知。我不认为那么做会有用处。如免色所说，只能使事情变麻烦。

"掉在我家画室里了。"我说。说谎固然不情愿，但真话说不得。"清扫时发现的，心想说不定是真理惠的。"

"我想那是真理惠的东西，不会错。"少女的姑母说，"那么，怎么办好呢？到底还是应当跟警察联系吗？"

"和你哥哥，也就是真理惠的父亲联系上了？"

"没有，还没联系上。"她难以启齿似的说，"现在在哪里也不知道，原本就是不太准时回家的人。"

似乎有很多复杂情况，但眼下不是追究那种事的时候，最好还是先报警吧！我对她简单说道，时间已经过了半夜，日期也变了，在哪里遭遇事故的可能性也不是不能设想。她说这就跟警察联系。

"对了，真理惠的手机还没有回应吗？"

"嗯，打好几次了，怎么也打不通。好像关机了，或者电池用完了，不是这个就是那个。"

"真理惠今早说上学去，往下就去向不明了。是这样的吧？"

"是的。"姑母说。

"那么就是说，现在大概还身穿初中校服对吧？"

"嗯，应该穿着校服。深蓝色西服上衣白衬衫，深蓝色毛料背心，及膝格子裙，白色长筒袜，黑色平口鞋。肩挎塑革书包。书包是学校指定的，上面有校徽和名字。大衣还没穿。"

"我想另外还带有装画材的包……"

"那个平时放在学校的保管柜里，学校上美术课要用。星期五从学校带去您教的绘画班，不从家里带去。"

那是她来绘画班时的常规打扮。深蓝色西服上衣和白衬衫、苏格兰格子裙、塑革挎包、装有画材的白色帆布包。那样子我清楚记得。

"另外什么也没带的吧?"

"嗯，没带。所以不会往远处去。"

"有什么请随时来电话，什么时间都没关系，别客气。"我说。

秋川笙子说好的。

我挂断电话。


免色一直站在旁边听我们通话。我放下听筒，他终于在那里脱下冲锋衣。里面穿的是黑色 V 领毛衣。

"那个企鹅饰物到底是真理惠的东西?"免色说。

"好像是。"

"这就是说，什么时候不知道，恐怕她一个人进那个洞里了，而且把自己的宝贝护身符企鹅饰物留在了那里——事情总好像这个样子的。"

"也就是说把那东西作为护身符什么的留下了，是吧?"

"估计是。"

"不过这饰物作为护身符到底能护什么呢? 或者要保护谁?"

免色摇头道:"那我不知道。但这个企鹅是她作为护身符带在身上的东西。既然把这个特意解开留下来，那么应该是有明确意图的。人不会轻易让宝贵的护身符离开自己。"

"莫不是另有比自己还宝贵的、应该保护的对象?"

"比方说?"免色说。

两人都想不出相应的答案。

我们就势闭口有顷。时针缓慢而坚定地刻录着时间，每一刻都把世界往前推进一点点。窗外横亘着漆黑的夜，那里没有仿佛在动的东西。

这时我忽然想起骑士团长关于铃的去向说过的话："何况那本来也不是我的持有物，莫如说共有一个场。不管怎样，消失自有消失的理由。"

共有一个场的东西?

我开口道："说不定不是秋川真理惠把这个塑料企鹅留在洞里的。那个洞会不会是和别的场所连着的呢? 与其说是封闭场所，倒不如说类似通道那样的存在，并且把很多东西叫来自己这里。"

把浮现在脑袋里的实际说出口来，听起来想法相当愚蠢。骑士团长或许可以直接接受我的想法，但在这个世界很难。

深沉的静默降临房间。

"从那个洞底究竟能通去哪里呢?"不久，免色自己问自己似的说，"你也知道，我日前下到那个洞底一个人坐了一个小时，在彻头彻尾的黑暗中，没有灯具没有梯子，只是在静默中深深聚敛意识，真心想把肉体存在消灭掉，而仅仅成为意绪那一存在。那一来，我就能够穿过石墙去任何地方。在拘留所单人房时也经常做同样的尝试。但归根结底哪里也没去成。那始终是被坚固石墙围着的无处可逃的空间。"

那个洞没准是选择对象的，我蓦然心想。从那个洞中出来的骑士团长来到我的跟前。作为寄宿地他选择了我。秋川真理惠也许又被那个洞选中了。而免色未被选中——由于某种缘故。

我说："不管怎样，刚才我们也说了，我想还是不把那个洞的事告诉警察为好，至少眼下阶段还不是告诉的时机。可是，如果隐瞒这个饰物是在洞底发现的，那么明显是藏匿证据。假如因为什么而真相大白，我们会不会处于尴尬立场呢？"

免色就此思索片刻，而后果断地说道："关于这点，两人守口如瓶好了！别无他法。你就说在这里的画室发现的，一口咬定！"

"可能该有个人去秋川笙子那里才是。"我说，"她一个人在家，心慌意乱，不知如何是好，没了主意。真理惠的父亲还没联系上。是不是需要有个人撑她一把？"

免色以一本正经的神情想了一会儿，摇头道："但我现在不能去那边。我不处于那样的立场，她哥哥说不定什么时候回来，而我又和他没见过面，万一——……"

免色就此打住，陷入沉默。

对此我也什么都没说。

免色一边用指尖轻轻敲着沙发扶手，一边久久独自思考什么。思考当中，脸颊微微泛红。

"就这样让我在你家待些时候可以吗？"免色随后问我，"秋川女士那边说不定有联系进来……"

"只管待着好了！"我说，"我也很难马上睡得着，随便待着就是。住下也一点儿都没关系的，我来准备铺盖。"

"可能会麻烦你的。"免色说。

"咖啡如何？"我问。

"求之不得。"免色说。

我去厨房磨豆，调咖啡机。咖啡做好后，端来客厅。两人喝着。

"差不多该生炉子了！"我说。到了后半夜，房间比刚才冷多了。已经进入十二月，生炉子也没什么可奇怪。

我把事先堆在客厅角落的木柴投入炉中，用纸和火柴点燃。木柴好像早已干透，火马上在整个炉膛蔓延开来。住来这里后使用火炉是第一次，本来担心烟囱的换气是不是顺畅（雨田政彦倒是说炉子随时可用，但不实际用是不晓得的。有时甚至有鸟做巢把烟囱堵住）。结果烟直通其上。我和免色把椅子搬到炉前烘烤身体。

"炉火是好东西。"免色说。

我想劝他喝威士忌，而又转念作罢。看来今晚还是不沾酒为好，往下说不定还要开车。我们坐在炉前，一边看摇曳燃烧的火苗，一边听音乐。免色挑了贝多芬的小提琴奏鸣曲唱片放在唱机转盘上。乔治·库伦坎普夫❶的小提琴和威尔海姆·肯普夫❷的钢琴，正是初冬看着炉火听的理想音乐。只是，想到可能在哪里孤零零冷得发抖的秋川真理惠，心情就没办法真正镇静下来。

三十分钟后秋川笙子来了电话。说哥哥秋川良信刚才总算回家了，由他给警察打了电话，警官这就要前来问情况（不管怎么说，秋川家是富裕的当地原有大户人家。考虑到绑架的可能性，警察想必马上赶来）。

---

❶ 乔治·库伦坎普夫（Georg Kulenkampff, 1898—1948），德国小提琴大师，是德国小提琴演奏学派重要传人威廉·黑斯的嫡传弟子。1916年起担任不来梅爱乐乐团首席小提琴手。二战期间因其犹太血统而被纳粹德国驱逐出境，移居瑞士。一生以演奏德奥作曲家的作品为主，演奏得最出色的作品是贝多芬的《D大调小提琴协奏曲》。

❷ 威尔海姆·肯普夫（Wilhelm Kempff, 1895—1991），德国著名钢琴家和作曲家。1917年两次获得门德尔松大奖，成为闻名世界的演奏家。他的弹奏以严谨含蓄、温暖由表为特色，擅长演奏贝多芬的钢琴作品。

真理惠还没联系上，打手机还是没有回应。大凡能想到的地方——尽管数量不是很多——都打电话问了，但真理惠仍全然下落不明。

"但愿真理惠安然无恙。"我说。还说有什么进展希望随时打电话过来。说罢放下电话。

之后我们又坐在火炉前听古典音乐。理查德·施特劳斯的双簧管协奏曲。这也是免色从唱片架上选中的。听这曲子是第一次。我们几乎不开口，一边听音乐看炉火苗，一边沉浸在各自的思绪中。

时针转过一点半时，我陡然困得不行，睁眼睛渐渐困难起来。我一向习惯早睡早起的生活，熬夜熬不来。

"您请睡好了!"免色看着我说，"秋川女士那边说不定有什么联系过来，我再在这里坐一会儿。我不怎么需要睡眠，不睡并不觉得难受。过去就这样。所以对我请别介意。火炉的火不让它灭了，这么一个人听着音乐看火就是。不碍事吧?"

我说当然不碍事。又从厨房外面的仓房檐下抱来一捆柴撂在炉前。加上这捆，火保持到天亮应该毫无问题。

"抱歉，让我睡一会儿。"我对免色说。

"请慢慢睡吧!"他说，"轮班睡好了。我大概天亮时分睡一点点。那时就在沙发上睡，毛毯什么的能借用一下?"

我把雨田政彦用的那条毛毯和轻型羽绒被、枕头拿来，在沙发上铺好。免色道谢。

"要是可以，威士忌是有的……"我慎重地问。

免色断然摇头："不，看样子今晚最好不喝酒，不知道会有什么。"

"肚子饿了，厨房冰箱里的东西请随便吃就是。没有了不得的东西，无非奶酪和椒盐饼干什么的。"

"谢谢!"

我把他留在客厅退回自己房间。换上睡衣，钻进被窝，关掉床头灯赶紧睡觉。然而怎么也睡不着。困得要死，而脑袋里却有小飞虫高速振翅盘旋那样的感触，横竖无法入睡。这种情形偶尔是有的。无奈之下，我打开灯爬起。

"怎么样? 不能顺利入睡吧?"骑士团长问。

我环视房间，窗台那里坐着骑士团长。身上是一如往常的白色装束，脚上是式样奇特的尖头鞋，腰佩一把袖珍剑。头发整齐束起。样子依然同雨田具彦画中被刺杀的骑士团长一模一样。

"睡不成啊!"我说。

"因为发生了很多事。"骑士团长说，"人嘛，都很难心安理得地入睡。"

"见到你可是久违了啊!"我说。

"以前也说过，久违也好睽违也好，理念都理解不好。"

"不过真是正好，有件事想问你。"

"什么事啊?"

"秋川真理惠今天早上开始下落不明，大家都在寻找。她究竟去了哪里呢?"

骑士团长侧头沉思片刻，而后缓缓开口了:"众所周知，人间界是由时间、空间、盖然性三种要素规定的。理念之为理念，必须独立于三种要素中的任何一种。故而，我不能同它们发生联系。"

"你所说的让我一知半解，总之是不知道去向的吧？"

骑士团长对此没有反应。

"还是说知道而不能告诉呢？"

骑士团长显出为难的神情，眯细眼睛。"并非我回避责任，但理念也有般般样样的制约。"

我伸直腰，定定注视骑士团长。

"知道吗？我不能不救秋川真理惠。她应该是在哪里求助。哪里不知道，大概是误入轻易出不来的地方。我有那样的感觉。问题是去哪里、怎么办才好呢？现在摸不着头脑。不过这回她的失踪，我认为杂木林那个洞以某种形式介入其中。说是不能说得头头是道，可我心中有数。而你长期被关在那个洞里。至于为什么被关在那种地方，情由我不知道。但反正是我和免色先生使用重型机械挪开沉重的石堆打开洞口，把你放到外面。是吧？因此你现在才能在时间和空间中任意移动，或隐形或显形随心所欲。我和女友的性爱也看得尽情尽兴。事情是这样的吧？"

"噢，大体正确无误。"

"那么，怎样才能救出秋川真理惠，不敢叫你具体告知救出方法。因为理念世界似乎有林林总总的制约，不敢强求。可是给一两个提示什么的总还是可以的吧？考虑到诸般情由，这个程度的善意有也无妨的吧？"

骑士团长深深叹了口气。

"仅仅迂回暗示是可以的。毕竟不是要求我立即结束种族清洗啦制止全球暖化啦拯救非洲大象啦那类高大上的东西。作为我，是想让可能关在狭小黑暗空间里的十三岁少女重返普通世界的。仅此而已。"

骑士团长久久一动不动地抱臂沉思。看上去他心中有某种困惑。

"好!"他说,"既然话讲到那个地步,也怕是奈何不得的,给诸君一个提示好了! 但是,其结果可能要出若干牺牲,那也不要紧吗?"

"什么牺牲呢?"

"那还无可奉告。但牺牲怕是难以避免的。比喻性说来,血是必须流的。是那样的。至于那是怎样的牺牲,日后迟早明白。或许有谁必须舍身亦未可知。"

"那也不要紧,请给予提示!"

"好!"骑士团长说,"今天可是星期五?"

我看一眼床头钟:"嗯,今天仍是星期五。不,不不,已经是星期六了。"

"星期六上午,亦即今日中午之前,将有一个电话打给诸君。"骑士团长说,"而且有谁找诸君做什么。无论有什么情况,诸君都不得拒绝! 明白?"

我将他说的机械性重复一遍:"今天上午有电话打来,谁要找我做什么,不能拒绝。"

"所言正确。"骑士团长说,"这是我能给诸君的唯一提示。不妨说,这是区别'公共话语'与'私人话语'的一条底线。"

作为最后一句话说罢,骑士团长缓缓遁形。意识到时,窗台上已没了他的形体。

关掉床头灯,这回睡意较快来临。脑袋里高速振翅盘旋的什么已经敛羽歇息。入睡前想了火炉前的免色。想必他要把火守到早上,独自思考什么。至于早上到来之前一直思考什么，我当然不知道。不可思议的人物。不过自不待言，即使他也活在时间、空间和盖然性的束缚之中，一如世界上其他所有人。只要我们活着，就无法逃脱那一限制。可以说，我们无一例外地活在上下四方围着的硬墙之中。大概。

今天上午有电话打来，谁要找我做什么，不能拒绝。我在脑袋里再度机械性重复骑士团长的话。而后睡了。

**48　西班牙人不晓得爱尔兰海湾航行方法**

　　醒来时五点过了，四周还一片黑暗。我把对襟毛衣披在睡衣外面，去客厅看情况。免色在沙发上睡了。虽然火炉的火熄了，但可能直到刚才他仍看火的关系，房间还很暖和。堆上去的木柴减少很多。免色身盖羽绒被躺着，睡得十分安静，睡息全然没有，就连睡法也端端正正。甚至房间里的空气似乎也在屏息敛气以免妨碍他的睡眠。

　　我就那样让他睡着，去厨房做咖啡，吐司也烤了。而后坐在厨房椅子上，嚼着涂了黄油的吐司喝咖啡，读没读完的书。关于西班牙"无敌舰队"的书。伊丽莎白女王同腓力二世之间展开的赌以国运的激战。为什么我这个时候非读关于十六世纪下半叶英国海湾海战的书不可呢？虽然理由我不大清楚，但读起来饶有兴味，让人读得相当专心。在雨田具彦书架上找的旧书。

　　作为一般性定论，认为战术失误的无敌舰队在海战中大败于英格兰舰队，世界的历史因之大大改变了流程。但实际上西班牙军所受损失的大部分不是来自正面交锋（双方大炮固然激烈对射，但炮弹几乎都未命中目标），而是来自海难。习惯于地中海风平浪静海面的西班牙人，不晓得在海难频发的爱尔兰海湾巧妙航行的方法，以致很多舰船触礁沉没。

　　我在餐桌前喝了两杯黑咖啡，边喝边追索西班牙海军可怜命运的时间里，东方天空缓缓泛白——星期六的清晨。

今天上午有电话打来，谁要找诸君做什么，不能拒绝。

我在脑袋里重复骑士团长的话。而后觑一眼电话机。它在保持沉默。电话恐怕是要打来的，骑士团长不说谎。我唯有静等电话铃响。

我惦记秋川真理惠。很想给她姑母打电话问她的安危，但还太早。打电话至少要等到七点左右为好。况且如果真理惠有了下落，她肯定往这里打来电话，因为知道我放心不下。没有联系，即意味着没有进展。于是我坐在餐厅椅子上继续读关于无敌舰队的书。读累了，就一味盯视电话机。但电话机依然固守沉默。

七点多我给秋川笙子打电话。她马上接起，简直就像在静等电话铃响。

"还是什么联系也没有，仍然下落不明。"她劈头一句。想必几乎（或完全）没睡，声音里渗出疲惫。

"警察出动了吗?"我问。

"嗯，昨天夜里两位警察来我家，谈了。递给照片，介绍穿的服装……不是离家出走或夜里外出玩耍的孩子这点也说了。估计信息已发往各处，开始搜索了。眼下当然请对方不要公开搜查……"

"但成果还没出现，是吧?"

"呃，眼下什么线索也没有。警察们倒是热心搜索……"

我安慰她，让她有什么马上打电话过来。她说一定。


兔色已经醒来，正在卫生间花时间洗脸，用我准备的客用牙刷刷牙。之后坐在餐厅桌子我的对面喝热乎乎的黑咖啡。我劝他吃烤吐司，

他说不要。估计是睡在沙发上的关系，他的丰厚的白发较平时多少有些
紊乱，但那终究是同平时相比而言那个程度。出现在我面前的，仍是那
位镇定自若、衣着考究的免色。

我把秋川笙子在电话中说的原原本本告诉了免色。

"这终归是我的直觉，"免色听后说道，"关于本次事件，警察好像
起不了多大作用。"

"何以见得？"

"秋川真理惠不是普通女孩，这和普通十几岁少女失踪多少有所不
同。也不是所谓绑架。因此，警察采用的那种常规方法，恐怕很难找
到她。"

对此我没有特别表示什么。不过或许如他所说。我们面对的，好比
只是函数多多而几乎没给具体数字的方程式。而重要的是尽可能找出多
一些的数字，多一个也好。

"不再去那个洞看看？"我说，"说不定有什么变化。"

"走吧！"免色应道。

别的也没有可干的事，是我们之间共通的默契。不在房间当中秋川
笙子可能会打电话来，或者骑士团长说的"邀请电话"打来也未可知。
不过应该还不至于这么快，我有这样模模糊糊的预感。

我们穿上外衣走到外面。一个十分晴朗的早晨。昨天夜里布满天空
的阴云被西南风吹得荡然无存。那里的天空高得出奇，无限通透。仰脸
径直看天，感觉就像倒看透明的泉底似的。很远很远的远处传来一长列
火车在铁路上行驶的单调声响。偶尔有这样的日子。由于空气的清澄程
度和风向的作用，平时听不见的遥远的声音会分外清晰地传来耳畔。今

早便是这样的清晨。

我们沿杂木林中的小路在无言中走到有小庙的地方，站在洞前。洞盖和昨晚一模一样，上面摆的镇石位置也没变化。两人挪开盖子一看，梯子仍靠墙立着，洞里也谁都没有。免色这回没说要下洞底看。因为在明亮的阳光下洞底一览无余，同昨夜两样的地方完全没有。在光朗的白天看的洞同夜间看的洞看上去像是两个洞，根本感觉不出不安稳的气息。

而后我们把厚木板重新盖回洞口，把镇石摆在上面，穿过杂木林回来。房前停车廊并列停着免色一尘不染沉默寡言的银色捷豹和我的风尘仆仆低眉垂眼的丰田卡罗拉。

"我差不多该撤回去了。"免色站在捷豹前说，"在这里安营扎寨，眼下也起不了多大作用，只能给你添麻烦。撤回可以的?"

"当然可以，回家好好休息吧! 有什么马上跟你联系。"

"今天是星期六吧?"免色问。

"是的，今天星期六。"

免色点头，从冲锋衣衣袋里掏出车钥匙看了一会儿，仿佛在想什么。或许很难下决心。我等他想完。

免色终于开口了:"有件事还是对你说了好。"

我靠着卡罗拉车门，等他说下去。

免色说:"纯属个人性质的事，怎么办好相当举棋不定，但作为基本礼仪，我想还是最好告诉你一声，招致不必要的误解不合适……就是，我和秋川笙子，怎么说好呢，已是相当亲密的关系。"

"说的可是男女关系?"我单刀直入。

"是那么回事。"免色略一沉吟说道，脸颊似乎微微泛红。"进展速度你可能认为够快的……"

"速度我想不成问题。"

"说的是。"免色承认，"的确如你所说，问题不是速度。"

"问题是……"我欲言又止。

"问题是动机。是这样的吧？"

我默然。但他当然明白，我的沉默意味着 Yes。

免色说："希望你能理解，我并不是一开始就处心积虑往那个方面推进的，而仅仅是顺水推舟。自己都没清醒意识到时，就已经成了这样子。也许不能让你轻易相信……"

我叹了口气，坦率地说："我理解的是，如果你一开始就那么谋划，那一定是再简单不过的事。这么说并不是挖苦……"

"你说的应该不错。"免色说，"这我承认。说简单也好什么也好，也许不是多么难的事。但实际不是那样。"

"就是说，对秋川笙子一见钟情，单纯坠入情网了？"

免色为难似的约略噘起嘴唇。"坠入情网？实不相瞒，不能那么断言。我最后坠入情网——我想大约是那样的——是很久很久以前的事了。以致如今已想不起那是怎么样的东西了。但是，作为一个男人为作为女性的她所强烈打动是准确无误的事实。"

"即使抽除秋川真理惠的存在？"

"那是有难度的假说，毕竟最初的相见是以真理惠为动机的。可另一方面，就算没有真理惠的存在，我恐怕也还是要为她动心。"

会不会呢？像免色这样怀有深邃复杂意识的男人，会为秋川笙子那一类型总的说来别无忧虑型的女性所强烈打动吗？但我什么也没能说。因为人的心理活动是无法预测的，尤其有性方面的因素参与的时候。

"明白了。"我说，"总之坦诚相告，值得感谢！归根结底，坦诚再好不过，我想。"

"我也但愿如此。"

"说实话，秋川真理惠已经晓得了，晓得你和笙子进入了那种关系。而且找我商量来了，几天前。"

听得免色多少显出吃惊的样子。

"直觉敏锐的孩子！"他说，"本以为完全没有露出那样的蛛丝马迹。"

"直觉非常敏锐。不过她是从姑母的言行中察觉的，不是因为你。"

秋川笙子固然是能在一定程度上控制感情和有良好教养的知识女性，但并不具有坚实的面具。无需说，这点免色也明白。

免色说："那么，你……认为真理惠觉察此事同这次失踪之间可有什么联系？"

我摇头："那还不知道。我所能说的只有一点：你最好和笙子两人好好谈一下。真理惠不见了使得她现在非常狼狈，焦虑不安，想必需要你的帮助和鼓励。相当痛切地。"

"明白了，回到家马上和她联系。"

如此说罢，免色又一个人陷入沉思。

"老实讲，"他叹息一声说，"我想我仍然不是坠入情网，和那个有所不同，我好像本来就不适合那种情况。只是我自己也不大明白，不明白如果没有真理惠这一存在，会不会为笙子那么动心。在那里很难划出一条线来。"

　　我默然。

　　免色继续道："不过这也不是事先处心积虑的结果。这点能请你相信吗?"

　　"免色先生,"我说,"什么原因我自己也无法解释,但我认为你基本上是一个诚实的人。"

　　"谢谢!"说着,免色隐约露出一丝微笑。虽是相当勉强的微笑,但看得出他也并非完全不高兴。

　　"再让我诚实一点好吗?"

　　"当然。"

　　"我时不时觉得自己是纯粹的无。"免色透露机密似的说。淡淡的微笑再次返回他的嘴角。

　　"无?"

　　"空壳人! 这么说听起来或许甚是傲慢——迄今为止,我一直认为自己是个相当聪明能干的人。直觉出色,也有判断力和决断力,体力也得天独厚。觉得无论着手做什么都不会失手。实际上想得到的东西也全都到手了。当然东京拘留所那次是个明显的失败,但那是极少数例外。年轻时候,以为自己无所不能,将来能成为一个近乎十全十美的人,能到达足以俯视整个世界那样的高度。然而五十过后站在镜前浑身上下打量自己,在镜子里发现的只是个空壳人,是无。是 T·S·艾略特(Thomas Stearns Eliot) 所说空心人。"

　　我不知说什么好,沉默不语。

　　"我过往的人生说不定全是错的,有时我会这么想。说不定做法在哪里出了问题。说不定做的全是无意义的事。正因如此，上次也说了，我看见你时常感到羡慕。"

"例如羡慕什么？"我问。

"你具有足够的能力希求得到很难得到的东西。而我在自己的人生中只能希求一旦希求即能到手的东西。"

他大概说的是秋川真理惠。秋川真理惠正是他"希求也没到手的东西"。可是就此说什么在我是做不到的。

免色慢慢钻入自己的车中，特意开窗向我致以一礼，发动引擎离去。目送他的车最后消失后我折回家中。时针八点已过。


电话铃响是上午十点多。打来的是雨田政彦。

"事情突如其来，"雨田说，"这就去伊豆见我父亲。如果可以，不一起去？日前你不是说想见我父亲的吗？"

明天上午有电话打来，谁要找诸君做什么，不能拒绝！

"嗯，不要紧，我想能去。拉我去！"我说。

"现在刚上东名高速路，是从港北停车场服务站打电话。估计一个小时后能赶到那边。在那里捎上你直接去伊豆高原。"

"临时决定去的？"

"啊，疗养所打来电话，情况好像不大好，要过去看看。正好今天也没什么事。"

"我一起去合适的？那么重要的时刻，我又不是家人……"

"无所谓，不必介意。除了我也没有亲戚去看，人多热闹才好。"说罢，雨田挂断电话。

放下听筒，我环顾房间，以为哪里会有骑士团长。但没见到骑士团长的形影，他似乎只留下预言就消失去了哪里，恐怕正作为理念而在没有时间、空间和盖然性的领域往来徘徊。不过上午果然有电话打来，有什么找我了。到现在为止，他的预言是中了的。在秋川真理惠依然下落不明当中离开家固然放心不下，但别无他法。骑士团长指示："无论有什么情况，都不得拒绝！"秋川笙子的事姑且交给免色好了，他有那份责任。

我坐在客厅安乐椅上，一边等待雨田政彦到来，一边接着看关于无敌舰队的书。抛弃海湾触礁的舰船，九死一生爬上爱尔兰海岸的西班牙人，几乎都落在当地民众手里被其杀害。沿岸居住的贫苦人为了抢夺他们携带的东西而一齐杀死了士兵和水手。西班牙人本来期待同属天主教教徒的爱尔兰人会救助自己，然而事与愿违。同宗教连带感相比，饥饿问题迫切得多。在英格兰登陆后，载有用来收买英国权势人物的大量军需资金的船也在海湾无谓地葬身鱼腹。财宝下落无人知晓。

雨田政彦开的旧版黑色沃尔沃停在门前时已近十一点。我一边思索沉入深海海底的大量西班牙金银财宝，一边穿上皮夹克走到门外。

雨田选择的路线是从箱根收费高速公路进入伊豆环山游览公路，再从天城高原往伊豆高原下行。他说，因为周末下行路拥堵，所以这条路线最快。然而路上还是被游客的车堵得厉害。一来红叶时节还未过去，二来很多周末司机不习惯跑山路，以致比预想的耗掉很多时间。

"你父亲情况不那么好？"我问。

"总之怕是来日无多。"雨田用平淡的语声说，"痛快说来，只是时

间问题。已接近所谓老衰状态。吃东西已经不顺利了，可能很快不知什
么时候引起误咽性肺炎。但是，本人决意拒绝流食或打点滴什么的。一
句话，若不能自己进食了就静静等死。已在意识清醒的时候通过律师作
成文件形式，也有本人签名。因此，延长生命措施一概不要。什么时候
离世都不奇怪。"

"所以就总是处于应急状态。"

"正是。"

"不得了啊！"

"啊，一个人死去是件大事，抱怨不得的。"

旧版沃尔沃还附带盒式磁带放唱机，一堆磁带堆在那里。雨田也不
看内容，随手摸起一盒插了进去。一盒收录八十年代走红歌曲的磁带。
杜兰杜兰乐队（Duran Duran）❶ 啦，休伊·刘易斯❷啦，等等。转到
ABC乐队❸的《爱的表情》（*The Look of Love*）❹ 的时候我对雨田说道：
"这辆车中好像停止进化了。"

"我不喜欢CD那样的东西，光闪闪太新潮了，挂在房檐驱赶乌鸦或
许正合适，但不是用来听音乐的。声音尖厉刺耳，混音不够自然，不分
A面B面也没意思。想听磁带音乐还得坐这辆车。新车没有盒式磁带

---

❶ 80年代风靡大西洋两岸的超级乐队。1978年成军于英国伯明翰，音乐巧妙融合了后庞克和迪斯科的流行乐风，加
　之乐队成员俊俏的外貌和风格化的音乐录影片，令他们成为媒体宠儿，以当时乐坛的头号偶像之姿，移居新浪漫
　派掌门人的宝座。
❷ 休伊·刘易斯（Huey Lewis, 1950—　），美国著名歌手，担任"休伊·刘易斯和新闻"乐队的主唱和口琴演奏，并
　为乐队创作了大量歌曲。乐队1985年为电影《回到未来》（*Back to the Future*）所作的歌曲《爱的力量》（*The Power
　of Love*）在美国成为冠军单曲。
❸ 1980年成立于英国的流行乐队。
❹ 英国ABC乐队在1982年推出的单曲，曾经拿下英国单曲榜第四名。

机。因此弄得大家目瞪口呆。但奈何不得。从广播中选录的音乐磁带家
里多得不得了，不想作废。"

"不过，这辈子再不想听 ABC 乐队的《爱的表情》了。"

雨田以诧异的神情看着我说："不是好音乐？"

我们一边谈论八十年代 FM 电台播放的各种音乐，一边在箱根山中
穿行。每次拐弯富士山都莽苍苍近在眼前。

"奇特的父子!"我说，"父亲只听 LP 唱片，儿子执著于盒式磁带。"

"就落伍这点来说，你也半斤八两。或者不如说更落后于时代。你
连手机都没有吧？互联网基本不上的吧？手机我还是不离身的，有什么
不明白的，马上用谷歌查。在公司甚至用苹果电脑搞设计。我在社会方
面先进得多。"

乐曲在这里变成贝蒂·希金斯❶的《基拉戈》（*Key Largo*）❷。作为
社会方面先进之人，这可是十分耐人寻味的选曲。

"最近可和谁交往？"我换个话题问雨田。

"女人？"

"当然。"

雨田稍微耸了下肩。"不能说多么顺利，依然如故。何况最近我发
觉一件奇妙的事，以致好多事情越来越不顺畅了。"

"奇妙的事？"

"跟你说，女人的脸是左右不一样的。这点知道的？"

---

❶ 贝蒂·希金斯（Bertie Higgins, 1944—　），美国歌手和词曲作者，是德国著名作家、诗人、剧作家歌德的曾曾孙。
　　擅长演唱反映热带生活和爱情的歌曲。
❷ 这首歌是贝蒂·希金斯于 1981 年创作完成并于 1982 年推出的一首单曲，曾登上 Billboard Hot 100 的榜单并成为十
　　大浪漫民谣之一。

"人的脸天生就不是左右对称的。"我说，"乳房也好睾丸也好，形状大小都有区别。大凡画画的人，这点儿事谁都知道。人的相貌形体是左右非对称的——正因如此，也才有意思。"

雨田盯着前方路面，目不斜视地摇了几下头。"那点儿事当然我也是知道的。但现在我说的，和这个多少有所不同。较之相貌形体，不同的更是人格性质的。"

我等他继续下文。

"大约两个月前的事了，我拍了自己交往的女子的照片。用数码相机，从正面拍面部特写，在工作用的电脑上大大投射出来。不知为什么，从正中间分开了，看见的是脸的一半。右边的一半消除后看左半边，左边的一半消除后看右半边……大致感觉知道吧？"

"知道。"

"结果发觉，细看之下，那个女子，右半边和左半边看上去好像两个人。电影《蝙蝠侠》（Batman）有个左右脸截然不同的坏家伙吧？叫双面人来着？"

"那部电影没看。"我说。

"看看好，妙趣横生。反正发觉这点之后，我有点儿怕了。接着——本来多此一举——只用右侧和左侧分别试着合成一张脸。把脸一分为二，让一半反转。这么着，只用右侧做成一张脸，又只用左侧做成一张脸。用电脑做，这种名堂易如反掌，结果，电脑里出现的是只能认为人格完全不同的两个女子，吓我一跳。总之，一个女子里边其实潜伏着两个女子。可这么考虑过？"

"没有。"我说。

"那以后我用几个女子的脸做同一实验。搜集从正面拍摄的照片，用电脑同样左右分别合成。结果明确得知，尽管多少有别，但女人基本全都左右脸不一样。而一旦发觉这点，对女人整个都糊涂起来。比如即使做爱，也不晓得自己现在怀中的对象是右侧的她还是左侧的她。如果自己现在同右侧的她做爱，那么左侧的她在哪里做什么想什么呢？假如那是左侧，那么右侧的她现在在哪里、想的是什么呢？这么考虑起来，事情就变得非常麻烦。这个你能明白？"

"不很明白。但事情变得麻烦这点可以理解。"

"麻烦的哟，实际上。"

"男人的脸试了？"我问。

"试了。但男人的脸没怎么发生同样情形。发生根本性变化的大体仅限于女人的脸。"

"是不是最好去精神医生或心理咨询师那里谈一次啊？"我说。

雨田叹了口气。"本来我一直认为自己是个相当普通的人来着。"

"那说不定是危险思想。"

"认为自己是普通人的想法？"

"将自己说成普通人的人，是不可信任的。——司各特·菲茨杰拉德哪本小说里这样写道。"

雨田就此思索片刻。"那意思可是说'纵然凡庸，也无可替代'？"

"那样的说法或可成立。"

雨田握着方向盘沉默下来。稍后说道："这且不说，反正你不也大致尝试一下？"

"如你所知，我长期画肖像画。所以在人脸的结构方面，我想还是熟悉的。说是专家怕也未尝不可。尽管如此，也从未想过人脸的右侧和左侧在人格上有什么差异。"

"可你画的几乎都是男人的肖像吧？"

确如雨田所说。迄今我从未受托画女性肖像画。为什么不知道，反正我画的肖像画全都是男的。唯一的例外是秋川真理惠，但她与其说是女性，莫如说接近孩子。况且作品尚未完成。

"男女有别，天地之差。"雨田说。

"有一点想问，"我说，"你说差不多所有女性脸的左侧和右侧所反映的人格都不一样……"

"不一样，这是推导出的结论。"

"那么，你有时会不会喜欢脸的某一侧超过另一侧？或者更不喜欢脸的某一侧呢？"

雨田就此沉思良久，而后说道："不不，不至于那样。更喜欢哪一侧，或更不喜欢哪一侧，不是那个层次的事。也不是说哪一侧是光明侧哪一侧是阴暗侧，或者哪一侧更漂亮哪一侧更不漂亮。问题只是左右不同而已。而左右不同这一事实本身使得我困惑，有时让我感到害怕。"

"你那样子，在我的耳朵听来似乎是一种强迫神经症。"我说。

"在我的耳朵听来也是。"雨田说，"自己说，自己听起来那样。不过嘛，真是那样的哟！你自己试一次好了！"

我说试一次。可我没打算试那玩艺儿。没试都这么一大堆麻烦事，我可不愿意再找麻烦。


往下我们谈雨田具彦，关于维也纳时期的雨田具彦。

"父亲说他听过理查德·施特劳斯指挥的贝多芬交响曲。"雨田说，"交响乐团是维也纳爱乐乐团，当然。演奏美妙绝伦。这是从父亲口中直接听来的。维也纳时期为数极少的插曲之一。"

"关于维也纳生活此外还听过什么？"

"全是无所谓的东西。吃的东西，酒，加上音乐。毕竟父亲喜欢音乐。除此之外什么也没说。绘画和政治话题完全没有出现，女人也没出现。"

雨田就势沉默片刻。随后继续下文。

"或许该有人写父亲的传记。肯定会写成一本有趣的书。可是，实际上我父亲的传记谁也写不来。因为个人信息那样的东西几乎荡然无存。父亲不交朋友，家人也扔在一旁不管，只是，只是一个人闷在山上作画。勉强有交往的不外乎熟悉的画商。几乎和谁也不说话，信也一封不写。所以，想写传记也写不来，可写的材料简直是零。与其说一生大部分是空白，不如说几乎全是空白更接近事实。就像空洞比实体多得多的奶酪。"

"身后留下来只有作品。"

"是啊，作品以外几乎什么也没留下。恐怕这正是父亲所希望的。"

"你也是剩下来的作品之一。"我说。

"我？"雨田惊讶地看我。但马上将视线拉回前方路面。"那倒也是，那么说的确是那样。这个我是父亲留下来的一件作品，只是效果不大好。"

"但无可替代。"

"完全正确。纵然凡庸，也无可替代。"雨田说，"我时不时心想，你是雨田具彦的儿子岂不更好！那一来，很多事情也许就顺顺利利。"

"算了算了！"我笑道，"雨田具彦儿子的角色谁都演不来！"

"或许。"雨田说，"可你不是精神上相当好地继承下来了？同我比，你恐怕更具备那样的资格——这是我纯粹的真实感受。"

给他那么一说，我蓦然想起《刺杀骑士团长》的画来。莫非那幅画是我从雨田具彦那里继承下来的？莫非是他把我领去那间阁楼、让我看见那幅画的？他通过那幅画向我寻求什么呢？

车内音响传出狄波拉·哈利❶的《*French Kissin' In The USA*》❷。作为我们对话的背景音乐相当不伦不类。

"父亲是雨田具彦，肯定是很不好受的吧？"我断然问道。

雨田说："关于这个，我在人生的某个阶段就彻底灰心丧气了，所以不像大家想的那么不好受。我本来也是想把绘画作为职业的，但我和父亲相比，才气格局简直天上地下。既然差得那么悬殊，也就不那么在意了。我感到不好受的，不是父亲作为有名的画家，而是作为一个活生生的人直到最后也没有对我这个儿子推心置腹。类似信息传达那样的事一件也没做。"

"他对你也没说真心话？"

"只言片语。给了你一半 DNA，别的没有给你的，往后自己想办法去！就是这么一种感觉。问题是，人和人的关系并不仅仅是 DNA，对吧？倒不是说要他当我的人生领路人，没指望到那个程度。但作为父子对话什么的也该多少有一点才是。自己经历过怎样的事情啦，怀有怎样

---

❶ 狄波拉·哈利 (Deborah Harry, 1945— )，美国说唱歌手，演员，Blondie 乐队主唱。

❷ 狄波拉·哈利的代表性歌曲。

的情思活过来的啦，也该告诉告诉我的嘛，哪怕一星半点也好！"

我默默听着他的话。

等待偏长信号灯的时候，他摘下雷朋（Ray-Ban）深色太阳镜，用手帕擦拭，侧过脸对我说："依我的印象，父亲是隐藏着某种个人的沉重秘密，正要自己一个人揣着它缓缓退出这个世界。内心深处有个像是牢不可破的保险柜的东西，那里收纳着几个秘密。他给保险柜上了锁，钥匙扔了或者藏在了哪里，藏在自己也想不起是哪里的地方。"

一九三八年的维也纳发生了什么？那作为无人知晓的谜团埋葬在了黑暗之中。但《刺杀骑士团长》这幅画说不定会成为"隐藏的钥匙"这一念头倏然涌上脑海。恐怕正因如此，他才在人生最后关头化为生灵来山上确认那幅画。不是吗？

我扭过脖子看后排座，觉得那里有可能孤零零坐着骑士团长。但后排座谁也没有。

"怎么了？"雨田跟踪我的视线问。

"没怎么。"我说。

信号灯变绿，他踩下油门。

**充满和它数量相同的死**

　　途中雨田说想解手，把车停在路旁家庭餐馆。我们被领到靠窗桌旁，要了咖啡。正值中午，我加了烤牛排三明治。雨田也要了同样的。而后雨田起身去卫生间。他离席时间里，我怅然打量玻璃窗外。停车场车一辆接一辆。大部分是全家出行。停车场里小面包车的数量显眼，看上去哪一辆都大同小异，仿佛装有不怎么好吃的饼干的铁罐。人们从停车场前面的观光台用小数码相机或手机拍摄正面赫然入目的富士山。也许出于愚蠢的偏见，对于人们用手机拍照这一行为，我无论如何也看不惯。而用照相机打电话这一行为，就更让我看不顺眼。

　　我正半看不看地看那幅场景，一辆白色斯巴鲁"森林人"从路面开进停车场。虽然我对车的种类不那么熟（而且斯巴鲁"森林人"决不是外形有特征的车），但还是一眼就看出那是和"白色斯巴鲁男子"开的同一种车。那辆车一边寻找空位，一边在混杂的停车场通道慢慢行进，找到一个空位后迅速把车头插了进去。安在后车门的轮胎套上分明写着"SUBARU FORESTER"大大的标识。看样子和我在宫城县海滨小镇看见的是同一型号。车牌固然看不清，但越看越像是和今春在那座港口小镇目睹的同样的车。不仅车型相同，而且完全像是同一辆车。

　　我的视觉记忆异乎寻常地准确且持续长久。那辆车的脏污状态和一点点个性特征都酷似我记忆中的那辆车。我感觉自己像要透不过气，凝眸盯视有谁从车上下来。但当时不巧有一辆旅游大巴开进停车场，挡住了我的视线。由于车多拥挤，大巴怎么也前进不得。我离席走到店外。绕过进退维谷的旅游大巴，往白色斯巴鲁停车的那边走去。但车上谁也没有，开车的人已下车去了哪里。也许进餐馆里了，或者去观光台照相了也有可能。我站在那里小心四下环视，但"白色斯巴鲁男子"哪里也找不见。当然，未必是那个人开车……

　　我查看车牌号，到底是宫城车牌。而且后保险杠上贴有四鳍旗鱼贴纸。和我当时看的是同一辆车。确凿无误。那个男子来这里了。我有一种脊背冻僵之感。我想找到他，想再看一次他的脸，想确认他的肖像画未得完成的缘由。我有可能看漏了他身上的什么。反正我已把车牌号码烙入脑际。或许有什么用，或许没什么用。

　　我在停车场转了好一阵子找那个像他的人。观光台也去了。但没找到"白色斯巴鲁男子"——那个掺杂白发的短头发、晒得相当厉害的中年男子。高个头，上次看时他身穿显得疲惫不堪的黑皮夹克、头戴印有YONEX标识的高尔夫球帽。当时我把他那张脸简单速写在便笺本上给坐在对面座的年轻女子看。她佩服道"画得相当好"。

　　确认外面没有像他的男子后，我走进家庭餐馆扫视一圈。但哪里也不见他的形象。餐馆里几乎满员。雨田已返回座位喝咖啡。三明治还没端来。

　　"跑去哪里了？"雨田问我。

　　"往窗外一看，好像看见一个认识的人，就去外面找。"

　　"找到了？"

　　"不，没找到，可能看错人了。"我说。

往下我的眼睛一刻也没有从停车场那辆白色斯巴鲁"森林人"离开，以为开车的人说不定回来。可是，即使他回到车上，我到底又能做什么呢？去他那里搭话不成？就说今年春天在宫城县海滨小镇见你两次。他也许说是吗，可我不记得你了。估计要这样说。

你为什么尾随我呢？我问。你说的什么啊，我哪里尾随你了！他回答。你我素不相识，何苦非尾随你不可呢？交谈就此结束。

反正开车人没有折回斯巴鲁。那辆敦敦实实的白色轿车在停车场默不作声地等待主人回来。我和雨田吃完三明治喝完咖啡，他还是没有出现。

"好了，走吧！没多少时间了。"雨田看一眼手表对我说，说罢拿起桌子上的太阳镜。

我们起身付账走到外面。随即钻进沃尔沃，离开混杂的停车场。作为我，本想留在那里等"白色斯巴鲁男子"回来，但相比之下，现在去看雨田的父亲是优先事项。无论有什么情况都不能拒绝，骑士团长叮嘱道。

如此这般，唯有"白色斯巴鲁男子"又在我面前出现一次这一事实留了下来。他知道我在这里，试图向我炫示他自己也在这里的事实。我能理解他的意图。他赶来这里不纯属偶然。旅游大巴在前面挡住他的身影，当然也不是偶然。

去雨田具彦入住的机构，要从伊豆环山游览公路下来在曲曲弯弯的漫长山路上行驶一阵子。有新开发的别墅区，有时髦的咖啡馆，有木屋民宿，有当地产蔬菜直销站，有面向游客的小博物馆。这时间里我伴随着道路拐弯，一边紧握车门上的把手，一边思索"白色斯巴鲁男子"。有什么在阻挠他的肖像画的完成。我可能没能找到一个完成那幅画所必需的要素，就好像弄丢了拼图游戏中一个重要的拼块。而这是从未有过的事。我要画谁的肖像画时，所需部件事先就搜集齐全。而事关《白色斯巴鲁男子》却未能做到。恐怕是"白色斯巴鲁男子"本人在加以阻挠。他出于某种理由不希望或者坚决拒绝自己被画进画里。

　　沃尔沃在某个地点偏离路面，开进大大敞开的铁门里边。门上只有一块小小的招牌，若非相当注意，入口很容易看漏。想必这个机构没有感觉出将自身存在向社会广而告之的必要。门旁有个身穿制服的警备员用的小隔间，政彦在这里告以自己的姓名和会见对象的姓名。警备员给哪里打电话核对身份。车直接开进去后，当即进入蓊郁的树林。树木几乎全是高大的常绿树，投下的树影显得甚是寒凉。沿着平整漂亮的柏油坡路上行不久，进入宽大的停车廊。停车廊是圆形的，中间修有圆形花坛。如缓坡一样隆起的花坛围有大朵甘蓝花，正中央开有色彩鲜艳的红花。一切都修剪得整整齐齐。

　　雨田开进圆形停车廊里端的客用停车场，刹车停下。停车场已经停有两辆车，一辆本田白色小面包，一辆深蓝奥迪轿车，两辆都是熠熠生辉的新车。停在二者之间，旧版沃尔沃俨然年老的使役马。但雨田看上去对这个根本不以为意（相比之下，能用盒式磁带听"香蕉女郎"[Bananarama]❶ 要紧得多）。从停车场可以俯视太平洋。海面沐浴着初冬的阳光闪着钝钝的光泽。其间有几艘中型渔船正在作业。海湾那边闪

---

❶ 英国最佳女子三人演唱组合。80 年代出道，经过成员变动，至今仍保持活泼热情、节奏感强烈的演唱风格，活跃于歌坛之上。

出不高的小岛，再往前可以看见真鹤半岛。时针指在一时四十五分。

我们下了车，朝建筑物入口走去。建筑物建成的时间似乎不很久，虽然整体上整洁漂亮，但终究是感觉不出多少个性的混凝土建筑。仅以设计角度观之，承担这座建筑物设计的建筑师的想像力似乎不甚活跃。或者委托人考虑到建筑物用途而要求尽可能设计得简洁保守亦未可知。大体是正方形三层建筑，均由直线构成。设计时大约只要有一根直尺即可。一楼部分多用玻璃，以期尽量给人以明朗印象。也有斜向探出的木结构大阳台，上面摆着一打左右躺椅。但由于季节已然入冬，即使在这晴得让人心旷神怡的天气，也没看见有人出来日光浴。由玻璃墙——从地板直通天花板的玻璃墙围着的自助餐厅这部分，可以看见几个身影。五个或六个，似乎都是老年人。坐轮椅的也有两人。至于在做什么，看不明白。料想是在看挂在墙上的大电视屏幕。唯独没人一起翻跟斗这点可以确认。

雨田从正门进去，同坐在接待台的年轻女性说着什么。一头乌黑秀发的和颜悦色的圆脸女子。身穿藏青色西式制服，胸前别着名牌。两人像是熟人，亲切地谈了好一会儿。我站在稍离开些的地方等两人谈完。大厅摆着硕大的花瓶，似乎是专家配置的争妍斗艳的插花烘托出华丽氛围。交谈告一段落后，雨田在桌上放的来访登记簿上用圆珠笔写上自己名字，觑一眼手表，记入现在时刻。然后离开桌子走来我这里。

"父亲情况总算像是稳定下来了。"雨田仍双手插在裤袋里说道，"早上开始一直不停地咳嗽，呼吸困难，担心直接导致肺炎，但稍前些时候平复下来，现在好像睡得正香。反正去房间看看吧！"

"我一起去也不碍事的？"

　　"还用说!"雨田道,"见见好了,不是专门为这个来的吗?"

　　我和他一起乘电梯上到三楼。走廊也同样简洁而保守。装饰严格控制在最低限度,只是走廊长长的白墙上勉强挂了几幅油画。哪一幅都是画着海岸风光的风景画。仿佛是同一画家从各个角度画的同一海岸各个部分的系列画。固然不能说多么够档次,但至少颜料用得淋漓尽致,何况其画风对于极简主义一边倒的建筑样式给予可与之抗衡的宝贵一击——我觉得不妨就此予以相应评价。地面铺的是光滑的漆布,我的鞋底踩上去发出很气派的"啾啾"声响。一位坐着轮椅的小个头白发老年妇女由男护士推着朝这边赶来。她大大睁着眼睛直视前方,和我们交相而过时也没往这边投以一瞥,仿佛决心看好前方空间一点飘浮的重要标记。

　　雨田具彦的房间是位于走廊尽头的宽敞的单人间。门上挂着名牌,但没写名字。估计是为了保护隐私。不管怎么说,雨田具彦是名人。房间有宾馆半套房那么大,除了床,还有一套不很大的待客家具。床前有折叠放着的轮椅。从东南朝向的大玻璃窗可以望见太平洋。无遮无拦,一览无余。倘是宾馆,仅仅如此景致就可以是收费高的房间。房间墙上没挂画。只挂着一面镜子,一个圆形时钟。茶几上摆着一个中等大小的花瓶,里面插着紫色切花。房间空气没有气味。没有年老病人味儿,没有药味儿,没有花味儿,没有晒窗帘味儿,大凡味儿都没有。索然无味!事关房间,这点实在让我惊异,以致我几乎怀疑自己嗅觉出了什么问题。如何才能把气味儿消除到如此地步呢?

　　雨田具彦在紧靠窗安放的床上熟睡,完全置此非凡景观于不顾。脸朝天花板,双目紧闭,长长的白眉毛宛如天然帷盖遮护着老了的眼睑。额头刻有很深的皱纹。被盖到脖子那里。至于是否呼吸,仅用眼睛看无法判断。即使呼吸，恐怕也是微乎其微的浅呼吸。

一眼即可看出，这位老人和前不久深夜时分来画室的谜团人物是同一人。那天夜里我在游移的月光中仅是一瞬间见得他的形象，但从脑袋的形状和白发的长短状态看，毫无疑问是雨田具彦其人。得知这点我也没有怎么惊诧。这点一开始就已明明白白。

"睡得相当沉。"雨田转向我说，"只能等他自然醒来。如果能醒来的话……"

"不过看样子症状暂且稳定下来不是很好吗?"我说。而后扫一眼墙上的钟。时针指向一时五十五分。我倏然想起免色。他给秋川笙子打电话了吗? 事态可有什么进展? 但此刻我必须把意识集中于雨田具彦的存在。

我和雨田对坐在待客沙发上，一边喝着在走廊自动售货机买的罐装咖啡，一边等待雨田具彦醒来。这时间里雨田讲柚的情况。她的妊娠反应现已告一段落，安稳下来，预产期大约是一月上半月，她的英俊男友也对孩子的诞生满怀期待。

"但问题是——是对于他的问题——柚好像没有同他结婚的打算。"雨田说。

"不结婚?"我一下子没能明白他说的意思。"就是说，柚要当单身母亲?"

"柚要把孩子生下来，但不想正式和他结婚，也不想同居。将来分享孩子监护权的打算也根本没有……事情总好像是这个样子。以致他相当苦闷。柚和你的离婚一旦成立，他准备马上和柚结婚来着，却被拒绝了。"

我试着想了一会儿。但越想脑袋越乱。

"费解啊！柚一直说不想要孩子。即使我说差不多该要孩子了，她也一口咬定还早。而如今却那么积极地想要孩子，这是为什么呢？"

"本来没打算怀孕，可一旦怀上了，这回就特想把孩子生下来——女性是会这样的！"

"不过柚一个人抚养孩子，现实中有太多不便。继续现在的工作也怕要变得困难。为什么不想和对方结婚呢？那本来不就是那个人的孩子吗？"

"为什么，那个人也不明白。他相信两人的关系一帆风顺，也为能当上孩子的父亲乐不可支。所以才苦闷不堪。找我商量，我也莫名其妙。"

"不能由你直接问问柚？"我问。

雨田显出为难的神色。"实不相瞒，这件事，我是打算尽可能不深度介入的。我喜欢柚，对方是职场同事，和你当然又是老朋友——举步维艰。越是介入越是不知所措。"

我默然。

"本以为你们是一对好夫妻，一直放心地看着来着……"雨田困窘似的说。

"这个上次也听你说了。"

"或许说了。"雨田说，"反正那是真心话。"

接下去我们默默看墙上的钟看了好一会儿，或看窗外铺陈的海。雨田具彦仍在床上仰卧着，纹丝不动地昏昏沉睡。由于实在太静止了，几乎让人担忧是不是还活着。可是，见得除我以外谁也不担忧，于是得知那怕是常态。

目睹雨田具彦睡姿当中，我试图在脑海中推出他年轻时留学维也纳的风姿。但当然想像不好。此刻此处我眼前出现的，是一位缓慢而确凿地向肉体消亡方向发展的满脸皱纹的银发老人。作为人出生的任何人都将无一例外地迟早遭遇死亡。而他现在正要迎来那一转折点。

"你没有跟柚联系的打算?"雨田问我。

我摇头道:"眼下没有。"

"我想你们两人不妨就各种事情谈一次。怎么说呢，促膝交谈……"

"我们已经通过律师正式办理了离婚手续。这是柚希求的。何况她马上要生别的男人的孩子。她同对方结婚也好不结也好，那终究是她的问题，事理上不是我可以说三道四的。各种事情? 促膝交谈? 到底有什么可谈的呢?"

"发生了什么? 不想知道?"

我摇头:"不知也罢的事，不是多么想知道。我也不是没有受伤害。"

"当然。"雨田说。

但自己受伤害了还是没受，老实说，就连这个我不时也稀里糊涂。这是因为我没办法彻底弄明白自己是否真有受伤害的资格。自不消说，有资格也好没资格也好，人该受伤害的时候自然要受。

"那个人是我的同事。"雨田稍后说道，"一个认真的家伙，工作也过得去，性格也好。"

"而且一表人才。"

"嗯，长相好得非同一般，所以在女性当中有人气，理所当然。女人缘好得让我羡慕。不过这家伙向来有一种倾向让大家不能不感到费解。"

我默默听着雨田的话。

他继续道："作为交往对象，他居然选择有些超出理解范围的女人。本来哪个都任他挑选，可是不知何故，他总是为莫名其妙的女人迷得神不守舍。啊，那当然不是柚。柚大概是他选择的第一个地道的女性。柚之前哪一个都一塌糊涂。为什么不知道……"

他追索记忆，轻轻摇头。

"几年前有一次已经发展到马上要结婚了。婚礼场所订了，请柬印了，新婚旅行要去斐济或哪里也定了。假请好了，飞机票也买了。不过嘛，结婚对象是个奇丑无比的女人。对我也介绍了，丑得一看就吓我一跳。当然，人不可貌相。但在我看来，性格也夸奖不来。却不知为什么，他来了个一往情深。反正实在太不般配了。周围人嘴上倒是没说，心里都那么想。不料，就要举行婚礼了，女的突如其来地拒绝结婚。就是说给女方逃婚了。幸还是不幸另当别论，总之搞得我目瞪口呆。"

"有什么理由的吧？"

"理由没问。太让人不忍了，不能再问了。不过他也怕是不知道对方的理由。那个女的只是逃之夭夭，不想和他结婚。估计是想到什么了。"

"那么，你说这件事的要点是什么？"我问。

"要点嘛，"雨田说，"要点就是你和柚之间也许还有重归于好的可能性。当然我是说如果你愿意的话。"

"但是，柚正要生那个人的孩子。"

"那确实是一个问题。"

往下我们再次陷入沉默。

　　雨田具彦醒来时已近三点。他一下一下蠕动身体，大大呼吸一口，被在胸口那里一上一下。雨田站起走到床边，从上面窥看父亲的脸。父亲慢慢睁开眼睛，白色的长眉毛微微向上颤抖。

　　雨田拿起床头柜上的细口玻璃鸭嘴壶，用来润湿发干的嘴唇。又用纱布那样的东西揩去嘴角溢出的水。父亲继续要水时，就又往嘴里补充一点点。看来经常这样做，手势相当熟练。每次咽水，老人的喉结都大大地一上一下。见了，我也终于得以了解他还活着的事实。

　　"爸爸，"雨田指着我说，"这是接着住在小田原家里的家伙。也是画画的，使用爸爸的画室画画。我大学时代的同学，虽然不怎么乖巧，又给绝代佳人太太甩了，但作为画工非常不赖。"

　　至于父亲把雨田说的理解到什么程度，那无从知晓。但反正雨田具彦顺着儿子指尖朝我这边慢慢转过脸，两只眼睛好像是在看我。不过脸上完全没浮现出类似表情的表情。大概是在看什么，但那个什么对于他似乎姑且是不成意思的东西。而与此同时，我也感觉得出那仿佛蒙一层薄膜的眼球深处潜伏着足以令人惊愕的明晰的光。那光有可能是为了具有意义的什么小心藏入其中——我有这样的印象。

　　雨田对我说："我说什么大概都不能理解了。但主治医生指示说，反正把所说的全都看作是对方能理解的东西自由地自然地说出就是了。什么明白什么不明白，毕竟谁都不知道。所以才这么极为正常地说话。也罢，作为我也还是这样来得轻松。你也说点什么，像平时说话那样说即可。"

"你好！很高兴见到你。"我说，并且报了姓名。"现在住在小田原山上的府上。"

雨田具彦似乎在看我的脸，但表情仍没出现变化。雨田对我做出动作，示意什么都行，只管说就是。

我说："我画油画。长期专门画肖像画来着，但现在辞了那份工作，正在画自己喜欢的画。因不时有人预订，所以有时也画肖像画。想必是对画人的面部有兴趣。和政彦君从美大时代就开始交往。"

雨田具彦的眼睛仍在对着我。眼睛仍蒙有薄膜样的东西，看上去仿佛将生与死缓缓隔开的薄薄的花边窗帘。窗帘有好几层，里面的渐渐看不清了，最后将落下沉重的幕布。

"府上真好，"我说，"工作很有效率。但愿你别不高兴，唱片也随便听，因为政彦君说听也可以。完美的收藏。歌剧也常听。另外，前些日子我第一次爬上了阁楼。"

说到这里，他的眼睛看上去第一次一闪现出光芒。实在是微乎其微的光闪，若非十分注意，谁也不至于觉察。但我是在毫不懈怠地直视他的眼睛，所以不会看漏那一光闪。想必"阁楼"这两个字的语声刺激了他记忆的哪里。

"阁楼里好像住着一只猫头鹰。"我继续道，"夜里时不时有仿佛什么出入的窸窸窣窣的动静，就以为可能是老鼠，白天上去看了。一看，房梁上有一只猫头鹰正在睡觉。非常好看的鸟。通风孔铁丝网破了，使得猫头鹰可以从那里自由出入。对猫头鹰来说，阁楼是正合适的白天的隐秘住处。"

那对眼睛牢牢看着我，就好像渴望得到更多的信息。

"有猫头鹰也不损害房子。"雨田插嘴说，"房子有猫头鹰住下来，也是好兆头。"

"猫头鹰好，但不光猫头鹰好，阁楼还是个极有意思的地方。"我补充一句。

雨田具彦仰面躺在床上，一动不动地盯视我。呼吸似乎再次变浅。眼球仍蒙有薄膜，但其深处潜在的秘密之光，我感觉好像比刚才更鲜明了。

我想再说几句阁楼，但因为他儿子政彦在旁边，不便提起那里发现的一件东西。政彦当然想知道那是什么东西。我和雨田具彦把话题悬在半空，互相定定搜寻对方的脸。

我小心翼翼斟酌语词："那个阁楼不仅对猫头鹰，对画也是绝好的场所。就是说，是保管画的最佳场所，尤其适合保管因画材缘故容易变质的日本画。和地下室什么的不同，没有潮气，通风好，而且没有窗，不用担心日晒。当然风雨吹进来的担忧也是有的。所以，要想长期保存，就必须包得结结实实……"

"那么说来，我还一次都没查看过阁楼，"雨田说，"满是灰尘的地方我可吃不消的。"

我没把视线从雨田具彦脸上移开。雨田具彦也没把视线从我脸上移开。我感觉得出，他试图在脑袋里梳理思绪。猫头鹰、阁楼、画的保管……试图将这几个有记忆的单词含义连在一起。那对于此时此刻的他来说不是容易事，完全不是容易事，好比是蒙上眼睛钻出复杂迷宫的作业。可是他感觉将其连接起来对自己是很重要的，极其强烈的感觉。我静静注视他这孤独而艰辛的作业。

我想说杂木林中的小庙和庙后奇妙的洞——洞是由于怎样的原委打开的，洞是怎样的形状。但转念作罢。最好不要一下子拿出太多事情。他剩下的意识即使仅处理一件事都应是相当沉重的负担。而支撑所剩无多的能力的，只有那一条线。

"不再要点水了？"政彦拿起玻璃鸭嘴壶问父亲。但父亲对他的问话没有任何反应。看来儿子的话全然没有传入他的耳朵。政彦凑近些重问一次，还是没有反应。得知这点，政彦不再问了。父亲的眼睛已经不再有儿子的样子进入。

"看来父亲对你极有兴趣啊！"政彦感佩地对我说，"刚才就一直专心看你。好久都没对谁、或者说对什么有这么强的兴趣了。"

我默默看雨田具彦的眼睛。

"奇怪！我说什么都几乎不理不睬，却从刚才盯住你的脸再不移开。"

我不可能察觉不出政彦语气掺有几分羡慕的意味。他希求被父亲看，恐怕从小一直希求到现在。

"也许我身上有颜料味儿。"我说，"可能是那种味儿唤起了某种记忆。"

"真是那样的吧，怕是有那种可能性。那么说来，我已经好久好久没碰过真正的颜料了。"

他的语声已经没了阴影，返回平时快乐的雨田政彦。这时，床头柜上的政彦的小手机断续发出振颤音。

政彦猛然抬头："糟糕，忘关手机了。房间里禁止使用手机。我去外面接，离开一会儿没关系的？"

"没关系。"

政彦拿起手机，确认对方姓名，朝门口走去。又转头对我说："可能延长一会儿，我不在时候你随便跟我父亲说点什么！"

政彦一边对着手机小声说什么，一边走出房间，轻轻关上门。

这样，房间里只剩我和雨田具彦两人了。雨田具彦仍在静静盯视我。恐怕他在努力理解我。我多少有些胸闷，立起绕到他的床尾，走到东南向窗口。我把脸几乎贴在大扇玻璃窗上眺望外面浩瀚的太平洋。水平线冲顶一般朝天空逼去。我以眼睛把那条笔直的线从这端扫瞄到另一端。这般绵长美丽的直线，人无论用怎样的直尺也画不出来。并且，那条线下面的空间理应跃动着无数生命。这个世界充满无数生命，充满和它数量相同的死。

随后我蓦然感觉到什么，朝背后看去。于是得知，在这房间里的，不止雨田具彦和我两人。

"是的，不是仅仅诸君两人在这里。"骑士团长说。

**那要求牺牲和考验**

　　"对了，诸君在这里并非仅仅两人。"骑士团长说。

　　骑士团长坐在雨田政彦刚才坐的布面椅子上。一如往常的装束，一如往常的发型，一如往常的宝剑，一如往常的个头。我一声不响地定睛注视他的形体。

　　"诸君的朋友再过一会儿怕也不会回来。"骑士团长朝上竖起右手食指，"估计电话要花些时间。所以诸君只管放心地尽兴地和雨田具彦说话好了。想问的事情种种样样吧？回答能得到多少倒是个疑问。"

　　"你把政彦支开了？"

　　"何至于何至于。"骑士团长说，"诸君高看了我。我没有那样的能耐。而诸君和我不一样，在公司工作的人这个那个是很忙的，连个周末也无有。可怜！"

　　"你一直跟我一起来到这里？就是说，是一同乘那辆车来的？"

　　骑士团长摇头："不，无有同乘。从小田原到这里路程很长，我这人很快就晕车的。"

　　"可你反正到了这里。没得到邀请就……"

　　"不错，准确说来我是无有得到邀请，却又应求置身于此。应邀和应求的区别是极其微妙的。不过这且不论，总之求我的是雨田具彦。而且，我是因为想帮助诸君才置身于此的。"

"帮助?"

"当然! 诸君多少有恩于我。诸君等把我从地下场所放了出来。这样,我才得以重新作为理念在这世间招摇过市,一如诸君近来所说。对此我想迟早予以报答。纵然理念,也并非不懂人情事理。"

人情事理?

"也罢,大体同一回事。"骑士团长似乎看出我的心思,"总而言之,诸君由衷希望弄清秋川真理惠的下落,让她返回此侧。这无有不对吧?"

我点头。无有不对。

"你知道她的下落吗?"

"知道的哟! 刚刚见过不久。"

"见了?"

"还简短谈了几句。"

"那么,请告诉我她在哪里。"

"知道固然知道,但从我口中无可奉告。"

"告诉不得?"

"因为不具有告诉的资格。"

"可你刚刚说过正因为想帮助我才出现在这里的。"

"确实说了。"

"然而不能告知秋川真理惠的所在。是这样的吗?"

骑士团长摇头:"告知不是我的职责,尽管心有不忍。"

"那么是谁的职责呢?"

骑士团长用右手食指笔直地指着我:"诸君本身。诸君本身告知诸君。舍此,诸君无有得知秋川真理惠所在之处的途径。"

"我告知我本身?"我说,"可我根本不知道她在哪里的嘛!"

骑士团长叹了口气:"诸君是知道的。只不过是自己不知道自己知道而已。"

"相当绕弯子啊,听起来。"

"并非绕弯子。诸君也很快即可了然,在不是这里的场所。"

这回轮到我叹气了。

"见告一点即可:秋川真理惠是被谁绑架了吗? 还是自己误入哪里了呢?"

"那是找到她把她领回这个世界时诸君知道的事。"

"她处于危险状态吗?"

骑士团长摇头:"判断孰是危机孰不是危机是人的职责,不是理念的职责。不过,如果想把那个少女领回来,恐怕还是急速赶路为好。"

急速赶路? 那是怎样的路呢? 我久久看着骑士团长的脸。听起来一切都像谜语,如果那里有谜底的话。

"那么,现在你在这里到底想帮我什么呢?"

骑士团长说:"我这就可以把诸君送去诸君能见到诸君本身的场所。但这不是轻而易举的事,而势必伴随不少牺牲和严峻考验。具体说来,付出牺牲的是理念,接受考验的是诸君——这也可以的吗?"

我琢磨不透他想说什么。

"那么,我究竟具体做什么好呢?"

"简单,杀了我即可!"骑士团长说。

"简单，杀了我即可!"骑士团长说。

"杀你?"我问。

"诸君模仿那幅《刺杀骑士团长》的画面，把我结果了就是。"

"你是说我用剑把你刺死?"

"是的，正巧我带着剑。以前也说了，这是砍下去就会出血的真正的剑。并非尺寸多么大的剑，但我也决不是尺寸多么大。足矣足矣!"

我站在床尾，目不转睛地盯视骑士团长。想说什么，却找不到应该说出口的话语，只管默默伫立。雨田具彦也依然躺在床上纹丝不动，脸朝向骑士团长那边。至于骑士团长进没进入他的眼睛，则无由确认。骑士团长能够选择使之看见自己形体的对象。

我终于开口问道:"就是说，我通过用那把剑把你杀死而得知秋川真理惠的所在?"

"不，准确说来不是那样。诸君在这里把我杀死，把我消除。由此引起的一系列反应在结果上把诸君领往那个少女的所在之处。"

我力图理解这句话的含义。

"虽不清楚会是怎样的连锁反应，但事物能一如原来所料连锁起来吗?就算我杀了你，很多事情的发展也未必如愿以偿。而那一来，你的死可就是白死。"

　　骑士团长猛地扬起一侧眉梢看我。眉梢的扬起方式同电影《步步惊魂》（*Point Blank*）❶ 中的李·马文（Lee Marvin）十分相像，酷极了。倒是很难设想骑士团长会看过《步步惊魂》……

　　他说："诸君所言极是。现实中事情未必连锁得那般巧妙。我所说的终不过是一种预测、一种推论，'或许'可能过多。不过清楚说来，此外别无他法，无有挑挑拣拣的余地。"

　　"假定我杀了你，那是意味之于我的你没了呢？还是意味着你从我面前永久消失了呢？"

　　"不错，之于诸君的我这个理念在那里气绝身亡。对于理念那是无数分之一的死。虽说如此，那也无疑是一个独立的死亡。"

　　"杀了一个理念，世界并不会因之有所改变吗？"

　　"啊，那还是要改变的。"说着，骑士团长又以李·马文风格陡然扬起一侧眉梢。"难道不是吗？设若抹除一个理念而世界也无有任何改变，那样的世界究竟有多大意义呢？那样的理念又有多大意义呢？"

　　"即使世界因之接受某种变更，你也还是认为我应该杀死你，是吧？"

　　"诸君把我从那个洞中放了出来。现在你必须把我杀死。否则环闭不上。打开的环一定要在哪里闭合。舍此无有选项。"

　　我向躺在床上的雨田具彦投去目光。他的视线似乎仍笔直地对着坐在椅子上的骑士团长那边。

　　"雨田先生能看见那里的你吗？"

---

❶ 拍摄于 1967 年的经典黑色动作片，动作巨星李·马文饰演一名黑道悍将，一头白发，眉眼之间尽显硬汉本色。出狱后，向陷害他的歹徒复仇。在动作片历史上堪称时代先驱。

"啊，应该逐渐看见了的。"骑士团长说，"我们的声音也会渐渐传入耳中，意思也将很快得以理解——他正在拼命集结剩在最后的体力和智力。"

"他要在那幅《刺杀骑士团长》中画什么呢？"

"那不应该问我，而应该先直接问他本人吧！"骑士团长说，"毕竟难得面对作者。"

我返回刚才坐的椅子，同躺在床上的他面对面说道："雨田先生，我在阁楼里发现了你藏的画。一定是你藏的吧？看那严严实实的包装，你好像不愿意让谁看见那幅画。而我把画打开了。或许你心生不快，但好奇心是克制不住的。并且，在发现《刺杀骑士团长》这幅绝好的画作之后，眼睛就再也无法从画上移开了。画实在太妙了！理应成为你的代表作之一。而眼下知道那幅画的存在的，唯独我一个人。就连政彦君也没给看。此外只有秋川真理惠那个十三岁女孩见过那幅画。而她从昨天开始下落不明。"

骑士团长这时扬起手来制止我："最好先说到这里，让他休息休息。现在他有限的大脑，一下子进不去很多东西。"

我缄口观察片刻雨田具彦的表现。我无从判断我说的话能有多少进入他的意识。他的脸上依然没有浮现出任何表情。但细看眼睛深处，看得出那里有和刚才同样的光源。那是犹如掉入深水泉底的小而锋利的刃器的光闪。

我一字一句地继续缓缓说道："问题是，你是为了什么画那幅画的。那幅画同你过去画的一系列日本画相比，无论题材、构图还是画风都大不一样。我觉得那幅画好像含有某种深不可测的个人情思。那幅画到底意味着什么呢？谁把谁杀了呢？骑士团长到底是谁呢？杀人者唐璜是谁呢？还有，左下角从地下探出脸的满腮胡须的长脸奇妙男子究竟是什么呢？"

　　骑士团长再度扬手制止我。我闭住嘴巴。

　　"问话就此为止吧！"他说，"问话渗入此人的意识，恐怕还需要一些时间。"

　　"他能回答问话吗？还剩有足够的气力吗？"

　　骑士团长摇头："啊，回答不大可能了。此人已无有相应的余力。"

　　"那么，你为什么让我问这些呢？"

　　"诸君说出口的不是问话，诸君只是告诉他，告诉他诸君在阁楼发现了《刺杀骑士团长》那幅画，明确其存在的事实。这是第一阶段——必须从这里开始。"

　　"第二阶段是什么呢？"

　　"当然是诸君杀了我。此为第二阶段。"

　　"第三阶段有吗？"

　　"应该有，当然。"

　　"那到底是怎样的呢？"

　　"诸君还不明白的吧？"

　　"不明白啊！"

　　骑士团长说："我等在此重现那幅画寓意的核心，将'长面人'拽出亮相，领到这里、这个房间——诸君以此找回秋川真理惠。"

　　我一时无语，还是全然揣度不出自己究竟一脚踏入了怎样的世界。

　　"当然那并非易事。"骑士团长以郑重其事的语声说，"然而势在必行。为此，必须果断杀我。"

我等待我给予的信息充分渗入雨田具彦的意识，这需要时间。这时间里我有几个必须消除的疑问。

"关于那一事件，为什么雨田具彦在战争结束后的漫长岁月中始终绝口不提呢？尽管阻止他出声的已经不复存在……"

骑士团长说："他的恋人被纳粹残忍地杀害了，慢慢拷打杀害的。同伴们也无一逃生。他们的尝试彻底以徒劳告终。唯独他因为政治考量而勉强保住一条性命。这在他心里留下深重的创伤。而且他本身也被逮捕，被盖世太保拘留了两个月，受到严刑拷问。拷问是在不至于打死、不在身上留下伤痕的情况下小心翼翼而又绝对暴力性进行的。那是几致摧毁神经的施虐狂式拷问。实际他心中想必也有什么死掉了。事后严厉交待，使得他不对透露此事心存侥幸，强制遣返日本。"

"还有，在那前不久，雨田具彦的弟弟大概由于战争带来的精神创伤而年纪轻轻就自行中断了生命——是在南京攻城战之后退伍回国不久。是这样的吧？"

"是的。如此这般，雨田具彦在历史剧烈漩涡中连续失去了无比宝贵的人，自己也负心灵创伤。他因此怀有的愤怒和哀伤想必是极为深重的。那是无论如何也无法对抗世界巨大潮流的无力感、绝望感。其中也有单单自己活下来的内疚。正因如此，尽管已无人封口了，但他仍然只字不想谈在维也纳发生的事。不，是不能谈。"

我看雨田具彦的脸。脸上仍然没有浮现出任何表情。我们的交谈是否传入他的耳朵也无由知晓。

我说："而且，雨田先生在某个时间节点——哪个节点不知道——画了《刺杀骑士团长》，将全然无法诉诸语言的事物作为寓言赋以画的形式。那是他所能做的一切。一幅出类拔萃、遒劲有力的作品。"

"在那幅画中，他将自己未能实际达成的事项换一种形式即改头换面地实现了。把实际未发生的事作为应该发生的事。"

"可是归根结底，他没有把那幅完成的画对外公开，而是严严实实包好藏进阁楼。"我说，"尽管是如此彻底改变形式的寓意画，对于他那可是活生生真切切的事件。是这样的吧？"

"正是。那是纯粹从他活的灵魂中析离出来的东西。而某一天，诸君发现了那幅画。"

"就是说，我把那幅作品暴露在光天化日之下是一切变故的开端，是吧？是我打开环的吗？"

骑士团长一言不发，将两手的手心朝上展开。

此后不久，雨田具彦的脸上眼看着现出红晕。我和骑士团长目不转睛注视他表情的变化。就像同脸上重现血色相呼应似的，其眼球深处潜伏的神秘光点一点一点浮出表面，犹如长时间在深海作业的潜水员一边随着水压调整身体一边缓缓浮上水面。而且，一直蒙在眼球上的淡淡的薄膜开始进一步变淡。少顷，两眼整个睁开。出现在我面前的，已经不是日薄西山衰老干瘦的老人。那对眼睛涨满力争留在——纵使一瞬之间——这个世界的意志。

"他在集结余力。"骑士团长对我说，"他在想方设法挽回意识，哪怕多挽回一点点。可是，一旦意识返回，肉体痛苦也同时返回。他的身体正在分泌旨在消除肉体痛苦的特殊物质。只要有那种作用，就不会感觉出那么剧烈的痛苦，就能够静静停止呼吸。而意识返回，痛苦也随之返回。尽管如此，他仍然拼命挽回意识。这是因为，他有纵然承受肉体剧痛也必须在此时此地做的事情。"

像要证实骑士团长的说法似的，苦闷的表情在雨田具彦脸上逐渐扩展开来。他再次深感自己的身体已被衰老侵蚀，即将停止其功能。无论做什么都无由幸免。他的生命系统很快就要迎来最后期限。目睹这样的形象实在于心不忍。或许应该不做多余的事，而让他在意识混沌之中没有痛苦地安然咽下最后一口气。

"但这是雨田具彦本身选择的。"骑士团长仿佛看出我的心思，"诚然可怜，但无可奈何。"

"政彦不再回这里了？"我问骑士团长。

骑士团长微微摇头："暂时还回不来。一个重要的工作电话打了进来，估计要说很久。"

现在，雨田具彦双眼大大睁开。仿佛缩进满是皱纹的眼窝深处的眼睛就好像一个人把身子探出窗外一样往前凸出。他的呼吸变得粗重得多、深沉得多，气息出入喉咙时的沙沙声几乎传来耳畔。而其视线则坚定不移地直盯盯落在骑士团长身上。毫无疑问，他看见了骑士团长，脸上浮现出不折不扣的惊愕表情。他还不能相信自己的眼睛所见，不能顺利接受自己画在画上的虚构人物实际出现在眼前这一事实。

"不，不然，"骑士团长读出我的心理，"雨田具彦现在看见的，和诸君看见的我的形象又有所不同。"

"他看到的你，同我看到的你的形象不一样？"

“总之我是理念，我的形象因场合、因看我的人不同而随意变化。”

“在雨田先生眼里，你呈现为怎样的形象呢？”

“那我也不知道。说起来，我不过是照出人心的镜子而已。”

“可出现在我面前的时候，你是有意选择这一形象的吧？选择骑士团长的形象。不是这样的吗？”

“准确说来，也并非是我选择那一形象的。原因与结果在那里相互交织。我通过选择骑士团长形象而启动一系列事物的运转。而与此同时，我选择骑士团长形象又是一系列事物的必然归结。遵循诸君所居世界的时间性讲述是极其艰难的事，但若一言以蔽之，那是事先既定之事。”

“如果理念是反映心的镜子，那么就是说雨田先生正在那里看自己想看的东西了？”

“正在看必须看的东西。”骑士团长换个说法，“或者通过目睹那个什么而正在感受切身痛楚也未可知。但他必须看那个，在其人生终了之际。”

我重新把眼睛转向雨田具彦的脸。我察觉，那里混杂着惊愕之念浮现出来的，乃是无比厌恶之情，以及不堪忍受的痛楚。那不仅仅是和意识一同返回的肉体痛苦。那里出现的，恐怕是他本身深深的精神苦闷。

骑士团长说：“他为了看准我的这副样子而拼命挤出最后的气力、挽回意识，全然置剧痛于不顾。他正要重返二十几岁的青年时代。”

雨田具彦的面部此刻已红通通一片，热血失而复来，干燥的薄嘴唇微微颤抖，呼吸变成急促的喘息。萎缩的长指正拼命抓着床单。

“好了，坚决把我杀死！在他的意识正这么连在一起的时刻。”骑士团长说，"越快越好！如此状态恐怕不会持续多久。"

骑士团长把腰上带的剑一下子抽出鞘来。长约二十厘米的剑身看上去甚是锋利。虽然短，但那无疑是夺人性命的武器。

"快，快用这个把我刺死！"骑士团长说，"在此重现与那幅《刺杀骑士团长》相同的场面。快，快快！无有闲工夫磨磨蹭蹭。"

我难以下定决心，交替看着骑士团长和雨田具彦的脸。我勉强看出的是，雨田具彦在极其强烈地需求什么，骑士团长的决心坚定无比。唯独我在两人之间犹豫不决。

我的耳朵听得猫头鹰的振翅声，听得夜半铃声。

一切在哪里连接在一起。

"是的，一切在哪里连接在一起。"骑士团长读出我的心思，"诸君不能从那连接中彻底逃离。好了好了，果断地把我杀死。无需感到良心的谴责。雨田具彦需求这个。雨田具彦将因诸君这样做而获得拯救。对于他应该发生的事此刻在此使之发生。此其时也，只有诸君才能让他的人生获得最后超度。"

我欠身离座，走向骑士团长坐的椅子那边，将他抽出的剑拿在手中。什么正确什么不正确，其判断我已无能为力。在缺失空间与时间的世界里，前后上下的感觉甚至都不存在。我这个人已不再是我这样的感觉就在那里。我与我自身两相乖离。

实际拿在手里，得知剑柄部分对于我的手实在太小了。为小人手握制作的迷你剑。纵然剑尖再锋利，握这么短的剑刺杀骑士团长也几乎是不可能的。这一事实让我多少舒了口气。

"这把剑对我太小了，用不好的。"我对骑士团长说。

"是吗，"骑士团长低低叹息一声，"那怕没办法。虽说离重现画面多少有些差距，可还是使用别的东西吧！"

"别的东西？"

骑士团长指着房间角落一个小箱子说："拉开最上端的抽屉看看！"

我走到收纳箱跟前拉开最上端的抽屉。

"里面应该有一把处理鱼用的厨刀。"骑士团长说。

拉开一看，整齐叠着的几枚面巾上面分明放有一把厨刀。那是雨田政彦为处理鲷鱼带到我那里的厨刀。长约二十厘米的结结实实的刀刃仔细磨得很快。政彦过去就对工具很讲究。自不待言，保养得也好。

"快，用那个把我一下子捅死！"骑士团长说，"剑也好厨刀也好，什么都无所谓，反正要在此重现和那幅《刺杀骑士团长》中的同样的场面。速战速决是关键，无有多少时间。"

我拿起厨刀，刀如石制成一般沉甸甸的。刀刃在窗口射进来的明亮阳光下闪着冷冷的白光。雨田政彦带来的厨刀从我家中厨房消失后在这个房间的抽屉中静等我的到来。而且是政彦为父亲（在结果上）磨好刀刃的。看来我无法从这一命运中逃离出来。

我依然下不定决心。尽管如此，还是绕到坐在椅子上的骑士团长背后，重新把厨刀牢牢握在右手。雨田具彦兀自躺在床上睁大眼睛盯视这边，俨然正在目睹重大历史事件之人。嘴巴张开，闪出里面发黄的牙齿和泛白的舌头。舌头像要组织什么语词似的缓缓动着。然而世界不会听见那语词了。

"诸君绝非残暴之人。"骑士团长似乎是在讲给我听，"这点一清二楚。诸君的人品，生来就不是要杀人的。但是，为了救助宝贵对象，或为了重要目的，有时必须做有违意愿之事。而现在恰恰如此。快，快杀了我！我的身体这般矮小，而且不会反抗，无非理念而已。只消将那刀尖刺入心脏即可，举手之劳。"

骑士团长用小小的指尖指着自己心脏位置。想到心脏，不能不想起妹妹的心脏。我清晰记得妹妹在大学附属医院接受心脏手术时的事，记得那是何等艰难而微妙的手术。抢救一颗有问题的心脏是极其艰巨的作业，需要好几位专业医生和大量血液。而毁掉它则轻而易举。

骑士团长说："啊，那种事再想也无济于事。为了找回秋川真理惠，诸君无论如何都要这样做，哪怕再不情愿！请相信我的话。抛弃心，关闭意识。但眼睛闭不得，要好好看着！"

我从骑士团长的背后挥起那把厨刀，却怎么也挥不下去。就算那对理念只不过是无数分之一的死，也不能改变我除掉自己眼前一个生命的事实。那岂不是和雨田继彦在南京由于年轻军官的命令而进行的杀人行径如出一辙？

"并非如出一辙。"骑士团长说，"这种场合是我主动希求的，我希求自己本身被杀死。那是为了再生的死。快，下决心把环闭合！"

我闭上眼睛，想起在宫城县的情人旅馆勒女子脖颈时的情形。当然那只是逢场作戏，是应女子的要求在不至于勒死的程度上轻勒她的脖子。可是归终我未能将那一行为持续得如她要求的那么久。再持续下去，说不定真会把她勒死。那时我在情人旅馆的床上刹那间在自己身上发现的，是一种从未体验过的深重的愤怒情感。它如同有血流入的泥沼在我胸间黑乎乎翻卷着巨大的漩涡，毫不含糊地朝真正的死逼近。

你小子在哪里干了什么，我可是一清二楚！那个男子说。

"快，快挥落那把厨刀!"骑士团长说，"诸君理应做得到。诸君杀的不是我，诸君此时此地杀的是邪恶的父亲。杀死邪恶的父亲，让大地吮吸他的血。"

邪恶的父亲?

之于我，邪恶的父亲到底是什么呢?

"之于诸君的邪恶父亲是谁?"骑士团长读取我的心理，"前不久你应该见过那个人，不是那样的吗?"

不能再把我画进画中，那个男子说，并且从黑暗的镜子中朝我笔直地伸出手指，指尖竟如刀尖一般锋利地直刺我的胸口。

疼痛袭来。与此同时，我条件反射地关闭了心扉。并且圆瞪双眼，摈除所有意念(一如《刺杀骑士团长》中的唐璜所为)，将所有感情打入地宫，将表情彻底消除一空，一口气挥下厨刀。锋利的刀尖直刺骑士团长指着的小型心脏。有活着的肉体所具备的明显的手感。骑士团长本身丝毫没有抵抗的表示。两只小手的手指像要抓取虚空似的挣扎着，此外没有任何动作。但他寄寓的身体正拼出浑身力气，急欲从迫在眉睫的死中挣脱出来。骑士团长诚然是理念，但其肉体不是理念。那到底是理念借用的肉体，肉体无意顺从地接受死亡。肉体有肉体的逻辑。我必须竭尽全力压制其抵抗，彻底中断对方的呼吸。骑士团长说"杀死我"，然而现实中我杀的，是其他什么人的肉体。

我恨不得抛弃一切，直接从这房间中一逃了之。但我的耳边还回响着骑士团长的语声:"为了找回秋川真理惠，诸君无论如何都要这样做，哪怕再不情愿!"

所以我将厨刀的刀身更深地插入骑士团长的心脏。事情不可能中途

罢手。刀尖穿透他细弱的躯体，从后背捅出。他的白色衣裳染得红红一
片。我握着刀柄的双手也给鲜血染红。但没有像《刺杀骑士团长》画面
那样鲜血四溅。我促使自己认为这是幻象。我杀的不过是幻象罢了，这
终究是象征性行为。

但我明白那不仅仅是幻象。或许那是象征性行为。然而我杀的绝不
是什么幻象。我杀的百分之百是一个活生生的血肉之身。虽说是雨田具
彦笔下生成的身高不过六十厘米的不大的虚拟之身，但其生命力意外顽
强。我手中厨刀的刀尖刺破皮肤，捅断几根肋骨，穿透不大的心脏，直
达身后的椅背。这不可能是什么幻象。

雨田具彦眼睛瞪得更大了，直视那里的场景——我刺杀骑士团长的
场景。不，不然。刚才在这里被我刺杀的对象，对于他不是骑士团长。
他目睹的到底是谁呢？是他在维也纳计划暗杀的纳粹高官？是在南京城
内把日本刀递给弟弟令其砍掉三名中国俘虏脑袋的年轻少尉？还是催生
这一切的更为本源性的邪恶的什么？我当然无由得知，不能从他脸上读
取类似感情的东西。那时间里雨田具彦的嘴巴始终没有闭合，嘴唇也没
有动。只有蜷曲的舌头企图为构筑什么话语持续做着徒劳的努力。

不久，在某个时点，气力从骑士团长的脖颈和胳膊上颓然退去，整
个身体顿时失去张力，犹如断了线的手控偶人即将吐噜噜瘫倒在地。而
他的心脏仍深深插着厨刀。房间中的所有一切都一动不动维持那一构
图，持续良久。

最先出现反应的是雨田具彦。骑士团长失去意识瘫倒之后不久，这
位老人也似乎再次耗尽了使得精神集中的气力，就像要说"该看的看清
楚了"似的大大吐出一口气，随即闭上眼睛，宛如放下卷帘门一样缓缓

地、重重地。唯独嘴巴还张着，但那里已经没有了肉乎乎的舌头，只有泛黄的牙齿如废弃房屋的院墙不规则地排列着。脸已不再浮现苦闷的表情，剧痛已然撤离。浮现在脸上的，是安然恬适的表情。看上去他得以重返昏睡那个平稳的世界、那个一无意识二无痛楚的世界。我为他感到欣慰。

这时我终于放松集中在手上的气力，将厨刀从骑士团长身上拔了出来。血从开裂的伤口汹涌喷出，同《刺杀骑士团长》的画面中雨田所描绘的毫无二致。拔出厨刀，骑士团长仿佛失去支撑，就势瘫痪在椅子上。眼睛猛然睁得大大的，嘴痛得急剧扭歪，两手十只小小的指头伸向虚空。他的生命已完全失去，血液在他脚下红黑红黑积成血泊。身体虽小，但流出的血量惊人之多。

如此这般，骑士团长——以骑士团长形体出现的理念——终于殒命。雨田具彦返回深沉的昏睡之中。说起此刻剩在这房间中有意识的存在，只有右手紧握沾满鲜血的雨田政彦那把厨刀竦立在骑士团长身边的这个我。传来我的耳边的，理应只有我本身粗重急促的呼吸。然而并非如此。我的耳朵听得另一种不安稳的动静。那是介于声音与气息之间的什么。侧耳倾听，骑士团长说，我顺从地侧起耳朵。

有什么在这房间里。有什么在那里动。我依然手握沾满血迹的锋利刃器，身姿未动，只是悄然转动眼珠朝那声音响起的那边看去。看清了，房间尽头角落有什么出现在眼角。

长面人在那里。

我通过刺杀骑士团长而把长面人拽到了这个世界。

**头戴橙色尖帽的人**

那里出现的，是和雨田具彦在《刺杀骑士团长》左下角画的同样的光景。"长面人"从房间角落开的洞口忽一下子探出脸来，一边用单手撑起方形盖子一边悄然打量房间情况。长长的头发乱糟糟的，满脸黑乎乎的胡子。脸如弯曲的茄瓜细细长长，下颚凹弯，眼睛异乎寻常地又圆又大，鼻子低矮扁平。不知何故，单单嘴唇如水果一般颜色鲜艳。身体不大，看上去像是整个均匀地缩小了尺寸，一如骑士团长看上去像是普通人身高的原样"立体缩小版"。

和《刺杀骑士团长》所画的长面人不同的，他面带惊愕表情怔怔盯视此刻已经沦为尸骸的骑士团长，难以相信自己眼睛似的微微张着嘴。我不知道他何时开始在那里摆出如此姿势的。由于我只顾察看雨田具彦的样子和制止骑士团长的苟延残喘，以致对房间角落这个人的存在浑然不觉。不过这奇妙的男子有可能无一遗漏地目击了事件的整个过程。为什么呢？因为这才是雨田具彦把它画进《刺杀骑士团长》的用意。

长面人一动不动地在"画面"一角保持同一姿势，活像被死死固定于构图之中。我试着轻轻动了一下身体。但是，我动也未使得长面人做出任何反应。他一只手顶起方盖，圆瞪双眼，以雨田具彦画中描绘的姿势凝视骑士团长，眨都不眨一下。

我一点点放松全身聚拢的力气，像要从既定构图中挣脱出来一样离开那个位置，蹑手蹑脚地往长面人那边走近。我单手提着血淋淋的厨刀，像猫一样放松脚步，悄悄、静悄悄地。不能让长面人直接缩回地下。骑士团长是为了救出秋川真理惠而主动舍身求死来重现《刺杀骑士团长》画面，将这长面人从地下拽出来的。不能让他白白牺牲。

问题是，如何对待这长面人才能得到关于秋川真理惠的消息呢？其路径我全然未能把握。长面人的存在与秋川真理惠的失踪有怎样的关联？长面人其人到底是谁、是什么？一切都处于迷雾之中。关于长面人，我从骑士团长那里获取的信息与其说是信息，莫如说接近谜语。但不管怎样，都必须留住长面人，更多的事只能下一步考虑。

长面人顶起的方盖，单边大约六十厘米长。盖子是用和房间地板相同的浅绿色漆布做成的。一旦关合，同地板的区别势必完全混淆。不仅如此，盖子本身都难免整个消失不见。

即使我走近，长面人也纹丝不动，俨然彻头彻尾固化在了那里。恰如被车前灯照出的猫在路面陷入僵挺状态。或者尽量稍微久一些固定和维持那幅画的构图乃是当场赋予长面人的使命也未可知。总之他这样一时陷入僵止状态对我是一种幸运。若不然，长面人发现我的临近而察觉自身危险，很可能当即逃回地下。而那个盖子一旦关闭，恐怕也再不会对外打开。

我悄悄绕到长面人背后，把厨刀放在旁边，迅速伸出双手抓住他的后领口。长面人身穿颜色黯淡的较为贴身的衣服，式样仿佛工装的粗陋服装。布料同骑士团长身上的高档服装截然有别，手感粗粗拉拉，到处打着补丁。

我一抓衣领，本来处于僵挺状态的长面人猛然回过神来，身体慌忙一甩，想要逃回洞中。但我紧抓衣领不放。无论如何不能让他逃掉。我拼出浑身力气，想把长面人的身体从洞中拉上地面。长面人拼死抵抗，双手抓着洞口边缘，支挺身体，拒绝被我拉上地面。力气意外之大，甚至要咬我的手。无奈之下，我把他的长脑袋狠狠磕在洞口一角。并利用反作用力又猛磕一次。这次磕得长面人昏迷过去，力气急速从身体消退。这么着，我总算把他从洞里拽到光照之中。

长面人个头略高于骑士团长。七十厘米或八十厘米，也就那个程度。他身上穿的，是农夫干农活时或男佣打扫庭院时穿的那种唯以实用为目的的衣服。硬撅撅的上衣，防寒裙裤般的长裤，腰间扎一条草绳样的带子。没穿鞋。大概平时打赤脚度日。脚底板又硬又厚，黑乎乎脏兮兮的。头发很长，看不出近来洗过梳过的痕迹。黑胡须差不多把脸庞遮去一半。没遮的部分面色苍白，看上去极不健康。浑身上下拿出哪一部位都显得不够洁净，但奇异的是没有体臭。

从其外观我推量得出，骑士团长恐怕属于当时的贵族人士，此人应是低贱的庶民。飞鸟时期的庶民大约是这等模样。不，或者"飞鸟时期的庶民大约是这等模样"终不过是雨田具彦想象的结果亦未可知。不过那类考证怎么都无所谓。此刻我必须在这里做的，是从这长相奇妙的男子口中套出有助于发现秋川真理惠的信息。

我把长面人脸朝下按倒，拉过旁边挂的浴衣带子把他的双手牢牢绑在背后。而后将他疲软的身体拖到房间正中。同身高相对应，体重倒没多重。中型犬那个程度。继而，我解下拢窗帘用的布带把他一条腿绑在床腿上。这样，即使意识清醒过来也已不可能逃进那个洞穴。

绑倒在地板、昏迷不醒当中全身沐浴午后明亮阳光的长面人，显得那般寒伧和可怜。由黑洞探出脸来目光炯炯地往这边打量时的那种令人不寒而栗的不祥之感已然从他身上消失。凑近细看也看不出他是居心不良的存在。脑袋也不显得多么好使。相貌显得反应迟钝规矩老实，而且好像胆小怕事。不是自己拿主意做判断，而是依照上面的指令乖乖做事之人。

雨田具彦依然躺在床上，静静闭合双眼，一动不动。是活着还是死了从外表上都全然判断不出。我把耳朵凑近他的嘴角，近得只有几厘米距离。侧耳倾听，尽管微乎其微，但可以听见仿佛遥远海鸣的呼吸声。还没有死，他只是安静地躺在昏睡的深底。得知这点，我约略放下心来。我不想让事情出现政彦的父亲在他离座之间咽气那一状态。雨田具彦侧身躺在那里，浮现出不妨说是同刚才判然有别的极为安详、满足的表情——眼看我在他自己面前刺杀了骑士团长（或之于他的应被杀死之人），似乎终于如愿以偿。

骑士团长仍以一如刚才的姿势沉缩在布面椅子之中。双目圆瞪，小小的舌头在微张的口中蜷作一团。心脏仍在出血，但势头减弱。拉了拉他的右手，已软绵绵没了力气。尽管肌肤仍多少留有体温，然而皮肤的触感已有了类似生分的东西——生命朝着非生命稳稳过渡当中荡漾的生分感。我很想扶正他的身体，纳入尺寸与身体相符的棺木中——小孩用的小棺木——让他静静地躺在小庙后面的洞里，今后再也不受任何人打扰。然而现在我能做的，只是把他的眼睑轻轻闭合。

我坐在椅子上，等待伸展在地板上的长面人意识恢复过来。窗外浩瀚的太平洋在阳光下闪闪发光炫目耀眼。一群渔船仍在作业。一架银色飞机光滑的机体闪闪烁烁地朝南面缓缓飞去。机尾探出长长天线的四桨机——从厚木基地起飞的海上自卫队对潜预警机。虽说是星期六的午后，但人们仍默默履行着各自的日常职责。而我在采光良好的高级老人养护机构的一室刚刚用厨刀刺杀了骑士团长，捆绑了从地下探出脸来的"长面人"，搜寻失踪了的十三岁美少女的下落。人形形色色❶。

长面人怎么也不醒来。我看了几次手表。

如果雨田政彦此刻突然返回这里，目睹这一场景他到底会怎么想呢？骑士团长被刺杀了蜷缩在血泊中，被捆绑起来的长面人倒在地板上。双方都身高不足一米，身穿奇特的古代服装。还有，处于深度昏睡状态的雨田具彦口角漾出微乎其微的满意笑容（仿佛笑容），地板一角豁然开着一个方形黑洞——对于造成如此状况的来龙去脉，我该如何向政彦解释呢？

但政彦当然没回来。如骑士团长所说，他有工作上的要紧事，为此必须用手机和某个人打很长的电话。那是事先设定之事。所以不会有中途我被谁打扰一类事情发生。我坐在椅子上观察长面人的动静。脑袋磕在洞角，引起一时性脑震荡，如此而已。意识恢复不至于需要多长时间。往下额头难免鼓一个不大不小的包，但顶多也就那个程度。

不久，长面人苏醒过来。他在地板上蠕动身体，嘴里吐出几个莫名其妙的词语。而后眼睛慢慢睁开一条缝，如小孩看见可怕之物时那样——不想看，而又不能不看。

我当即从椅子上起身，跪在他的身旁。

---

❶ 原文是"人さまざま"，是法国哲学家让·德·拉布吕耶尔（Jean de La Bruyère）的代表作《Les Caractères ou Les Moeurs de ce siècle》的日语译名，中文译为《品格论》或《人品论》。这是一部描写17世纪法国宫廷人士，深刻洞察人生的著作。

"没时间了!"我向下看着他说,"请你告诉我秋川真理惠在哪里。告诉了,马上解开绳子放你回那里。"

我指了指房间一角突然敞开的洞。方形盖子仍被顶起扔在那里。我不知道自己说的话对方能否听懂。反正只能当作他能听懂试一试。

长面人什么也没说,只是急剧摇了几次脑袋。至于是表示什么都不知道,还是意味着我说的他没听懂,看成哪个都未尝不可。

"不告诉就杀了你。"我说,"看见我刺杀骑士团长了吧?杀一个杀两个是一回事。"

我把粘着血糊的厨刀刀刃一下子贴在长面人脏污的喉结上。我想到海上的渔夫们和飞行员们。我们是在履行各自的职责。而且这是我们必须做的事。当然没有真杀他的打算,但厨刀锋利的刀刃是真的。长面人吓得浑身瑟瑟发抖。

"且慢,"长面人以沙哑的声音说,"且等等!"

长面人用词无不奇妙,但声音通透。我把厨刀从他的喉结稍稍移开。

"秋川真理惠在哪里,你是知道的吧?"

"不,那个人我一无所知。绝非虚言。"

我定定注视长面人的眼睛,容易读取表情的大眼珠子。他说的确乎不像虚言。

"那么,你到底在这里干什么?"我问。

"看准业已发生之事并且记录下来是我的职责。故而在此细看,实非虚言。"

"看准?为了什么?"

"我只是奉命行事，更多的我不知晓。"

"你究竟算是什么？同是理念的一种？"

"不，我等不是什么理念，仅仅是隐喻。"

"隐喻？"

"是的，是简简单单的暗喻，仅仅是将东西与东西联结起来的东西。故而务请饶命！"

我的脑袋开始混乱。"假如你是隐喻，就即兴说个隐喻试试！能说什么的吧？"我说。

"我是根本不值一提的下等隐喻，上等隐喻说不来。"

"不是上等的也无所谓，说说看！"

长面人沉思良久。而后说道："他是非常显眼的男人，犹如在通勤人群中头戴橙色尖帽的人。"

的确不是多么上等的比喻。首先，甚至暗喻都不是。

"不是暗喻，是明喻。"我指出。

"对不住，重说。"长面人额头浮现出汗珠，"他宛如在通勤人群中头戴橙色尖帽一样活着。"

"那一来句子意思就不通了。还是没有成为合格的隐喻——什么自己是隐喻云云，很难让人相信。只能杀掉！"

长面人吓得嘴唇急剧颤抖不止。脸上的胡须诚然气派，但相比之下胆小如鼠。

"对不住，我还类似见习工。好玩儿的比喻想不出来，敬请饶恕。可我是货真价实的地地道道的隐喻。"

"你有命令你做事的上司什么的？"

"没有上司什么的。也许有，但从未见过。我的行动仅仅听命于事象与表达的关联性，类似随波逐流的笨拙的水母。故而请勿杀我，敬希饶命！"

"饶你也可以，"我依然把厨刀贴在对方的喉结上说道，"作为替代，能把我领到你来的那里吗？"

"不，这个万万使不得！"长面人一反常态地斩钉截铁，"我来这里所走的路是'隐喻通道'，路线因人而异，相同的通道一条没有。故而我不能为大人您带路。"

"就是说，我必须单独进入那条通道，必须找出我本身的通道。是这样的吧？"

长面人断然摇头："大人您进入隐喻通道，那实在太危险了。具有血肉之身的人进入那里，只要走错一条路，势必走到匪夷所思的地方。那里到处有双重隐喻藏而不见。"

"双重隐喻？"

长面人打了个寒颤。"双重隐喻潜伏在里面的黑暗中，绝对是地痞无赖、危险的物种。"

"不要紧。"我说，"我已经卷入匪夷所思的地界。时至现在，再多几个少几个匪夷所思，都无所谓了。我亲手杀了骑士团长，不能让他白白死掉。"

"没办法！那么就请让我给予一个忠告。"

"什么忠告呢？"

"最好带一种照明用具去，有的地方相当黑暗。另外，必定在哪里遇上河。尽管是隐喻，但水是实实在在的水。水流又急又凉又深。没有船过不了河。船在码头那里。"

我问："在码头过河。往下如何？"

长面人一闪睁大眼睛，"过得河，前边还一直是因关联性而摇摆不定的世界。大人您只能以自己的眼睛小心看好。"

我走到雨田具彦躺着的床的枕边。不出所料，那里有一只手电筒。这类机构的房间必定配有手电筒以便灾害发生时使用。我试按一下开关，还很亮，电池没有耗尽。我把那只手电筒拿在手里，穿上椅背上搭的皮夹克，就要朝屋角洞口走去。

"有事相求，"长面人哀求似的说，"能把这带子解开吗？就这样留在这里，我可太伤脑筋了。"

"你如果是货真价实的隐喻，钻出绳套岂非不费吹灰之力？毕竟是概念啦观念啦那类玩艺儿的一种，空间移动什么的总可以做到吧？"

"不，那是高抬我了。我不具备那般非同寻常的能力。能称为概念观念的，是上等隐喻的事。"

"头戴橙色尖帽那样的？"

长面人现出悲凄的神色："请别奚落我，我也并非不受伤害的。"

我略一迟疑，归终决定解开捆绑长面人手脚的带子。捆得相当紧，解开费了些时间。听他说话，不像多么坏的家伙。虽说不晓得秋川真理惠的下落，但毕竟主动提供此外信息。即使还其手脚以自由，也不至于妨碍或损害我。再说也不能就这么捆着把他留在这里。若是被谁发现，事情难免愈发麻烦。他仍瘫坐在地板上，用小手喀哧喀哧搓着带有捆绑痕迹的手腕。之后手摸额头。看样子鼓了肿包。

"谢谢！这样就能够返回原来的世界。"

"先走无妨!"我指着房间角落的洞口说,"你可以先返回原来的世界。我随后去。"

"那么恕不客气,先行告辞。只是,最后请把这盖子盖好。不然可能有谁踩空掉下去。或者有人感兴趣进到里面亦未可知。那就成了我的责任。"

"明白,盖子保证最后盖好。"

长面人一溜小跑赶到洞口那里,脚伸到里面,只把脸的上半部分露在外面。大眼珠子贼溜溜闪着吓人的光亮,一如《刺杀骑士团长》画中的长面人。

"那么,多保重!"长面人对我说,"但愿找见那个什么什么人。是叫小径的吧?"

"不是小径。"说罢,后背倏然变凉,感觉喉咙深处干得像粘在一起似的,一时难以顺利发声。"不是小径,是秋川真理惠。关于小径你可知道什么?"

"不不,我什么也不知道。"长面人慌慌张张地说,"只不过那个名字刚才忽然闪出我这个笨拙的比喻性脑袋罢了。纯属错误,敬请饶恕!"

长面人随即消失在洞中,一如风吹烟散。

我手拿塑料手电筒当场怔怔站了好一会儿。小径?妹妹的名字为什么此刻出现在这里?莫非小径也和这一系列事件有什么关联不成?可我没有余地就此深入思考。我把脚踏入洞中,打开手电筒。脚下很黑,似乎一直是徐缓的下坡路。说奇妙也够奇妙的。这是因为,这个房间在这座建筑物的三楼,地板下该是二楼才对。然而,即使用手电筒探照,也无法看到通道的前头。我全身下到洞中,伸手把方形盖子盖得严严实实。于是周围完全暗了下来。

在这无限黑暗之中，无法准确把握自身的五感，就好像肉体信息与意识信息之间的联系被彻底割断一样。这是十分奇妙的感觉。觉得自己早已不是自己了。然而我必须前进。

杀了我才能找到秋川真理惠。

骑士团长这样说道。他付出牺牲，我接受考验。反正有进无退。我把手电筒的光亮作为唯一朋友，双脚迈进"隐喻通道"的黑暗中。

## 也许是拨火棍

　　包拢我的黑暗是那般浓密，了无间隙。黑得简直就像具有一个意志。那里一道光也射不进来，一点光源也找不见，活像在光照射不到的深海底行走。只有手中手电筒黄色的光勉强把我和世界联结起来。通道始终是徐缓的斜坡。仿佛是在岩石中圆圆开凿出来的漂亮的圆筒，地面坚实牢固，大体平坦。顶很低，必须时刻弯腰才不至于碰头。地下的空气凉浸浸让皮肤发冷，但没有气味，一切都近乎奇妙地概无气味。这里，甚至空气都可能和地上的空气构成不同。

　　手中的手电筒的电池能用多长时间，我当然无法判断。现在它放射的光似乎一气流注，而若电池半途耗尽（当然迟早总要耗尽），我势必孤零零留在这密不见光的黑暗中。而且，如果长面人的话可信，那么这黑暗的某处还潜伏着危险的"双重隐喻"。

　　握有手电筒的我的手心紧张得渗出汗来。心脏发出迟钝而坚硬的声音。声音让我想到森林深处传来的不安稳的鼓声。"最好带一种照明用具去，有的地方相当黑暗。"长面人忠告我说。这就是说，这地下通道并非全都漆黑一团。我盼望四周多少亮一些，盼望顶部多少高一些。黑暗狭小的场所任何时候都勒紧我的神经。久而久之，呼吸就逐渐变得困难。

　　我尽量不去考虑狭小与黑暗。为此就必须考虑别的什么。我让奶酪吐司浮上脑海。为什么非奶酪吐司不可呢？我也不清楚。总之奶酪吐司的样子浮上我此时的脑海。盛在无花白瓷盘里的方形奶酪吐司。吐司烤得恰到好处，上面的奶酪也融化得赏心悦目。此刻正要拿入我的手中。旁边还有冒着热气的黑咖啡。犹如星月皆无的深更半夜一般黑乎乎的黑咖啡。我动情地想起早餐桌上摆好的这些物件。朝外敞开的窗，窗外高大的柳树，如特技师一样岌岌可危地立在柔软的柳枝上发出轻快叫声的鸟们。无论哪一样都位于距现在的我远不可测的地方。

接着我想起歌剧《玫瑰骑士》。我要喝着咖啡嚼着刚烤好的奶酪吐司听那支乐曲。英国迪卡（DECCA）❶公司出品的漆黑漆黑的唱片。我把那沉甸甸的塑料片放在转盘上，慢慢放下唱针。乔治·索尔蒂指挥下的维也纳爱乐乐团。流畅而细腻的旋律。"即使一把扫帚，我也能用声音描述出来"——鼎峰时期的理查德·施特劳斯口吐狂言。不，那不是扫帚来着？有可能不是。没准是太阳伞，也许是拨火棍。是什么都无所谓。不过，究竟怎样才能用音乐把一把扫帚描述下来呢？例如热奶酪吐司、例如角质化的脚底板、例如明喻和暗喻的不同——对这些东西他果真能用音乐精确描述下来不成？

理查德·施特劳斯在战前的维也纳（德奥合并之前抑或之后？）指挥维也纳爱乐管弦乐团。那天演奏的曲目是贝多芬的交响曲。文静、优雅而又铿锵有力的第七交响曲。这部作品仿佛是夹在开朗外向的姐姐（第六）和腼腆美丽的妹妹（第八）之间诞生的。年轻时的雨田具彦坐在听众席上。身旁有美丽的姑娘，他大概恋着她。

❶ 宝丽金集团所属的一家以录制歌剧而闻名于世的唱片公司，成立于 1929 年。

我就维也纳街景浮想联翩。维也纳华尔兹、甜甜的萨赫（Sachertorte）巧克力蛋糕、建筑物顶端翻卷的红黑万字旗。

思维在黑暗中朝着意义缺失的方向——或许应说是没有方向性的方向——漫无边际地延伸开去。然而我无法控制其延伸方式。我的思维已然脱离我的掌控。在了无间隙的黑暗中把握自己的思考并非易事。思考化为神秘之树，将其枝条自由伸向黑暗之中（暗喻）。但不管怎样，我有必要为保有自我而不断思考什么——什么都无所谓的什么。舍此，势必由于紧张而陷入过度呼吸状态。

我一边围绕五花八门的事物胡思乱想，一边沿着笔直的坡路永无休止地下行。这是纯粹的直路，一无拐角二无分叉。无论怎么走，顶部高度也好黑暗程度也好空气质感也好倾斜角度也好都毫无变化。虽然时间感觉已基本消失，但既然下坡路绵延不断，那么理应来到了地下很深的地方。而无论多深，都终究不过是虚构之物罢了。不说别的，首先就不可能从建筑物的三层直接下到地下。就连黑暗也不过是虚构的。大凡这里有的，无一不是观念或比喻——我尽可能这样认为。尽管如此，紧紧包拢我的黑暗还是无处不在实实在在的黑暗，压迫我的深度也还是无处不在实实在在的深度。

由于一直弓腰行走，脖子和腰开始诉痛——就在这个时候，前方终于出现淡淡的光亮。舒缓的拐角有了几个，每拐过一角，周围光亮都略有增加。而且四周风景也好像可以分辨了，一如黎明的天空徐徐变亮。为了节约电池，我把手电筒关了。

虽说多少明亮些了，而那里气味和声音则依然没有。少时，黑暗狭窄的通道结束，我踏入几乎突然展开的空间中。仰望脑袋上方，那里没有天空。明显高出的地方仿佛有个类似乳白色天花板的东西，但究竟是什么看不清楚。四周被隐约浅淡的光照了出来。光甚是奇特，就好像无数萤火虫集合起来照亮世界。一来不再漆黑一团了，二来不弓腰也可以了，这让我好歹舒了口气。

离开通道，脚下是凹凸不平的岩石地带。没有道路那样的东西，唯独乱石遮蔽的荒野无边无际铺陈开去。长时间持续的下坡路就此终止，地面开始变为徐缓的上坡。我一边留意脚下，一边漫无目标地信步前行。看手表，时针已不表示任何意义。我当即领悟何以如此：我身上的其他东西在此也同样不具有任何实质性意义。钥匙扣、钱夹和驾驶证、若干零币、手帕，我带的东西无非这个程度，其中找不出任何可能对现在的我有所帮助的物品。

越走坡路越陡。很快就得四肢着地，完完全全成了攀爬架势。爬到顶端，或许可以四下瞭望。所以，尽管气喘吁吁，我也没有休息，只管在斜坡上攀爬不止。依然没有任何声音传来耳畔。我听到的，只有自己手脚发出的声音。就连这声音听起来也好像假的，不像真正的声音。放眼望去，那里一株树也没有，一棵草也不见，一只鸟也没飞，甚至风都没有吹来。说起动的东西，仅我而已。就好像时间停止了似的一切静止不动，万籁俱寂。

好不容易爬上山顶一看，不出所料，周围一带尽收眼底。只是，到处笼罩着一层白蒙蒙雾霭样的东西，无法如期待的那样看得那么远。我看明白的，至少在目力所及的范围内，那里似乎是全然没有生命迹象的不毛之地。岩石遍布粗糙不堪的荒野朝所有方向延展开去。依然看不见天空。只有乳白色的天花板（或看上去像是天花板的东西）整个压在头顶，恍惚成了因宇宙飞船故障而孤单单降落在无人的陌生行星上的宇航员。上面只有微乎其微的光和能够吸入的空气——仅此一点就该感谢才是。

侧耳倾听，似有某种微弱的声音传来。最初以为纯属错觉或自己身上产生的耳鸣什么的，但很快得知那是某种自然现象发生的连续性现实声响。总好像是水流声。说不定是长面人说的河流。不管怎样，反正我在这若明若暗的光亮中朝水声传来的方向一边当心脚下一边走下不规则的斜坡。

细听水声当中，我察觉喉咙干渴得火烧火燎。想来，很长时间里我光顾走路了，全然没有摄取水分。但想必紧张的关系，水什么的全然没有出现在脑海。而听得水流声，当即想喝水想得忍无可忍。话是这么说，可那河水——如果发出声音的真是河流的话——适于人饮用吗？一来可能是浑浊的泥水，二来水中没准含有某种危险物质和病原菌。或者是手掬不起来的单单作为隐喻的水亦未可知。姑且实际去看个究竟吧，别无选择。

随着步子的移动，水声听起来逐渐变大变清晰了。大约是汹涌穿过岩石地带的河流发出的声音。可是河什么样我还没有看到。大致估计着往声音响起的方向行走过程中，两侧地形渐次高耸，成了石壁架势，高达十米以上。一条路在如削石壁的夹击下出现了。路如长蛇一般随处拐来拐去曲曲弯弯，没办法望见前头。不是人工修建的路，怕是大自然开凿出来的。其尽头似有河水流过。

我沿着石崖相拥的路勇往直前。这一带也同样，一株树也不长，一撮草也不生。具有生命的物体哪里都荡然无存。闪入眼帘的只有绵延不

断的静默的岩石。没有润泽的单色世界。绝对像是画家中途失去兴趣而
彻底放弃着色的风景画。我的脚步声也近乎无声。所有声音都好像被四
周岩石吮吸一空。

路大体是平坦的，但不久变成拖拖拉拉的上坡路。花时间爬上顶
端，来到有一排尖状岩石脊背的地方。从上面探出身，这才得以把河流
状况收入视野。水声听起来比刚才清晰多了。

河看上去不很大。河面宽约五六米，也就那样。但流速相当快。多
深不知道。点点处处跃起不规则的微波细浪——由此看来，水下大约是
不规则地形。河笔直横穿岩石遍布的大地向前流去。我翻过岩石脊背，
走下陡峭的岩石地，朝河边靠近。

目睹河水由右而左汹涌奔流的场景，我的心情多少得以镇静下来。
至少有这么多水在实际移动，随着地形从某处奔向某处。在这此外别无
任何动态的世界上、在这甚至风都没有的世界上，唯独河水在移动。而
且把水声切切实实传向四面八方。是的，这里不是缺失动感的世界。这
点让我略感释然。

到了河边，我先在岸边蹲下掬水在手。令人快意的凉水，就像是汇
聚雪水的河流。看起来甚为清澈洁净。当然，仅仅目测是不晓得水是否
安全的。里边或许混有某种肉眼看不见的致命物质。含有危害身体的细
菌也不一定。

我嗅了嗅掬起的水味儿。没有气味（假如我没有失去嗅觉的话）。
随即含在嘴里。水没有味道（假如我没有失去味觉的话）。我一狠心把
水送入喉咙深处。我实在太渴了，无论带来怎样的后果都不能忍着不
喝。实际喝了也是全然无味无感的水。所幸，无论是现实的水还是虚构

的水，都充分滋润了我干渴的喉咙。

我用手往嘴里送了几次水，只管喝个痛快。我的喉咙渴得意外厉害。但是，用什么气味什么味道也没有的水滋润喉咙，实行起来感觉相当奇妙。口渴的时候咕嘟咕嘟喝冷水，我们会觉得比什么都好喝，浑身上下都贪婪地吸收它的味道。所有细胞欢呼雀跃，所有筋肉恢复生机。然而，这条河里的水全然没有唤起那种感觉的要素。口渴纯属物理性撤退消失。

反正尽兴喝水解除口渴之后，我起身重新四下打量。据长面人告诉我的，河边某处应有码头才是，去到那里船就会把我送到对岸。而到了对岸，就会在那里得到（大概）关于秋川真理惠下落的消息。可是，无论看上游还是看下游，哪里都没有看到像是船的东西。务必设法找到。自己涉水过河委实过于危险。"水流又急又凉又深，没有船过不了河。"长面人说。问题是，从这里到底去哪里才能找到船呢？河的上游？还是下游？二者必择其一。

这时我想起兔色的名字叫"涉"。"跋山涉水的涉"，他自我介绍。"为什么被取了这么个名字，原因我不知道。"往下他还这样说道："顺便说一句，我是左撇子。若叫我选择往右还是往左，我总是选择往左。"那是缺乏前后脉络的唐突的表达。何以突然说起这个，那时我未能完全理解。想必正因如此才清楚记得他的话。

未必是有多大含义的说法，很可能只是随口之言。但这里是（据长面人所说）由事象与表达的关联性构成的地方。我必须从正面认真对待这里显示的所有影射、所有偶然。我决定迎面往左前进。遵循无色的兔色先生的下意识指教，顺着一无气味二无味道的水流向下走去——它也许暗示什么，也许什么也没暗示。

我一边顺流前行，一边思考这水里可能有什么栖息。大概什么也不会栖息吧？当然没有明证。不过这条河里也同样感觉不出类似生命气息的东西。不说别的，在这一无气味二无味道的水中到底能有怎样的生物栖息呢？而且，这条河看上去过于将其意识强烈集中于"自己是河、是持续流动之物"这一点上。它确实取以"河"这一形象，但并非超出河这一存在方式的东西——就连一条小树枝一枚草叶都没在河面漂流。唯有大量的水在地表单纯移动不止。

周围依然笼罩着茫茫雾霭那样的东西。具有绵柔手感的雾霭。我就像钻过白色花边窗帘一样在这茫无头绪的棉花般的雾霭中移步前行。未几，胃中觉出刚才喝的河水的存在。并非令人不悦的凶多吉少之感，却也不是沁人心脾的愉悦感。乃是一种模棱两可无法确切把握实体的中立性感触。仿佛通过将此水摄入体内，自己成了具有和以前不同结构的存在——便是有这样一种莫名其妙的感觉。莫非喝这河水致使自己的体质变得同此地相适应了不成？

但不知何故，我没有对这一状况怀有多少危机感。恐怕没有大事，我大体感到乐观。并没有足以为之乐观的具体根据。不过迄今为止，看上去事情基本还是顺利的。平安穿过了狭窄漆黑的通道，一无地图二无指南针地横跨岩石遍布的荒野，还找到了这条河，用河水解了口渴，也没有遭遇据说黑暗中潜伏的危险的双重隐喻。也许纯属幸运。或者事情如此运行是事先定下的也有可能。不管怎样，如此下去，前面的事也应该一帆风顺，我这样想道，至少努力这样想。

很快，雾霭前方有什么影影绰绰浮现出来。不是天然物，是由直线构成的人工做的什么。临近一看，得知像是码头。不大的木结构栈桥朝河面伸出。我心想，往左走到底是对的。在这关联性世界，或许一切都依照自己采取的行动赋以形态亦未可知。看来是免色给我的下意识的暗示把我平安无事地领来这里。

透过淡淡的雾霭，望见码头上站着一个男子。身材高大。在目睹小个子的骑士团长和长面人之后，此人在我眼里宛如巨人一般。他靠在栈桥前端一个深色机械装置（仿佛）上站着，好像正在深思熟虑什么一动不动。就在他的脚下，河水急剧翻卷着泡沫冲刷不止。他是我在此地遇上的第一人，或者以人形出现的什么。我小心翼翼地缓缓朝那边接近。

"你好！"我从能清楚看见他体貌的近处，透过雾纱一咬牙打了声招呼。没有回音。他兀自站在那里，只约略改变一下姿势。黑色剪影在雾气中微微摇颤。也许没有听清。语声大概被水声抵消了。或者此地空气不堪传送语声也不一定。

"你好！"我又靠近一些再次招呼道，用比刚才更大的音量。但对方仍沉默不语。听见的唯有不间断的水声。也可能话听不懂。

"听见了，话也懂了。"对方应道，似乎读出了我的心思。语声同其高大的身材相应，深厚低沉。其中没有抑扬顿挫，听不出任何感情，一如河水不含有任何气味和味道。

**永远是非常长的时间**

站在我跟前的高个男子没有脸。当然不是没有头。他脖子上面像一般人那样长着头，但头上没有脸。应该有脸的地方唯有空白，仿佛乳白色轻烟的空白。他的语声是从空白中发出的，听起来就好像从深洞尽头传出的风声。

对方身穿色调灰暗的防雨风衣那样的东西，风衣下端很长，几乎长及踝骨。下面探出长靴的尖头。风衣扣全都扣着，一直扣到喉结，俨然防备风暴袭来的装束。

我什么也没再说，当场伫立不动。我的口中出不来话语。稍离开些看去，既像是白色斯巴鲁"森林人"车上的男子，又像是深夜来访家中画室的雨田具彦，还像是《刺杀骑士团长》中挥起长剑刺杀骑士团长的年轻男子。三人都身材高大。可是近前细看，得知谁也不是，单单是"无面人"。他戴着宽檐黑帽，拉得很低，帽檐将乳白色空白遮掉一半。

"听见了，话也懂了。"他重复道。当然嘴唇不动，没有嘴唇。

"这里是河码头吗？"我问。

"不错。"无面人说，"这里是码头，能过河的只此一处。"

"我必须去河对岸。"

"没有不去的人。"

"这里有很多人来吗？"

他没有回答。我的问话被吸入空白。没有休止符的沉默。

"河对岸有什么呢？"我问。由于笼罩着白色河雾样的东西，河对岸还是不能看清。

无面人从空白中盯视我的脸。而后说道："河对岸有什么，那因人而异，取决于人对那里有求于什么。"

"我在寻找秋川真理惠那个女孩的下落。"

"那就是你有求于河对岸的，是吧？"

"那就是我有求于河对岸的。为此来到这里。"

"你是怎么找到这里的入口的呢？"

"我在伊豆高原一座高龄者疗养机构的一室用厨刀刺杀了以骑士团长形体出现的理念，是两相自愿基础上的刺杀。结果招来了长面人，让他打开通往地下的洞口。"

无面人好一会儿一言不发，空白面孔直定定对着我。我琢磨不透我说的意思他能否理解。

"出血了吧？"

"很多很多。"我回答。

"可是实实在在的血？"

"看上去是。"

"看一下手！"

我看自己的双手。但手上已没有血迹。大概刚才掬河水喝时被冲洗掉了。本来沾了很多很多血来着。

"也罢，就用这里的船把你送去河对岸好了！"无面人说，"但为此有一个条件。"

我等他说出条件。

"你必须向我支付相应的代价。这是规定。"

"如果不能支付代价就去不了对岸,是这个意思吗?"

"是的。只能永远留在河这边。这条河,水很凉,流速快,底很深。而且永远是非常长的时间。这可不是修辞。"

"可是我没带任何能支付给你的东西。"

他以沉静的语声说:"把你衣服口袋装的东西全部掏出来看看!"

我把装在夹克和裤子口袋里的东西统统掏了出来。钱夹里有不足两万日元的现金,信用卡和借记卡各一枚,驾驶证、加油站的优惠券。钥匙扣上有三把钥匙。另有浅奶油色手帕,有一支一次性圆珠笔。还有五六枚零币。只这些。当然手电筒是有的。

无面人摇头道:"可怜,那点儿东西当不了摆渡钱。钱在这里毫无意义。此外没有身上带的东西了?"

此外什么也没带。左手腕倒是戴着一块廉价手表,但时间在这里不具任何价值。

"如果有纸,可以画你的肖像画。说起此外我随身带的,不外乎画画技能。"

无面人笑了——我想应该是笑——空白里面隐约传来类似欢快回响的声音。

"我根本无脸。无脸的人的肖像画怎么能画出来呢?无也能画成画?怎么画?"

"我是专家。"我说,"没有脸也能画肖像画。"

无面人的肖像画能否画出，自己完全没有自信。但试一试的价值应该是有的。

"能画成怎样的肖像画，作为我也极有兴趣。"无面人说，"遗憾的是，这里没有纸。"

我目光落在脚下。或许能用棍子在地上画。但脚下地面是坚硬岩石地。我摇头。

"这果真是你身上带的一切？"

我再次把所有口袋仔细搜寻一遍。皮夹克口袋里再没装什么了，空空如也。不过我发觉裤袋深处有个很小的东西。那个塑料企鹅饰物！免色在洞底找到给我的。连着一条细绳吊带。秋川真理惠作为护身符拴在手机上的。不知何故掉在洞底。

"把手里的东西给我看看。"无面人说。

我摊开手，让他看企鹅饰物。

无面人以空白眼睛定定注视。

"这个可以。"他说，"就以这个为代价吧！"

我判断不出把这个给他是否合适。不管怎么说，这是秋川真理惠所珍惜的护身符，不是我的持有物。随便给谁可以吗？给了，秋川真理惠身上会不会有什么不妙的事情发生？

可是我别无选择。如果不把这个给无面人，我就不能去河对岸。而若不去河对岸，就不能锁定秋川真理惠的去向。骑士团长的死也白死了。

"把这个作为摆渡费给你。"我一咬牙说道，"请把我送到河对岸。"

无面人点头："可能总有一天我会找你画我的肖像画。果真那样，届时就把这企鹅玩偶还给你。"

　　他打头跳上系在木栈桥前端的小船。较之船，样子更像是扁平的糕点箱，棱角分明。是用看似相当结实的厚木板做的，狭长，全长不足两米。估计一次运不了几个人。船底正中间那里竖着一根粗柱，顶端拴有一个直径约十厘米显得甚是结实的铁环，一条粗绳从环中穿过。粗绳几乎不打弯地直挺挺从此岸拉到彼岸。看情形，船是顺着粗绳往来以免被湍急的河水冲走。船似乎用了很久了。没有发动机那样的东西，橹也没有，只一个木箱浮在水面。

　　我跟在他后面跳上船来。船底铺着平木板，我弓身坐在上面。无面人靠着正中间的粗柱站定，像等待什么似的闭目缄口。我也什么都没说。静默之中过去了几分钟，而后船仿佛下定决心，开始缓缓前行。虽然无法判断是以什么动力驱使的，但反正我们在无言中缓缓向对岸驶去。引擎声也好其他任何种类的机械声也好，概无所闻。传来耳畔的只有不断撞击船舷的河水声。船大体以差不多和行人同样的速度前进。船因水势摇晃甚而倾斜，但由于穿过铁环的粗绳的作用，不至于被水冲走。确如无面人所说，人不坐船是基本不可能过河的。无面人即使船大大摇摆也若无其事地静静靠在立柱上。

　　"到了对岸，就会明白秋川真理惠在哪里吗？"我在河中间一带问他。

　　无面人说："我的职责是把你送到对岸。让你穿过无与有的间隙是我的工作。再往下的事不是我的分内事。"

　　不久，"砰"一声，船轻轻撞到对岸的栈桥码头，停了下来。船停了，无面人也还是久久保持那个姿势不动，仿佛靠着粗立柱在脑袋里核实什么。之后大大吐了一口空白的气，下船上到码头。我也随后下船。无论码头还是那上面的绞盘似的机械装置，样式都和出发那个地方一模一样，以致我觉得是不是又转回刚才那里了。但当我离开码头脚踏地面时当即知道那是错觉。这里是对岸之地，不是粗粗拉拉的岩石地带，而成了普通地面。

"由此往前，你必须一个人前行了。"无面人告诉我。

"即使方向路线都不知道？"

"不需要那类东西。"他从乳白色的虚无中低声说道，"河水已经喝了吧？只要你行动，关联性自会相伴而生——这里就是那样的场所。"

如此言毕，无面人调整一下宽檐黑帽，转身折回小船。他上去后，船和来时一样顺着粗绳缓缓返回对岸，活像训练有素的活物。这么着，船和无面人融为一体消失在雾霭中。


我离开码头，姑且决定走往下游。恐怕不从河边离开为好。这样也可以在口渴时喝到河水。走了几步回头一看，码头已然隐没在白茫茫的雾霭深处，简直就像那东西一开始就不存在似的。

随着朝下游行进，河面逐渐宽了，水流也眼看着变得平稳起来。浪花不复再现，水流声现在也几乎听不见了。我想，在水流这般平稳的地方建码头多好，何苦非横渡水流湍急的河段不可！就算距离稍长一些，也还是这样过河轻松得多。但是，大概这个世界有这个世界的原理和想法。或者如此水流平稳的地方反而潜伏更多的危险也未可知。

我试着把手插进裤袋。但那里已经没有了企鹅饰物。弄没了护身符

（我恐怕永远失去了它）不能不让我感到不安。没准我的选择是错的。除了把它交给无面人还能有什么选择余地呢？但愿秋川真理惠即使远离护身符也能平安无事——眼下的我除了祈愿一无所能。

我一只手拿着从雨田具彦床头借来的手电筒，一边当心脚下一边在河边地带前行。手电筒的开关照样关着。四周虽然不那么亮了，但还不至于需要手电筒光。脚下完全看得见，四五米开外也能充分纳入视野。河水紧挨我的左侧静静地缓缓地流淌。对岸照样扑朔迷离，偶尔一闪可见而已。

行进之间，道路样的东西在我的前面逐渐形成。虽然不是明明白白的路，但显然像在发挥作为路的功能。隐约感觉过去也似乎有人走过这里。而且，这条路好像正一点点偏离河流。我停在一处犹豫：应该就这样顺流下行还是应该沿着类似路的东西离河而去呢？

思考有顷，我选择离河沿路前进。因我觉得这条路会把我领去哪里。只要你行动，关联性自会相伴而生，无面的摆渡人说。这条路也可能同是关联性之一。我决定按照自然的暗示（或类似暗示的什么）行动。

离河越来越远，路也越来越变成上坡。不觉之间，水声听不见了。我以一定的步调沿着几近直线的慢坡路行走。雾霭已经散尽，而光依然模糊不清、单调浅淡，无法看见远处。我在这样的光亮中有条不紊地呼吸，一边留意脚下一边迈步。

走了多久呢？时间感早已丧失，方向感荡然无存。也有一直边走边想事这个原因。我不能不想的事太多了。但实际上又只能想得支离破碎。打算想某件事的时候，马上有别的念头冒出脑海。新的念头好比大鱼吃小鱼将此前的念头整个吞噬进去。如此这般，思考总是朝着不应有的方向突飞猛进。最后彻底糊涂起来，不知自己现在到底在想什么？打算想什么？

由于意识如此混乱，注意力就彻底分散了，险些和它发生不折不扣的正面冲突。但这时我碰巧绊上什么几乎跌倒，好歹站直身体，在此止住脚步，扬起低伏的脸。皮肤感觉得出周围空气有了急剧变化。我猛然清醒过来，发现一个仿佛巨形块体的东西在眼前黑魆魆拔地而起，迫在眉睫。我屏住呼吸，瞠目结舌，刹那间不知如何是好。这是什么？花了好些时间才明白那是森林。原本见不到一草一木的地方竟赫然出现几须仰望的森林，不能不让人吃惊。

然而确是森林无疑。树木纵横交错，葳蕤繁茂，密不透风，里面郁郁葱葱。不，较之森林，大约说"树海"更为接近。我站在它跟前侧耳倾听，久久一无所闻。没有风摇树枝的动静，听不见鸟的叫声。什么声音都没传来耳畔。彻头彻尾的静默。

踏入森林让我感到本能的惧怯。树木长势过于茂密，里面的黑暗仿佛深不可测。不晓得森林规模多大，不知道路通向哪里。或者路到处分岔让人迷路亦未可知。万一迷失其间，脱身出来恐怕远非易事。可是，除了断然进入其中别无选择。我走来的路已被直接吸入林中（恰如铁路被吸入隧道）。而且既已至此，现已不可能再返回河边。何况返回也不能确保那里仍有河。总之，我是沿这条路一门心思走过来的，哪怕再有什么也有进无退。

我决意把脚踏入昏暗的森林之中。至于现在是天明时分还是中午抑或傍晚，仅凭光亮无以判断。能判断的，只是这仿佛薄暮的淡淡光亮无论过去多久都一成不变。或者这个世界根本不存在时间这个东西也有可能。如此程度的光亮没准永远持续下去，既无天明又无日暮。

森林中确实昏暗。头顶严严实实覆盖不知几多层树枝。不过不能打手电筒。一来眼睛逐渐习惯昏暗，迈步的脚下总可以看清，二来不想浪费电池。我一边尽量什么也不想，一边顺着林中暗道一味行走不止。因我觉得一旦想什么，那一念头就可能把我带去某个更暗的地方。路始终是徐缓的上坡路。行走之间传来耳边的唯独自己的脚步声。而脚步声也好像走着走着被抽走了一些，静悄悄小了起来。但愿不要口渴。离河应该相当远了。就算口渴，也不可能折回喝水。

走多长时间了呢？森林无休无止，怎么走也几乎看不出风景有变化。亮度也始终如一。自己足音以外的任何声音都传不来耳边。空气照样没有气味。树木重重叠叠在小路两侧构成墙壁。除了壁，眼中别无所见。这森林里没有活物栖息不成？想必没有。纵目四周，无鸟，无虫。

尽管如此，却有一种自己始终被什么注视的感觉，感觉分外鲜活真切。似乎有几只眼睛从昏暗中透过树木厚墙的缝隙注视、监视我的一举一动。我的肌肤像感受镜头集约光束一样火辣辣感受着那些锐利的视线。他们要看清我在这里想干什么。这里是他们的领土，我是孤独的入侵者。但我并未实际看到那些目光。可能纯属我的错觉。恐惧和疑心在昏暗中制造出几多虚构的眼睛。

另一方面，秋川真理惠说她隔一条山谷在皮肤上切切实实感受到了通过双筒望远镜发送的免色的视线。她得以知晓自己被谁日常性观察着。而且她的感觉是正确的，那视线绝非虚构之物。

尽管这样，我还是决定将倾注在自己身上的那些视线视为莫须有之物。那里没什么眼睛，那不外乎自己的恐惧心理制造出的错觉。这样认为是必要的。总之我必须最后穿出这片庞大的森林（尽管不知其多大）。尽最大限度保持清醒头脑。

所幸一条岔路也没有。所以不必为何去何从而困惑，不会误入不知去向的迷途，也没有带尖刺的树枝挡住去路。只管沿一条小路持续前行即可。

这条路走多久了呢？估计时间非常之长（虽说时间在这里几乎不具任何意义）。但我几乎没觉出疲劳。相对于觉出疲劳，我的神经大概太亢奋、太紧张了。而当两腿到底开始变重的时候，觉得前方远远闪出小小的光源。宛如萤火虫的黄色小点。但不是萤火虫。光点只有一个，不摇曳，亦不闪烁。看来像是固定于一处的人工之光。随着步子的前移，光变得更大了更亮了——尽管微乎其微——不错，我正朝着什么接近。

至于那是善的还是恶的，则无由知晓。是帮助我的呢？还是伤害我的呢？而无论哪一种，我都不具有所谓选项。善的也罢恶的也罢，那光是什么，我都只能实际亲眼看个究竟。倘若讨厌，一开始就不该来这种地方。我朝着光源一步步移动脚步。

不久，森林突然终结。两侧树墙尽皆消失。蓦然回神，已经来到仿佛开阔的广场的场所——终于钻出了森林！广场地面平坦，呈漂亮的半月形，在这里终于得以看见头上的天空。类似薄暮的光再次照亮我的四周。广场前面是拔地而起的悬崖峭壁，那上面开着一个洞，而我刚才目睹的黄光，是从那洞窟的黑暗中漫出来的。

背靠蓊郁的树海，迎面悬崖高耸（绝无可能攀登），那里有个洞口。我再度仰面看天，环顾四周。此外没有像路的路，我能采取的行动只有把脚踏入洞中。踏入之前我做了几次深呼吸，尽量重建意识。前进产生关联性，无面人这么说。我正在无与有的缝隙中穿行。我只能完全相信他的话，毅然决然委身其间。

我小心翼翼踏入那个洞中。随即，我想到一件事：以前也进过这个洞。洞的形状有印象，空气也熟悉。继而记忆倏然复苏。富士风洞！小时候放暑假由年轻的舅舅领着，和妹妹小径一起进过的洞。而且，路一个人吐噜噜钻进其中狭小的横洞，半天都不返回。那时间里一阵不安朝我袭来，担心妹妹就那样消失去了哪里，担心被地下漆黑的迷宫永远吸纳进去。

永远是非常长的时间，无面人说。

我在洞中朝着黄光漫来的那边一步一挪。尽可能放轻脚步、抑制胸口亢奋的跳动。转过岩壁拐角，我得以目睹那个光源。原来是旧矿灯。过去的矿工在坑道使用的那种带黑色铁边的老式矿灯。矿灯中点着一支粗蜡烛，吊在岩壁上钉的粗钉子上。

"矿灯"两个字似乎听过。它同大约雨田具彦参与的抵抗纳粹的维也纳学生地下组织的名称有关❶。各种事情迅速连在一起。

矿灯下站着一个女子。最初所以没有察觉，是因为她个头太小了。身高不足六十厘米，黑发漂亮地扎在头顶，身穿白色古代衣裳。一看就知是高档衣裳。她也同样是从《刺杀骑士团长》画中穿出来的人物——那个把手捂在嘴角、以惧怯眼神目击骑士团长被刺杀现场的年轻美女。以莫扎特歌剧《唐璜》的角色而言，即唐娜·安娜，被唐璜杀害的骑士

❶ 维也纳学生地下抵抗组织的名称为新烛光（坎德拉），日语为**カンデラ**，同此处意为矿灯的**カンテラ**发音相仿。

团长的女儿。

矿灯光照下的她的黑影被鲜明放大照在身后的岩壁上，摇曳不定。

"等着您呢!"小个头唐娜·安娜对我说。

**55  那是明显违反原理的事**

"等着您呢!"唐娜·安娜对我说。身体固然小,但语声清脆。

这时我已大体失去了对什么吃惊的感觉。甚至觉得她在此等我莫如说是理所当然的结果。容貌美丽的女性。有自然率真的优雅,语声听得出坚贞不屈的韵味。尽管身高不足六十厘米,但她似乎具有让男人心仪的特殊的什么。

"从这里开始由我带路。"她对我说,"拿起那盏矿灯可好?"

我顺从地摘下墙上挂的矿灯。谁挂的不知道,但那矿灯挂在她手够不到的高处。矿灯顶端连有铁环,可以用来挂钉,或拎在手里移动。

"等我到来?"我问。

"是的,"她说,"在这里等好久了。"

莫非她也同是隐喻的一种?但我总觉得不宜对她问得这般直截了当。

"您是住在这个地方的吗?"

"这个地方?"她以诧异的神色反问,"不,我只是在这里等你。说这个地方我也不大懂。"

我再没继续问什么。她是唐娜·安娜,在此等我到来。

她身上是和骑士团长身上同样的白色装束,怕是丝绸的。好几层丝绸作为上衣重重叠叠,下面是肥肥大大的长裤样的东西。体形从外面看不出来，不过总好像是紧绷苗条的身段。脚上是用什么皮革做的小黑鞋。

"好了，走吧！"唐娜·安娜对我说，"没有时间余地。路时时刻刻变窄。请跟在我后面，提着矿灯！"

我把矿灯举在她头顶，照着四周跟在她后面。唐娜·安娜以熟练快速的步伐朝洞窟深处走去。蜡烛火苗随着步伐晃动，周围岩壁细微的阴影如活的马赛克镶嵌图案翩翩起舞。

"这里看上去好像我曾经去过的富士风洞。"我说，"实际上是的吧？"

"这里的一切都是好像的东西。"唐娜·安娜也不回头，似乎对着前面的黑暗说道。

"就是说不是真的？"

"真的是什么，谁也不知道。"她说得很干脆，"目力所及，归终都是关联性的产物。这里的光是影的比喻，这里的影是光的比喻。我想您是知道的。"

我不认为我能正确理解其含义，但我没再问下去。一切都将沦为象征性哲学议论。

越往里走，洞越慢慢变窄。洞顶也低了，必须约略弓腰才行，一如富士风洞那次。不久，唐娜·安娜止步停下，回过头以一对小黑眼睛直直地向上看我。

"我能在前面带路的，到此为止。由此往前必须由您率先前进，我跟您走到半路——那也只是到某个地点为止。再往前您只能一人独行。"

由此往前？说得我歪头不解。这是因为，无论怎么看洞都在此终止了。前头矗立着黑乎乎的岩壁，别无其他。我用矿灯四下探照，但洞还是到此为止。

"从这里好像哪里也去不成了。"我说。

"请仔细看，左边角落那里应该有个横洞入口。"唐娜·安娜说。

我再次用矿灯光往洞左边角落照了照。探身靠近细看，果然大岩石后面藏有一个看似阴影的凹窝。我从岩石与洞壁之间挤过身子，查看这个凹窝。确实像是横洞入口。同在富士风洞路钻入的横洞十分相似，但较之稍微大一些。据我的记忆，小妹那时钻入的是更小的横洞。

我回头看唐娜·安娜。

"您必须进到里面去。"这位身高六十厘米左右的美丽女性说。

我一边搜寻字眼一边注视唐娜·安娜的美貌。在矿灯黄光的照射下，她拉长的身影在墙上晃来晃去。

她说："我知道您向来对黑暗狭小的地方怀有强烈的恐惧心理。进入那种地方，就没办法正常呼吸。对吧？但即使那样，您也必须决心进到里面。若不然，您就不能得到您希求的东西。"

"这横洞通向哪里呢？"

"我也不知道。前途由您本身、您的意志决定。"

"可我的意志里也含有恐惧。"我说，"这让我担心。我的那种恐惧感说不定会扭曲事物，把我带去错误方向……"

"恕我重复，决定道路的是您本身。尤其是，您已经选择了您应走的道路。您已经付出巨大的牺牲来到这个世界，坐船过了那条河。无法后退。"

我重新打量横洞的入口。想到自己这就要钻进这又窄又暗的洞中，身体一阵收缩。然而这是我非做不可的事。如她所说，已经后退不得。我把矿灯放在地上，从衣袋掏出手电筒。不能带矿灯进这狭窄的横洞。

"要相信自己。"唐娜·安娜以低微而通透的语声说，"喝那条河的水了吧？"

"嗯，渴得忍无可忍。"

"那就好。"唐娜·安娜说，"那条河流淌于有无之间。而且，出色的隐喻会让所有事物中隐含的可能性的河流浮现出来。犹如优秀的诗人会在一种光景中鲜明地演示出另一种新光景。不言而喻，最好的隐喻即是最好的诗。您不能把眼睛从另一种新光景上移开。"

我想，雨田具彦画的《刺杀骑士团长》可能就是"另一种新光景"。那幅画大概如同优秀诗人所做的那样化为最好的隐喻，在这世界上确立另一种新的现实。

我打开手电筒，检查光亮。光的亮度没有恍惚感，看来电池还能用一阵子。我决定脱去皮夹克留下。不可能穿这种硬撅撅的衣服进这狭小的洞穴。我身上现在是一件薄薄的毛衣，一条蓝色牛仔裤。洞里既不很冷，又不太热。

之后，我下定决心，弯腰弓背，几乎四肢着地将上半身爬入洞中。洞的周围由岩石构成，但表面溜滑溜滑，就好像经年累月被流水冲洗过一样，几乎没有棱角。这么着，尽管狭窄，但往前爬起来并没有想的那么困难。手碰上去，岩石约略发凉，似乎微含潮气。我用手电筒光照着前面，像虫子一般缓缓爬向前去。我猜想这洞说不定曾经作为水渠发挥过功能。

洞高六十厘米或七十厘米，横宽不足一米。只能匍匐前进。有的地

方稍窄，有的地方略宽，这黑暗的天然管道——我感觉——便是这样绵
延不绝。时而横向拐弯，时而上坡下坡。所幸没有大的落差。不过，假
如这洞果真发挥过作为地下水渠的功能，那么此时此处忽然涌进大量的
水也并非不可能——这样的念头倏然浮上脑海。想到自己没准在这狭窄
的黑洞中淹死，当即怕得手脚麻痹，动弹不得。

我想返回来时的路。可是在这狭小的洞中根本不可能转换方向。不
知不觉之间，通道似乎一点点变窄了。将爬来的距离朝后退回也好像不
大可能。恐惧感把我整个包围起来。我被完完全全钉在了这里。进不
得，也退不得。浑身所有细胞都渴求新鲜空气，急促喘息不止。我彻底
孤独无力，被所有的光弃置不理。

"别停，直接前进！"唐娜·安娜以清晰的声音说。至于那是幻听还
是她真的在我身后发声，我无从判断。

"身体不动了。"我朝着应该在我身后的她好歹挤出声音，"呼吸也
困难了。"

"把心牢牢收住，"唐娜·安娜说，"不能让心乱动。心一旦摇摆不
定，就要成为双重隐喻的饵料。"

"双重隐喻是什么？"我问。

"您应该已经知道。"

"我知道？"

"因为就在您身上。"唐娜·安娜说，"就在您身上捕捉之于您的正
确情思，一个接一个大吃大嚼，吃得肥肥大大。那就是双重隐喻，很早
就已住在您体内深重的黑暗中。"

我恍然大悟：白色斯巴鲁男子！我并不情愿，却又不能不那样想。

估计是他促使我勒女子脖颈的，以此让我窥看我本身心间的黑暗深渊。并且出现在我大凡所到之处，让我想起那黑暗的存在。恐怕那就是真相。

你小子在哪里干了什么，我可是一清二楚！他如此告诉我。他当然无所不知。因为他就存在于我自身之中。

我的心处于黑暗的混乱中。我闭上眼睛，力图将心锁定在一个地方。我咬紧牙关。可是怎样才能将心锁定在一个地方呢？说到底，心在哪里呢？我依序搜寻自己的全身。然而没发现心。我的心究竟在哪里？

"心在记忆中，以意象为营养活着。"女子语声说道。但那不是唐娜·安娜的语声。那是小路的声音，死于十二岁的妹妹的声音。

"在记忆中寻找！"令人怀念的声音说，"找具体的什么，手能触到的什么。"

"路？"我问。

没有回音。

"路，你在哪里？"

仍无回音。

我在黑暗中探寻记忆，像用手在一个大大的旧百宝囊里摸索那样。但我的记忆似乎成了空壳。记忆是怎样一个东西？就连这个也想不起来了。

"熄掉光亮，且听风声！"路说。

我关掉手电筒，照她说的倾听风的声音。却什么也没听到。勉强听到的，只有自己心脏的跳动。我的心脏如被强风扇动的纱窗一样发出慌乱的声响。

"且听风声!"路重复道。

我屏息敛气,再次聚精会神侧耳倾听。这次得以听到像被心跳声遮掩般的微弱的空气呜呜声。呜呜声时高时低,仿佛远方某处在刮风。继而,我感觉脸面有微乎其微的气流,似乎前方有空气进来。而且那空气里含有气味。毫不含糊的气味,湿土的气味。那是我踏进隐喻之地以来第一次嗅得的像是气味的气味。这条横洞通向哪里,通向某个有气味的场所,亦即现实世界。

"好了,往前动!"这回唐娜·安娜开口了,"时间所剩无多。"

我仍关着手电筒,在黑暗中往前爬去。一边爬行,一边尽量把哪里吹来的真正的空气多一些吸入胸间。

"路?"我再次呼唤。

还是没有回音。

我拼命摸索记忆口袋。那时路和我养猫来着。一只脑袋好使的黑色公猫。名字叫"子安"(何以给它取这样的名字,原因记不得了)。她放学回来路上捡的小弃猫,把它养大。但某个时候那只猫不见了。我们日复一日在附近所有场所找来找去。我们给那么多人看"子安"的照片。然而猫到底没有找到。

我一边回想那只黑猫一边在窄洞中爬行。我是和妹妹一起在这洞中爬着找黑猫——我尽量这样想道,想在前方黑暗中找到丢失的黑猫的身影,想听它的叫声。黑猫是十分具体的东西,能够用手触摸。我得以真切想起那只猫的毛的手感、体温、掌球的硬度、喉咙呼噜噜的响声。

"对了,这就好。"路说,"继续想下去!"

你小子在哪里干了什么,我可是一清二楚! 白色斯巴鲁男子忽然对我说道。他身穿皮夹克，头戴尤尼克斯高尔夫帽。他的声音被海风吹哑了。被这声音乘虚一击，我胆怯起来。

我拼命地继续想猫，努力把风带来的些微土气味儿吸入肺腑。我觉得那气味有熟悉感。那是前不久在哪里吸过的气味。而在哪里却怎么也想不起来。我到底在哪里嗅到这种气味呢？想也想不起来的时间里，记忆再次开始变得淡薄起来。

用这个勒我的脖子！女子说。桃色舌头从唇间闪烁可见。枕头下准备好了浴衣带。她的黑色阴毛湿漉漉的，如被雨打湿的草丛。

"在心中推出让人怀念的东西，什么都行，"路以迫切的语声说，"快，快快！"

我想再次思考那只黑猫。然而"子安"的样子已无法想起，怎么也浮不上脑海。或许在我稍微考虑其他事当中，猫的形象被黑暗吞噬一尽。必须赶紧推出别的什么。黑暗中有一种不快的触感，洞似乎一点点变窄。这个洞说不定是活的动的。时间所剩无多，唐娜·安娜说。腋下流出一道冷汗。

"快，快想起什么！"路从背后对我说，"想能用手触摸的东西，想能即刻画成画的东西。"

我像溺水之人紧紧抓住救生圈那样想起标致 205。我手握方向盘从东北向北海道一路旅行。想那辆旧的小型法国车。恍若隔世，但那四缸粗俗的引擎声仍清晰烙在我的耳畔。将车挡从二挡挂到三挡时那生硬的牵强感也无法忘怀。一个半月之间那辆车是我的伙计、唯一的朋友。现在倒是已沦为废铁……

尽管如此，洞也好像在确确实实变窄。即使爬行，洞顶也开始碰头了。我要打开手电筒。

"不要光亮!"唐娜·安娜说。

"没有光亮看不见前面嘛!"

"不能看!"她说,"不能用眼睛看!"

"洞一个劲儿变窄。这样下去,身体要被夹住动弹不得。"

没有回音。

"再也前进不得了,"我说,"怎么办?"

还是没有回音。

唐娜·安娜的语声也好,路的语声也好,都已一无所闻。她们好像都不在了。这里有的只是深深的静默。

洞越来越窄,身体前移越来越难。惶恐朝我袭来。手脚麻痹似的动弹不得,吸气也难以为继。你已经被关进小棺木,有声音在我耳边低语,你前进不了也后退不得,将被永远埋在这里,将在这谁的手也够不到的又黑又窄的场所被所有人弃置不理。

这时,背后有什么凑近的动静——某个扁平的什么在黑暗中往我这边爬来。不是唐娜·安娜,不是路。那不是人。我听得沙沙作响的足音,感觉出不规则的喘息。当它离我背后很近之时,不再动了。沉默的几分钟过去。似乎正在屏住呼吸窥看什么。而后一种滑溜溜冰凉凉的什么触碰我裸露的踝骨。像是长长的触手。一种无法形容的惶恐爬上我的脊背。

这就是双重隐喻?是栖息在我体内暗处的东西?

你小子在哪里干了什么?我可是一清二楚!

已经什么也想不起来了。黑猫也好、标致 205 也好、骑士团长也好，一切都无影无踪。我的记忆再次沦为一片空白。

　　我什么也不想，只想逃离那触手而勉强向前挪动身体。洞更窄了，身体几乎动弹不得。我想把身体挤进明显比自己身体窄小的空间。但那不可能做到。无需细想，那显然有违原理，物理上无由发生。

　　尽管这样，我还是硬把自己的身体拧了进去。如唐娜·安娜所说，这是我已然选择的路，选择他路已无从谈起。骑士团长不得不为此死去，我亲手刺杀了他，将他不大的身体沉入血泊，不能让他的死徒死无益。那具有冰冷触手的什么试图从背后把我纳入其手中。

　　我竭尽全力往前爬行。毛衣刮在四周岩壁上，似乎到处开线绽裂。我从身体所有关节释放气力，以俨然表演脱绳而逃的艺人的姿势在狭窄的洞中勉勉强强向前钻行，速度慢得像青虫，只能这么慢。我的身体被巨大的老虎钳夹在无比狭窄的洞中。全身上下所有的骨骼和肌肉都大放悲鸣。莫名其妙的冰冷触手已经吱溜溜爬上我的脚踝。想必很快就要把在漆黑漆黑的黑暗中全然动弹不得的我的全身准确无误地掩埋一尽。我将不再是我。

　　我抛弃所有理性，全力以赴地将身体捅向更为狭窄的空间。身体痛得剧烈呻吟不止。但无论如何也必须往前移动。哪怕全身关节尽皆脱落，哪怕再痛不可耐！毕竟这里的一切都是关联性的产物，绝对性东西概不存在。痛也是一种隐喻。触手也是隐喻的一种。一切都是相对的东西。光即是影，影即是光——只能相信。不是吗？


　　狭窄的洞突然结束。我的肉体简直就像拥堵的草堆被强劲的水流冲出排水管一样抛向空荡荡的空间。连思考何以如此的时间也没有就毫无防备地跌落下去。我想起码有两米来高。所幸落下的地方不是坚硬的岩石地，而是比较柔软的泥土地。我挺身缩颈，让双肩下敛，以防脑袋磕地。几乎条件反射地采取柔道中的防守姿势。肩和腰撞得相当厉害，但痛感几乎没有。

周围被黑暗笼罩。手电筒没了。大概跌落当中从手中滑掉了。我在黑暗中一动不动地四肢趴地。一无所见，一无所思。此刻的我勉强得知的，唯独身体关节的痛渐渐明显起来。钻洞时受伤的全身骨骼和肌肉一齐叫苦。

不错，我总算从那狭窄的横洞中钻了出来，这点终于有了切实感受。脚踝上仍真切留有那种令人不寒而栗的触手的触感。不管那是什么，我都由衷感谢自己得以把它甩开。

那么，现在我在哪里？

没有风，但有气味。我在吹入横洞的风中微微嗅到的那一气味现在把我重重围在中间。至于那是什么气味，仍然想不起来。但不管怎样，这里是异常安静的场所，无任何声音传来耳畔。

当务之急是找手电筒。我用手仔仔细细摸索四周地面。依然四肢着地，一点点扩大半径。土有些微潮气。我担心在漆黑漆黑的黑暗中手碰到什么让人惧悚的东西。但地面连一颗小石子也没掉下。只有平平的——平得就好像有人好好平整过——地面。

手电筒滚落在距我跌落位置一米左右的地方。我的手好歹摸到了。将这塑料手电筒重新拿在手里恐怕是我迄今为止的人生中发生的最值得庆贺的事之一。

打开手电筒前，我闭目重复了几次深呼吸，好比花时间慢慢解开乱作一团的结。这当中呼吸终于平稳下来，心跳也基本趋于正常，肌肉也返回了平日感觉。我再一次大大吸入口气，缓缓吐出后打开手电筒。黄色光柱倏然划向黑暗。但好半天我都没能看清周围光景。眼睛彻底习惯深重的黑暗了，直接见光，脑袋深处有不堪忍受的痛感。

　　一只手捂着眼睛，慢慢睁开一条缝，从手指间隙窥看周围状况。看上去，我像是位于圆形房间之中。场所不很大，四下围着墙壁。人工石墙。我往上照去。头上有房顶。不，不是房顶，是圆盖样的东西。哪里也没有光射下。

　　少时，直觉击中了我：这里是杂木林中小庙后面的那个洞。我是钻过唐娜·安娜所在洞窟的横洞跌落在石室底部的，置身于现实世界中的现实洞中。为什么不知道，反正就是这样。就是说，我回归出发点。可是为什么一条光线也没泻进来呢？堵在洞口的是几块厚木板。板与板之间多少是有空隙的，应该有光从空隙中透过才是。然而黑暗如此完整，为什么？

　　我一筹莫展。

　　但我反正此刻在的地方是小庙后面打开的石室底部，这毫无疑问。我嗅到的，正是那个洞的气味。这点我为什么一直没能想起呢？我用手电筒光缓缓地小心四下探照。应该靠墙竖立的金属梯子不见了。可能有人又把它提起拿去了哪里，致使我被关在这洞底无法脱身。

　　而且，奇异的是——大概是奇异的——不管怎么找都没能在周围石墙上找出像是横洞出口的东西。我钻过狭窄的横洞跌落在这个洞底，一如婴儿在空中出生下降。然而哪里也没找见横洞的洞口。就好像我被噗一声吐到外面后嘴巴赶紧闭得严丝合缝一样。

　　手电筒光不久照出了地面上的一个东西。有印象的东西。原来是骑士团长在这洞底摇响的古铃。我半夜听见铃声，得知杂木林中有这个洞。铃声是一切的发端。后来我把那个铃放在画室板架上，却不知何时它从板架上消失了。我把它拿在手上，借手电筒光仔细端详。带有旧木柄。没错，肯定是那个铃。

　　我不明所以地一再看铃看个没完。它是被谁拿来这洞底的呢？噢，铃以自身之力返回这里也有可能。骑士团长说铃和他共有一个场。共有一个场——那到底意味着什么呢？但我的脑袋太疲惫了，很难思考事物的原理。况且我的周围一根也找不到足以凭依的逻辑立柱。

　　我坐在地上，背靠石墙，关掉手电筒。下一步怎么办？怎样才能从这个洞出去？这才是我要首先思考的。思考无需光亮。再说我必须最大限度减少手电筒电池的消耗。

　　那么，如何是好？

**56 似有若干必须填埋的空白**

　　莫名其妙的事不一而足。但此时最让我伤脑筋的，是洞里一丝光线也没射进来。一定是谁把洞口用什么堵得死死的——谁何苦非做这种事不可？

　　我在心里祈祷，但愿那个谁（无论谁）没在盖上摞好多块沉重的大石头弄成原来的石堆样子，以致把洞口封得严严实实。倘若那样，从这黑暗脱身的可能性就成了零。

　　忽有所觉，我打开手电筒看手表：时针指在四时三十二分。秒针好端端旋转着刻录时间。时间似在稳稳流逝。至少这里有时间存在，是按一定方向规规矩矩流动的世界。

　　不过说到底时间是什么？我这么叩问自己。我们以钟表指针权宜性计算时间的经过。可那果真是妥帖的吗？时间实际上是那样有条不紊地朝一定方向流逝的吗？我们在这方面没有什么莫大的误会吗？

　　我关掉手电筒，在重新降临的绝对黑暗中喟然长叹。算了，不想时间了。空间也别再想，再想也找不到归宿，无非徒耗神经而已。必须考虑某种更为具体的、眼睛看得见手摸得着的事物。

　　于是我考虑柚。不错，她是眼睛看得见手摸得着的事物之一（我是说假如给我这样的机会的话）。眼下她处于怀孕期间。来年一月将有孩子——以不是我而是哪里一个男人为父亲的孩子——出生。与我无关的事情在远离的场所稳稳推进。一个同我没有关联的新的生命即将在这个世界登台亮相。而且这方面她对我无任何要求。可是，她为什么无意同对方结婚呢？不明其故。如果她打算当单身母亲，那么难免要从现在工作的建筑事务所退职。私人小事务所，不至于有给产妇长期休假的余地。

但无论怎么考虑也得不出令人信服的答案。我在黑暗中全然无可奈何。这黑暗让我已有的无力感变本加厉。

假如能从这洞底出去，我下决心见见柚。她移情别恋、唐突弃我而去当然让人心负重伤，并且相应恼怒（倒是花了很长时间自己才意识到此间恼怒）。可我毕竟不能永远怀着这样的心情活下去。见一次柚，当面好好谈谈。向她本人确认眼下在想什么，追求什么。趁还为时未晚……我这样下定决心。下定决心之后，心情多少畅快起来。如果她希望我们成为朋友，那也无妨，未必完全不可能。只要能上到地面，应该能在那里找到某种类似道理的什么。

之后我睡了过去。要进横洞时把皮夹克脱掉留下了（我的那件皮夹克今后究竟将在哪里走怎样的命运路线呢？），身体渐渐感到发冷。身上只是半袖 T 恤外穿一件薄毛衣。而毛衣又由于爬着穿过窄洞而漏洞百出惨不忍睹。况且我已从隐喻世界回归现实世界。换言之，回归具有正常时间与气温的地方。尽管如此，较之冷，困意还是占了上风。我瘫坐地面，背靠坚硬的石墙，不知不觉睡了过去。那是没有梦境没有韬晦的纯而又纯的睡眠，好比沉入爱尔兰海湾深海底的西班牙黄金，孤独，谁都鞭长莫及。

睁眼醒来时，我仍在黑暗中。黑得那般深重，在脸前竖起手指也全然不见。因为如此之黑，所以睡与醒的界线也无从分辨。从哪里开始是睡的世界，由何处发端是醒的世界，自己在哪一侧或哪一侧都不在，基本摸不着头脑。我从哪里拽出记忆口袋，活像数金币那样逐一捋出若干事项。想起养过的黑猫，想起标致 205，想起兔色的白色豪宅，想起《玫瑰骑士》唱片，想起企鹅饰物。我得以一个个明确记起这一切。不要紧，我的心还没有被双重隐喻吃掉。不过是置身于深沉的黑暗中使自己分辨不出睡与醒的区别而已。

我拿起手电筒，打开后用一只手挡住光，用指间透出的光看手表的表盘。表针指向一时十八分。上次看时指在四时三十二分。这就是说，我在这里以这种不自然的姿势睡了九个小时之多？这是难以设想的事。果真如此，身体该更加诉痛才是。相比之下，莫如认为时间在我不知不觉当中倒退了三小时更为合理。不过不能确定。由于始终置身于高密度黑暗之中，以致时间感彻底失常亦未可知。

不管怎样，寒冷比睡前更切实了。而且开始尿急，几乎忍无可忍。无奈之下，我去洞底边缘往地上倾泻。时间不短。尿立刻被地面吸收了。有一股轻微的氨气味儿，但这也很快消失。尿急问题消除后，随之而来的是空腹感。看来我的身体正缓慢而确凿地适应现实世界。在那隐喻之河喝的水的作用或许正在退出身体。

我再次痛感必须争分夺秒脱离这里。否则，势必不久饿死在这洞底。不供应水分和营养，人的血肉之身便无以维持生命。此乃这个现实世界最基本的规律之一。而这里既无水又无食物。有的只是空气（尽管盖子堵得严严实实，但感觉有空气从哪里微微进入）。空气、爱、理想都很重要，但单靠这个活不下去。

我从地面站起，试了试能否设法从光秃秃的石墙攀爬出去。但不出所料，终归枉费心机。墙高固然差一点不足三米，而要攀登没有任何突起物的垂直墙壁，若非具有特异功能之人，基本不可能。纵使能攀登上去，也有盖堵在洞口。而要顶开盖，就要有结结实实的抓手或踏脚处。

我重新坐回地面。往下我能做的，只剩下一件事：摇铃，如骑士团长那样。但骑士团长与我之间有个很大不同——骑士团长是理念，我是活生生的人。理念即使什么也不吃也不会感到饥饿，可我会。理念不会饿死，可饿死我则相当简单。骑士团长能不屈不挠地持续摇铃百年之久（他不具有时间观念），可我不吃不喝持续摇铃期间充其量三天或四天。再往下，估计摇那么轻的铃的力气都将荡然无存。

然而我还是在黑暗中不断摇铃。因为此外我一无所能。当然可以拼命喊救命。问题是洞外是空无人影的杂木林。若非有极特殊情况，人不会踏入作为雨田家私有地的杂木林。况且现在洞口被什么东西堵得死死的，无论怎么大声喊叫，声音怕也很难传入谁的耳朵。徒然使得嗓音沙哑、喉咙更渴而已。既然这样，还是摇铃为好。

何况，此铃声音的传播方式好像不同一般。估计是具有特殊功效的铃。在物理上声音决不算大，但深夜时分我可以从远离的家中床上清晰听得铃的声音。而且唯独铃响时间里那喧闹的秋虫叫声才戛然而止，简直像被严禁鸣叫。

于是，我背靠石墙不断摇铃。轻轻左右摇摆手腕，尽可能把心清空摇铃。摇一阵子，休息一会儿，再摇。如骑士团长曾经做的那样。无心状态绝不难做到。倾听铃声时间里，心情自然而然平和下来，不必非想什么不可。在光亮中摇响的铃声和在黑暗中摇响的铃声，听起来截然不同。想必实际上也截然不同吧。而且，摇铃时间里，尽管被孤零零闷在这没有出口的深重黑暗之中，但不那么感到恐惧了，担忧也感觉不出了。甚至饥寒交迫之感也好像忘了。追索逻辑路径的必要性也几乎不再让人放在心上。不言而喻，这对我而言甚是求之不得。

摇铃摇累了，就靠在石墙上小睡过去。每次睁眼醒来我都打手电筒查看手表时间，而每次都得知时针所指时刻乱七八糟。当然，乱七八糟的可能不是时针，而是我——应该是我。不过那怎么都无所谓了。我在黑暗中晃动手腕万念皆空地摇铃。累了就酣睡一场，醒来再摇。如此周而复始无尽无休。周而复始之中意识迅速稀释下去。

洞底几乎不闻任何声音。无论鸟鸣还是风声，一无所闻。为什么呢？为什么一无所闻呢？这里应当是现实世界，我已回归腹饿尿急的现实世界。而现实世界本应充满种种声音才对。

过去多长时间了呢？我稀里糊涂。手表再也不看了。时间和我似乎彼此已无法顺利找到接点。而且，日期和星期较之时刻什么的更加超越理解范围。因为这里既无白天又无夜晚。如此一来二去，黑暗中就连自己肉体是否存在都变得让人费解了。不仅时间，甚至自己同自己肉体的接点也很难顺利找到。这意味着什么呢？我理解不了。或者莫如说就连想理解的心情都已消失不见。别无他法，我只管摇铃不止。一直摇到手腕差不多没了感觉。

仿佛永远的时间过去之后（或者像海岸波浪一样奔腾而来汹涌而去之后），并且空腹感变得不堪忍耐的时候，头上终于有什么声音传来。

似乎是谁掀动剥离世界一角的声音。但在我的耳里无论如何也听不出是现实声音。毕竟谁都休想把世界的一角剥离开来。假如真把世界剥离了，那么继之而来的究竟会是什么呢？新的世界接踵而至？或者永无休止的"无"打上门来？倒也怎么都不碍事，怎么都彼此彼此。

我在黑暗中静静闭目合眼，等待世界被剥离完毕。然而怎么等世界也未被剥离，单单声音在我头上越来越大。听来总好像是现实声响。是现实物体在某种作用下物理性发出的声响。我断然睁开眼睛仰视头顶，同时用手电筒往洞顶照去。做什么不知道，反正有谁在洞的上面弄出很大的声音——"哗啦哗啦"，刺耳，匪夷所思。

那是企图加害于我的声音呢？还是有助于我的声音呢？我判断不来。反正，作为我只能老老实实坐在洞里摇铃静观事态的进展。不久，一条细长而扁平的光线从作为盖子使用的厚板的间隙射入洞中。它像断头台上一把锋利的宽刃刀切硕大的果冻一般纵向切开黑暗，刹那间直达洞底。刀尖就在我的脚踝上。我把铃放在地面，双手捂脸以免眼睛受伤。

接着，堵在洞口的盖板被挪开一块，似有更多的阳光被带来洞底。即使双目闭合用手心紧紧捂脸，眼前的黑暗变白变亮也还是能够感知的。随之，新的空气从头上缓缓降临。清凉凉的新鲜空气。空气中有初冬气味。令人怀念的气味。小时候每年最初把围脖围在脖子上的清晨触感在脑海里复苏过来。柔软的羊毛肤感。

有谁从洞的上面叫我的名字——大约是我的名字。我终于想起自己是有名字的。想来，我已经在名字不具任何意义的世界里滞留了很久很久。

那个谁的声音是免色涉的声音——想到这点让我花了好些时间。我像回应那个声音似的发出很大声音。但声音未能成为话语。我只是狂喊乱叫证明自己还活着。至于自己的声音是否足以振颤这里的空气，我固然没有信心，但那声音的确传进了我的耳朵——作为假设性动物奇妙而粗野的呐喊。

"不要紧吗?"免色招呼我。

"免色先生?"我问。

"是的，我是免色。"免色说，"没受伤吗?"

"我想没受伤。"我说，声音终于镇静下来。"大概。"我补充道。

"什么时候开始在那里的呢?"

"不清楚。发觉时已经在这里了。"

"放下梯子能够从那里爬上来吗?"

"我想能够。"我说。大概。

"请稍等等。这就放梯子下去。"

他从哪里拿来梯子的时间里，我慢慢让眼睛适应阳光。完全睁眼睛尚不可能，但已无需双手捂脸了。幸好阳光不是多么强烈。白天诚然是白天，而天空想必有阴云。或是薄暮时分也未可知。未几，响起金属梯放下的动静。

"请再给我一点儿时间，"我说，"以免弄伤眼睛。眼睛还没太适应光亮。"

"当然，请慢慢适应好了!"

"不过这里怎么这么黑呢? 一线光也没射进来。"

"两天前我往这盖子上整个蒙了一块塑料布。因为有谁挪过盖子的痕迹，就从家里拿来厚塑料布，在地面打了金属桩用绳子系紧，不让盖子轻易拿开。毕竟哪里的小孩子不慎掉下去就危险了。那时当然仔细查看了洞里有没有人。怎么看都一个人也没有。"

原来如此，我明白了，原来盖上给免色蒙上塑料布了，所以洞底一团漆黑。这话讲得通。

"后来没有塑料布被掀过的痕迹，仍是蒙上时候的样子。这样，你到底是怎么进去的呢？让人费解。"免色说。

"我也不解。"我说，"意识到时就在这里了。"

我没办法多解释，也没解释的打算。

"我下到那里好吗？"免色说。

"不，你留在上面，我上去。"

不久，可以稍微睁开眼睛了。尽管眼睛深处还旋转着几个莫名其妙的图形，但意识功能好像没问题了。我看准梯子靠墙竖立的位置，把脚往梯子上蹬去，但很难用上力，感觉好像已经不是自己的脚。于是花时间一边小心确认立脚点，一边一格一格登上金属梯。随着接近地面，空气更加新鲜起来。此刻已有鸟的鸣啭传入耳中。

手刚搭在地面，免色就牢牢抓住我的手腕，把我拉了上来。他意外地有力，一种让人放心委身的力。我由衷感谢他的力。随即就势瘫倒似的仰卧在地。天空隐约可见。不出所料，天空覆盖着灰云。时间还不清楚。有一种小小的硬雨点打在脸颊和额头的感觉。我慢慢品味这种不规则的质感。过去未曾觉察，原来雨是具有何等令人欣喜之感的东西啊！何等生机蓬勃的东西啊！纵是初冬冷雨！

"肚子相当饿，口也渴，还冷得要命，像冻僵了似的。"我说。这是我能说出的一切。牙齿格格作响。

他搂着我的肩沿杂木林中的路缓缓移步。我调整不好步子，任凭免色拽着。免色的膂力比看上去强得多。肯定天天用自家运动器材锻炼来着。

"房子钥匙有吗？"免色问。

"房门右侧有花盆，钥匙在那下面，大概。"我只能说大概。能够言之凿凿的事这个世界上一件也没有。我仍然冷得发抖。牙齿打颤，自己的话自己都听不大明白。

"真理惠好像偏午时平安回家来了。"免色说，"真是太好了，我也放下心来。大约一个小时前秋川笙子跟我联系的。往你家也打了几次电话，但一直没人接。我就有些担心，来这里看看。结果杂木林里面微微传来那铃声，于是心有所觉，就把塑料布掀开了。"

我们穿过杂木林，来到平坦地方。免色那辆银色捷豹一如往常静静停在门前。依然一尘不染。

"为什么那辆车总这么漂亮呢？"我问免色。或许是不合时宜的提问，但我以前就想问来着。

"这个——是为什么呢？"免色兴味索然地说，"没有特别要做的事的时候，就自己洗车，边边角角都不放过。还有，每个月有专业人士上门给打一次蜡。当然，注意放在车库里以免风吹雨淋。如此而已……"

如此而已。听了，我那辆半年来任凭风吹雨淋的卡罗拉想必大失所望。弄不好，气绝身亡都有可能。

免色从花盆下拿出钥匙打开房门。

"对了，今天星期几呢？"我问。

"今天？今天星期二。"

"星期二？真是星期二？"

为了慎重，免色梳理记忆。"昨天星期一，是倒瓶罐垃圾的日子，今天毫无疑问星期二。"

我去雨田具彦房间是星期六，过去了三天。即使是三星期、三个月甚至三年，那也决不奇怪。但反正过去的是三天。我将这点嵌入脑袋。而后用手掌蹭了蹭下巴。那里并没有生出三天量胡须的证据。下巴光溜溜的，近乎奇迹。为什么呢？

免色先把我领进浴室，让我用热水淋浴，换衣服。身上的衣服满是泥巴，满是破洞。我团成一团扔进垃圾箱。全身上下蹭得红一块紫一块，但创伤什么的没有发现。至少没出血。

之后把我领进餐厅，让我坐在餐厅椅子上先一点一点慢慢喝水。我花时间把一大瓶矿泉水喝空。我喝水当中，他在电冰箱里找出几个苹果给我削皮。削得非常快，训练有素。我以欣赏的心情怔怔看着他的这项作业。削完皮盛在盘子里的苹果真叫优雅美观。

我吃了三四个苹果。苹果居然这么好吃，吃得我心生感动，由衷感谢兴之所至造出苹果这种水果的造物主。吃罢苹果，他不知从哪里翻出椒盐饼干盒给我。我吃了。略带潮气，然而这也是全世界顶好吃的饼干。我吃的过程中他烧水泡了红茶，还往里加了蜂蜜。我喝了好几杯。红茶和蜂蜜由内而外温暖我的身体。

电冰箱中没有多少食材。唯独鸡蛋存了不少。

"煎蛋卷想吃吗？"免色问。

"如果有。"我说。总之我要用什么把整个胃填满。

免色从冰箱里取出四个鸡蛋，往碗里打了，用筷子急速搅拌后加入牛奶、盐和胡椒，又用筷子转圈搅拌。手势熟练。继而打开煤气，将小平底锅加热后薄薄洒上黄油。从抽屉中找出锅铲，灵巧地做成煎蛋卷。

一如所料，免色煎蛋卷的做法无可挑剔，即使直接上电视烹调节目都绰绰有余。若目睹他的煎蛋卷做法，全国的主妇们肯定叹为观止。事关——或者应说即使关乎——煎蛋卷的做法，也可谓潇洒至极、十全十美，而且细腻高效，看得我五体投地。片刻，煎蛋卷移入盘中，连同番茄酱一起端来我的面前。

煎蛋卷美妙得足以让我不由得想写生。然而我毫不犹豫地往那上面扎进餐叉，神速送入口中。不仅美观，而且堪称至味。

"煎蛋卷无与伦比！"我说。

免色笑道："谬奖谬奖！曾经做得比这还好。"

那到底会是怎么个好法呢？没准生出彩翼从东京飞去大阪——倘有两个小时的话。

我吃罢煎蛋卷，他收拾盘子。这么着，我的辘辘饥肠似乎终于安顿下来。免色隔着餐桌在我对面坐下。

"说一会儿话可以吗？"他问我。

"当然可以。"我说。

"不累吗？"

"累也许累，但还是要畅谈才好。"

免色点头："这几天，似乎有几个必须填补的空白。"

若是能够填补的空白的话，我想。

"其实星期日来府上了。"免色说，"怎么打电话都没人接，有点儿放心不下，就来看看情况。那是下午一点左右……"

我点头。那时我在别的什么场所。

免色说："按门铃，雨田具彦先生的公子出来了。是叫政彦的吧？"

"是的，雨田政彦，老朋友。是这里的主人，有钥匙，我不在也能进来。"

"怎么说呢……他对你非常担忧。说星期六下午两人去他父亲雨田具彦先生入住的护理机构时，你忽然从他父亲的房间消失不见了。"

我默默点头。

"政彦君因为工作电话离开的时候，你一下子无影无踪。护理机构在伊豆高原山上，走到最近的火车站也很花时间，却又看不出叫过出租车。还有，接待的人也好保安员也好都没看见你离开。往你家里打电话也没人接，所以，雨田君担心起来，特意赶来这里。他是真的担忧你怎么样了，怕你身上发生什么不妙的事……"

我叹了口气："政彦那边由我另外向他解释。在他父亲紧要关头，额外添了麻烦。那么，雨田具彦先生情况如何呢？"

"好像前不久开始几乎处于昏睡状态。意识没有恢复。公子在护理机构附近住了下来，回东京途中来这里看情况的。"

"看来打个电话为好！"我点头道。

"是啊！"免色双手放在桌面上说，"但是，既然要和政彦君联系，那么就需要就你这三天在哪里做什么了相应做出合情合理的解释，包括是怎样从护理机构消失的。只说蓦然觉察到时已经返回这里，对方怕是理解不了的。"

"想必。"我说，"可您怎么样呢？免色先生？您能理解我的话吗？"

免色不无顾虑地蹙起眉头，静静沉思有顷。而后开口道："我这人一向是进行逻辑性思考的，那么训练过来的。但坦率地说，关于小庙后面那个洞，不知为什么，就没办法那么遵循逻辑了。那个洞里无论发生什么都不奇怪——我总是有这样一种感觉。尤其一个人在那洞底度过一个小时之后，这种心情就更加强烈。那不单单是洞。可是，对没有体验过那个洞的人，基本不大可能让他理解这样的感觉。"

我默然。找不出应该说出口的合适话语。

"还是只能一口咬定什么也不记得这一说法吧！"免色说，"能让对方相信到何种程度自是不得而知，但此外怕是别无他法。"

我点头。大概此外别无他法。

免色说："人生中会有好几件不能很好解释的事，也会有好几件不应该解释的事。尤其在一旦解释就会彻底失去某种至关重要东西的情况下。"

"你也是有这样的经历的吧？"

"当然有。"说着，免色微微一笑，"有几次。"

我把没喝完的红茶喝了下去。

我问："那么秋川真理惠没有受伤什么的？"

"浑身是泥。好像受了点儿轻伤，没什么了不得的，也就像是跌倒擦破皮那个程度。和你的情形一样。"

和我一样？"这几天她在哪里干什么了？"

免色现出窘色。"那方面的情况我一无所知。只是听说稍前一会儿真理惠回家来了，浑身是泥，受了轻伤。如此而已。笙子也还心情混乱，很难在电话中详细说明。等事情稍微安顿下来，最好由你直接问笙子，我想。或者问真理惠本人，如果可能的话。"

我点头说："是啊，这样好。"

"是不是最好睡上一觉？"

经免色这么一说，这才觉察自己困得不行。在洞中睡得那么深沉（应该是睡了的），不料却困得这般忍无可忍。

"是啊，恐怕多少睡一会儿好。"我呆呆地看着餐桌上叠放的免色那端正的双手手背说道。

"好好休息吧，这再好不过。此外有什么我能做的事情吗？"

我摇头道："现在想不起什么。谢谢！"

"那么我就回去了。有什么请别客气，只管联系！我想我会一直在家。"说罢，免色从餐厅椅子上慢慢站了起来。"不过找到真理惠太好了。能把你救上来也太好了。说实话，这段时间我也没怎么睡觉，也想回家睡一会儿。"

他回去了。一如往常传来车门关合的沉稳声响，以及深沉的引擎声。确认声音远去消失之后，我脱衣上床。头挨枕头稍一考虑古铃之时（这么说来，铃和手电筒还放在那个洞底）就坠入了深睡之中。

## 57 我迟早要做的事

睁眼醒来时两点十五分。我依然置身于深重的黑暗中。一瞬间袭来错觉，以为自己还在洞底。但马上察觉并非如此。洞底完全的黑暗和地上夜晚的黑暗，二者质感不同。地上，即使黑得再深也多少含带光的感觉，同所有的光都被遮蔽的黑暗不一样。现在是夜间二时十五分，太阳恰好位于地球的背面。仅此而已。

打开床头灯，下床走去厨房，用玻璃杯喝了几杯冷水。四下寂然。近乎过分的静寂。侧耳倾听，不闻任何声响。风也没有吹来。到冬天了，虫也不叫。夜鸟声亦不闻，铃声亦未入耳。这么说来，最初听得那铃声也正值此刻，是最容易发生非同寻常之事的时刻。

好像再也睡不成了。睡意彻底遁去。我在睡衣外面披一件毛衣，走去画室。我意识到回家后还一次也没迈进画室。画室里的几幅画怎么样了呢？不免让人牵挂。尤其《刺杀骑士团长》。听免色说，我不在时候雨田政彦到这里来了。说不定他进画室看到了那幅画。不用说，他一眼就会看出画是他父亲的作品。不过我把那幅画蒙上了——因为有所顾虑，从墙上摘下用漂白布包了起来。政彦若不打开，就不至于看见。

我进入画室，按下墙上的电灯开关。画室里仍静悄悄阒无声息。当然谁也没有。没有骑士团长，没有雨田具彦。房间里有的仅我一人。

《刺杀骑士团长》依旧蒙着置于地板上。没有被谁碰过的迹象。固然没有明证，但那里有未被任何人碰过的气氛。掀开，下面就有《刺杀骑士团长》，和此前所见毫无二致。上面有骑士团长，有刺杀他的唐璜，有在旁边屏息敛气的侍从莱波雷洛，有手捂嘴角瞠目结舌的美丽的唐娜·安娜，还有画面左下角从地面那个方洞中探出脸来的令人悚然的"长面人"。

说实话，我在心间一角是暗暗感到害怕的。怕自己采取的一系列行为可能使得画中若干事态有所改变——例如"长面人"探出脸的地洞盖子已经关上，因而长面人会不会从画面消失；再如骑士团长不是被长剑而是被厨刀刺杀。但左看右看也没看出画面有任何变化。长面人一如既往顶开地洞的盖子将其形状奇特的脸探出地面，用贼溜溜的眼睛四下打量。骑士团长被锋利的长剑刺穿心脏，鲜血四溅。画仍作为构图完美的往常那幅绘画作品存在于此。我欣赏片刻，把画重新蒙上漂白布。

接下去我端详自己没画完的两幅油画。两幅都在画架上并排而立。一幅是横长的《杂木林中的洞》，另一幅是纵长的《秋川真理惠的肖像》。我专心致志地交替对比这两幅画。两幅都是最后看时的样子，丝毫未变。一幅已经完成，另一幅等待最后加工。

之后，我把反过来靠墙立着的《白色斯巴鲁男子》正过来，坐在地板上再次打量。"白色斯巴鲁男子"从莫名颜料的块体中目不转睛看着这边。尽管其形象尚未具体描绘，但我清楚看见他潜伏其中。他躲在用刮刀厚厚涂抹的颜料背后，以夜鸟般咄咄逼人的眼睛直定定逼视我。他的脸绝对没有表情。而且他拒绝画的完成——拒绝自己原形毕露。他不愿意自己被从黑暗中拉到光天化日之下。

尽管这样，我迟早还是要把他的形象牢牢实实画在那里，把他从黑暗中拉出亮相，而无论对方反抗多么激烈。现在或许勉强，但迟早非了结不可。

　　接着，我又把视线移回《秋川真理惠的肖像》。这幅画已经画到不再需要她作绘画模特的地步。往下只要做一系列技术性加工，即达完成之域。有可能成为我迄今所画的画中最让我踌躇满志的作品。至少那里应有秋川真理惠这个十三岁美丽少女的倩影跃然纸上。我有足够的自负。然而我未必让这幅作品完成。为了保护她的什么，我不得不将这幅画止于未完成状态。我明白这点。


　　必须尽快处理的事有几件。一件是给秋川笙子打电话以便从她口中听得真理惠回家的前前后后。再一件事是给柚打电话，告诉她我想见她畅谈一次。我已经在那漆黑的洞底下了务必如此的决心。时机已经到来。另外，当然还得给雨田政彦打电话。我为什么从伊豆高原的护理机构突然消失、这三天何以去向不明——需要就此做出解释（至于成为、能成为怎样的解释，我自是心中无数）。

　　不言而喻，不能在这个黎明时分给他们打电话，要等多少常规些的时刻到来才行。那一时刻——倘时间正常运转的话——不久即将到来。我用锅热牛奶喝了，嚼着饼干眼望玻璃窗外。窗外黑暗漫无边际。不见星星的黑暗。到天明还有些时间。一年中夜间最长的季节。

　　先做什么好呢？我琢磨不出。最地道的是重新上床睡觉。可我已经不困了。没心思看书，也没情绪做事。该做的事一件也想不起来。于是决定姑且洗澡。往浴缸里放水。等水满时我躺在沙发上怅怅地眼望天花板。

我何苦非钻进那个地下世界不可呢？为了进入那个世界我不得不亲手刺杀骑士团长。他成为牺牲品丢了性命，我因之在黑暗世界接受若干考验。其中当然必有理由。地下世界有真真切切的危险，有实实在在的恐怖。那里无论发生多么离奇的事都无足为奇。情况似乎是，我通过千方百计钻过那个世界，通过经历那一程序，而将秋川真理惠从哪里解放出来。至少秋川真理惠已平安返回家中，如骑士团长预言的那样。但我未能在自己在地下世界的体验同秋川真理惠的返回之间找出具体的平行关系。

那条河的水或许具有某种重要意义。说不定由于喝了那条河里的水而导致自己体内有什么发生了变异。逻辑上很难解释，但我的身体怀有毋庸置疑的切实感受。由于接受那一变异，我才得以穿过物理上无论如何都不至于穿过的狭窄横洞而到另一端来。而且，在我克服根深蒂固的对密闭场所的恐惧之际，唐娜·安娜和妹妹路给我以引导和鼓励。不，唐娜·安娜和路有可能是统一体。她是唐娜·安娜，同时又是路。或许她们保护我免受黑暗力量的侵害，同时保护了秋川真理惠的人身安全。

可是说到底，秋川真理惠被幽禁在哪里了呢？问题首先是她果真被幽禁在哪里了吗？我把企鹅护身符给了（倒是不能不给）摆渡人"无面人"这点给她身上带来了不好影响不成？或者相反，那个饰物以某种形式起到了保护秋川真理惠人身的作用？

疑问数量有增无减。

前因后果或许能从终于现身的秋川真理惠口中多少得到澄清。作为我只能静等。不，事实以后也可能在扑朔迷离之中不了了之。秋川真理惠全然记不得自己身上发生了什么也未可知。或者就算记得也不向任何人透露——说不定她已如此下了决心（一如我本人）。

不管怎样，我都有必要在这现实世界再见一次秋川真理惠，两人单独好好谈谈，有必要就这几天当中各自身上发生的事交换信息。如果可能的话。

但是，这里果真是现实世界吗？

我重新观望自己周围的世界。这里有我熟识的东西。窗口吹来的风有一如往常的气味，四下传来听惯了的声响。

可是，乍看上去是现实世界，而实际未必是。可能仅仅是我自以为是的现实世界罢了。我也许进入伊豆高原的洞，穿过地下世界，三天后从错误的出口出到小田原郊外的山上——我返回的世界和我离开的是同一世界的保证哪里都不存在。

我从沙发欠身立起，脱衣泡进浴缸，再次用香皂认真清洗全身每一个边角。头发也仔细洗了。刷牙，用棉棒清耳，剪指甲。胡须也刮了（尽管没长多长）。内衣再次更新。穿上刚刚熨烫过的白色棉质衬衫、带裤线的黄褐色卡其裤。我要尽可能彬彬有礼地面对现实世界。但天还没亮。窗外一片漆黑，黑得让我觉得没准早晨永远不来了。

但不久晨光来临。我新做了咖啡，烤了吐司，涂上黄油吃了。电冰箱里食品差不多没有了。只有两个鸡蛋、过期的牛奶和一点点蔬菜。今天必须去买了，我想。

在厨房洗咖啡杯和碟子的时间里，发觉好些日子没见年长的人妻女友了。多久没见面了呢？不看日记想不起准确日期。反正相当久了。近来我身边连续发生种种事情——若干始料未及的非同一般的名堂——以致此前没能意识到她许久没联系了。

什么缘故呢？以前至少每星期打来两次电话："怎么样，还好？"然而我无法跟她联系。她没把手机号码告诉我，我又不用电子邮件。所以，即使想见，也只能等她来电话。

不料早上九点刚过，正当我怅然想她时，女友打来了电话。

"有件事要说。"她开门见山。

"可以哟，说就是。"

我手拿听筒，靠着厨房餐柜说。刚才遮蔽天空的厚云开始一点点断裂，初冬的太阳从裂缝中战战兢兢探出脸来。看来天气正在恢复。然而她说的似乎不是多么让人欢欣鼓舞的那一类。

"我想最好不要再见你了。"她说，"倒是遗憾。"

至于她是不是真的遗憾，光听声调无从判断。她的语声明显缺乏起伏感。

"这里有几个理由。"

"几个理由。"我鹦鹉学舌。

"首先一个是丈夫开始多少怀疑我了，好像感觉出了某种苗头。"

"苗头？"我重复她的说法。

"到了这个地步，女人总是要出现相应的苗头的。比以前更注意化妆啦服装啦什么的。还有改换香水啦用心减肥啦什么的。虽然自以为很小心，不把这些表现出来，但是……"

"确实。"

"况且不说别的，这种事不可能永远继续下去。"

"这种事？"我重复道。

"就是说事情没有将来，没有解决办法。"

的确如她所说。我们的关系无论怎么看都是"没有将来"的，都是"没有解决办法"的。长此以往风险过大。我这方面倒没什么可损失的，但她那边有大体完好的家庭，有上私立女子学校的两个十几岁女儿。

"还有一件，"她继续道，"女儿出了棘手问题，大的那个。"

大女儿。如果我记忆无误，那么应该是成绩好、乖乖听父母的话、几乎从未闹出问题的老实少女。

"出了问题？"

"早上醒来也不下床。"

"不下床了？"

"喂喂，别鹦鹉学舌似的重复我的话好不好？"

"对不起，"我道歉。"可那是怎么回事呢？不从床上下来？"

"就是这样的嘛！大约两个星期前开始，死活也不愿意下床，学校也不去。一整天穿着睡衣赖在床上。谁和她搭话也不应声，饭端到床上也几乎不动。"

"没找心理咨询师那样的人商量？"

"当然找了。"她说"跟学校的心理咨询师商量了，可完全不起作用。"

我就此思索。但我能说的，什么也没有。说到底，我见都没见过那个女孩。

"这样，我想再不能见你了。"她说。

"必须在家照料她？"

"也有这个原因，但不光这个。"

她没再说什么。对她的苦衷我大体明白。她害怕了，作为母亲也对自己的行为感觉出了责任。

"非常遗憾。"我说。

"我想我比你还要感到遗憾。"

或许，我想。

"最后想说一点，"她说，她短促地深叹一声。

"那点是什么呢？"

"我想你会成为很好的画家。就是说，比现在还要好。"

"谢谢！"我说，"深受鼓舞。"

"再见！"

"保重！"我说。


放下电话，我去客厅躺在沙发上，边仰望天花板边想她。想来，尽管见面这么频繁，却一次都没想过画她的肖像画。不知何故，没能产生那样的心情。素描倒是画了几幅。用2B铅笔画在小素描簿上，几乎一笔画成。大多是淫秽不堪的她的裸体画。大大张开腿出示隐秘处的样子也有。还有画性交当中的。虽是简单的线条画，但都十分逼真，而且绝对淫秽。她对那样的画乐不可支。

"你这人啊，画这种淫秽画真是得心应手！漫不经心，一挥而就，却又色情得不得了！"

"玩玩罢了！"我说。

那些画，随画随手扔了。一来怕谁看见，二来毕竟不好保存那样的东西。但偷偷留下一两幅恐怕还是应该的，作为向自己本身证明她实有其人的物件。

　　我从沙发上缓缓立起。一天刚刚开始。往下我有好几个必须说话的
对象。

**好像在听火星上美丽运河的故事**


　　我给秋川笙子打电话，时针已转过上午九点半，在世间几乎所有人都已开始日常生活的时刻。但没人接电话。几次呼叫后，切换为录音电话：现在无法接电话，有事请在嘀一声后留下信息……我没留信息。估计她正忙于处理有关侄女突然失踪和返回的种种事情。隔一会又打几次，都没人拿起听筒。

　　接下去我打算给柚打电话。但我不想在她上班时间打去公司，转念作罢。还是等到午休好了。倘若顺利，也许能聊上几句，又不是必须长篇大论的要紧事。具体说来无非是说近期想见一面，问她能见吗。回答Yes或No足矣。若是Yes，决定日期、时刻和场所。倘为No，一曲终了。

　　之后——尽管很不情愿——给雨田政彦打电话。政彦当即接起。听得我的语声，他对着听筒深深、深深一声叹息。"那么说，现在在家？"

　　在家，我说。

　　"稍后打过去可以？"

　　我说可以。十五分钟后电话打了过来，似乎是在楼顶平台或哪里用手机打的。

　　"到底一直在哪里来着？"他以少有的严厉声音说，"什么也没说就从护理机构房间一下子没影了，去哪里也不知道。我可是特意跑去小田原家看来着!"

　　"做了件对不起的事。"我说。

　　"什么时候回来的?"

　　"昨天傍晚。"

　　"从星期六下午到星期二傍晚,到底在哪里游逛了?"

　　"实不相瞒,那时间里在哪里干什么了,记忆荡然无存。"我说谎道。

　　"你是说什么都不记得,而一回神就回到自己家了?"

　　"正是。"

　　"莫名其妙。那可是一本正经说的?"

　　"此外无法解释。"

　　"可那玩意儿在我耳里多少像是谎言。"

　　"电影啦小说里不是常有的吗?"

　　"饶了我吧!在电视上看电影和电视剧什么的,一说到记忆丧失,我就马上关掉——剧本写得也太马虎了!"

　　"记忆丧失,希区柯克也采用过的。"

　　"《爱德华大夫》(*Spellbound*)?那东西在希区柯克电影里是二流货色。"政彦说,"那么真事是怎么回事?"

　　"发生了什么,眼下自己也不清楚,许多支离破碎的东西没办法完好拼接起来。再等等,记忆也可能一点点失而复得。届时我想是可以解释清楚的。但现在不成。对不起,请再稍微等等!"

　　政彦思考片刻,无奈地说道:"明白了。眼下权作记忆丧失好了。不过毒品啦酒精啦精神疾患啦品行不端的女人啦外星人绑架啦那类东西不包括在里边吧？"

"不包括。有违法律和社会伦理的事也不包括。"

"社会伦理什么的无所谓。"政彦说，"但有一点见告可好？"

"哪一点呢？"

"星期六下午你是怎么脱离伊豆高原那家机构的？那里出入警戒严着呢！毕竟入住者有不少名人，对个人信息外泄十分警惕。入口处有传达接待人员，保安公司的保安员二十四小时监视大门，监控摄像头也在运行。可你居然在光天化日之下没被任何人发现，监控摄像头也什么都没拍摄到的情况下从那里陡然一溜了之。怎么回事？"

"有条隐秘通道。"我说。

"隐秘通道？"

"能够神不知鬼不觉溜出去的通道。"

"可你是怎么知道有那玩艺儿的？去那里不都是第一次的吗？"

"你父亲告诉的。或许应该说是暗示的。反正是间接性的。"

"父亲？"政彦说，"不晓得你说的意思。父亲的脑袋眼下几乎跟煮熟的花椰菜没什么两样！"

"这也是说不清楚的一点。"

"没办法啊！"政彦叹口气说，"对方若是一般人，我肯定气恼：喂，开什么玩笑！但因为是你，好像只能算了。一句话，一个要画一辈子油画的混小子，笔走偏锋之流！"

"谢谢！"我表示感谢。"对了，你父亲情况怎样？"

"星期六接完电话回房间一看，你无影无踪，父亲昏昏沉沉，没有醒的动静，呼吸也微乎其微。我到底惶恐起来。到底发生了什么？我倒不认为你会做什么，但毕竟是那种地方，被那么认为也是奈何不得的。"

"我觉得很对不起。"我说。这是我的真实心情。而与此同时又不由得舒了口气：被刺杀的骑士团长的尸体和地板上的血泊没有留下。

"理应觉得对不起。这样，我就在附近一家小旅馆订了房间陪护。后来好像呼吸也稳定了，病情好歹有所好转，我才在第二天下午返回东京。工作也成堆了嘛！周末还要去陪护。"

"够受的啊，你也。"

"有什么办法！上次也说了，一个人死去是一场大规模作业。最够受的，不管怎么说都是本人。抱怨不得。"

"要是有什么能帮忙的就好了。"我说。

"能帮忙的事一件也没有，"政彦说，"只要别添乱子就谢天谢地了……啊，对了对了，回东京途中因为担心你就去那边看看，当时那位免色先生来了，开一辆绝妙银色捷豹的风流倜傥的银发绅士。"

"唔，事后见到免色先生了。他也说你在家，和你说话来着。"

"只是在门口说了几句，倒像是十分有趣的人物。"

"非常有趣的人物。"我小心纠正。

"人是做什么的?"

"什么也没做。钱绰绰有余，用不着工作。好像在网上搞股票和外汇交易。不过据说那终究是出于兴趣，或者兼带经济效益的消磨时间。"

"听起来真是美妙！"政彦佩服地说，"好像在听火星上的美丽运河故事。在那里，火星人一边用黄金桨划船头尖尖细细的小船，一边从耳孔吸蜂蜜烟。光是听都让人心里暖洋洋的……对了，我日前留下的厨刀可找到了?"

"抱歉，没找到。"我说，"不知去了哪里。买把新的还你。"

"不，不必操那个心。想必和你一样，去了哪里弄得个记忆丧失。很快归来的。"

"大概。"我说。那把厨刀没有留在雨田具彦房间。一如骑士团长的尸体和血泊，消失去了什么地方。如政彦所说，有可能很快归来。

交谈就此完了。约好最近再次见面，我们放下电话。

之后我开着满是灰尘的卡罗拉，下山去购物中心购物。走进超市混在附近主妇之间买东西。上午的主妇们表情都好像不怎么开心。估计她们的生活没有发生富有刺激性的故事。在隐喻国度坐船过河那样的事大概也没有。

肉、鱼、青菜、牛奶、豆腐，只管把眼睛看到的一个接一个扔进购物车中。然后在收银台前排队付款。因为告以自带购物袋不要塑料袋而省了五日元。而后顺路去廉价酒专门店，买了一箱二十四罐札幌罐装啤酒。回家整理好买来的东西放进电冰箱。该冷冻的包上保鲜膜冷冻了。啤酒先冰镇六罐。接着用大锅烧开水，焯芦笋和西兰花做沙拉用。煮蛋也准备了几个。总之如此这般还算顺利地把时间打发掉了。时间还多少有剩，也考虑学免色洗车，但想到洗了反正也马上就满是灰尘，兴趣顿时消失。还是继续站在厨房煮青菜有益。

时针略略转过十二点时，我给柚工作的建筑事务所打电话。本来打算稍微过几天等心情安稳下来后再和她交谈，但我很想把自己在那黑洞里下的决心尽快告诉她，哪怕快一天也好。否则，说不定有什么会改变我的心情。可是想到这就要和柚说话，也许心理作用，觉得电话听筒分外沉重。电话是声音开朗的年轻女性接起的，我告以自己姓名，我说想和柚说话。

"您是她先生吗？"对方开朗地问。

是的，我说。准确说来应该已经不再是她的丈夫，却又不可能在电话中一一解释这种事。

"请稍候！"

候了相当长时间。但因为没什么事，就倚着厨房操作台耳贴听筒，静等柚出来。一只大乌鸦紧贴窗旁扑棱翅膀横飞过去。鲜艳的漆黑翅膀在阳光下闪烁其辉。

"喂喂！"柚开口了。

我们相互简单寒暄。前不久刚刚离婚的夫妻如何寒暄才好，保持怎样的距离对话合适，我完全心中无数。所以姑且限于尽可能简单的常规性寒暄。还好？还好。你呢？我们说出口的三言两语犹如盛夏的阵雨，转眼之间即被干燥的现实地面吮吸进去。

"想见你一次，好好面对面说各种各样的事。"我一咬牙说道。

"各种各样的事？哪种哪样的事？"柚问道。没有料到她会这么问（为什么没料到呢？），我一时语塞。各种各样的事？到底哪种哪样的事呢？

"具体内容还没有考虑好……"我约略嗫嚅地说道。

"可你是想说各种各样的事的吧？"

"是的。回想起来，还什么都没正经说就成了这个样子。"

她想了一会，说道："跟你说，我怀孕了。见面是不碍事的，可肚子开始鼓胀了，见了可别吃惊。"

"知道的。从政彦那里听说了。政彦说你托他转告我。"

"是那样的。"

"肚子的事我不大明白。但是，如果不添麻烦的话，肯见一次，我
会很高兴。"

"等一下可好？"她说。

我等她。她大概拿出手册，翻页查看日程安排。这时间里我努力让
自己想起 The Go-Go's❶ 唱什么歌来着。很难认为乐队有雨田政彦鼓吹的
那么出色。或者他是对的，而我的世界观是扭曲的也未可知。

"下星期一傍晚空着。"柚说。

我在脑袋里计算。今天星期三。下星期一即星期三的五天之后，是
免色将空瓶空罐拿去垃圾收集站的日子，我不用去绘画班上课的日子。
无需——翻阅手册，我没有任何安排进来。不过免色到底以怎样的穿着
去倒垃圾呢？

"星期一傍晚我没问题。"我说，"哪里都可以，几点都可以，只要
指定时间地点，赶去就是。"

她说出新宿御苑前地铁站附近一家咖啡馆的名字。撩人情思的名
字。那家咖啡馆位于她的职场附近，我们还以夫妻一起生活的时候在那
里碰头了几次——在她下班后两人要去哪里吃饭的时候。离那里不远有
一家不大的牡蛎酒吧，以较为便宜的价格提供新鲜牡蛎。她喜欢一边喝
彻底冰镇的沙布利（Chablisien）白葡萄酒，一边洒好多辣根吃小些的牡

---

❶ 美国女子摇滚乐队。1978 年成立于美国洛杉矶，作为第一支完全由女性组成的纯原创乐队而被载入史册。首张专
辑曾占据 Billboad 专辑排行榜首位长达六周。

蛎。那家牡蛎酒吧还在同一场所?

　　"六点多在那里碰头可以的?"

　　我说没问题。

　　"我想应该不至于晚到。"

　　"晚到也没关系，等就是。"

　　那好，到时见！她说。然后放下电话。

　　我静静看了好一会儿手里的听筒。往下我要见柚，见很快要生下其他男人孩子的分手后的妻。见面地点和时间也定了。不存在任何问题。至于自己做的是否正确，我却没有充分的自信。听筒依然让我感觉重得不得了，活像石器时期做的电话听筒。

　　但是，完全正确的事、完全不正确的事，果真存在于这个世界吗?我们生存的这个世界，降雨或百分之三十，或百分之七十。纵使真实大概也是如此。或百分之三十真实，或百分之七十真实。这点上乌鸦足够开心。对乌鸦们来说，或下雨或不下雨，非此即彼。百分比那玩艺儿从未掠过它们的脑际。

　　同柚说过话之后，我好一阵子什么也做不成了。我坐在餐厅椅子上，主要看着时针度过了大约一个小时。下星期一我将见柚，并且和她说"各种各样的事"。两人见面是三月以来的第一次。那是三月间一个静悄悄下雨的凉飕飕的星期日午后。而今她已怀孕七个月。这是很大变化。另一方面，我则是一如既往的我。虽然几天前喝了隐喻世界的水，渡过将无与有隔开的河，但我自己也不大清楚自己身上有什么变了还是什么也没变。

随后我拿起听筒再次往秋川笙子家打电话。但还是没人接起，只切换为录音电话。我转念作罢，在客厅沙发弓身坐下。打完几个电话，接下去再没有应该做的事了。时隔许久进画室画画的心情固然有，但想不出画什么好。

我把布鲁斯·斯普林斯汀的《河流》（*The River*）❶ 放在唱机转盘上，歪在沙发上闭目听了一会儿音乐。听完第一张唱片的 A 面，反过来听 B 面。我再次感到布鲁斯·斯普林斯汀的《河流》是应该这样听的音乐。A 面的《独立日》（*Independence Day*）转完，我双手拿唱片反过来，小心翼翼把唱针落在 B 面开头部分。《饥渴的心》（*Hungry Heart*）流淌出来。假如这样的事做不到，那么《河流》这张专辑的价值究竟在哪里呢？若允许我说一下极为私人性意见，那就不是用 CD 连续听的专辑。《橡胶灵魂》（*Rubber-Soled Shoes*）❷ 也好《宠物之声》（*Pet Sounds*）❸ 也好也都同样。听优秀音乐，自有应听的样式、应听的姿势。

不管怎样，这专辑中东大街乐队（E Street Band）❹ 的演奏近乎完美无缺，乐队鼓舞歌手，歌手鼓舞乐队。我一时忘记现实中种种样样的烦恼，倾听音乐的每一个细部。

听完第一张 LP 唱片，我提起唱针，心想是不是最好也给免色打个电话。昨天把我从洞中救出以来还没说过话。却不知何故上不来情绪。

---

❶ 布鲁斯·斯普林斯汀于 1980 年 10 月 17 日发行的第 5 张专辑，内含 2 张唱片。

❷ 英国摇滚乐队披头士的第 6 张录音室专辑，发行于 1965 年 12 月 3 日。这张专辑象征着披头士乐队的成熟，被认为是乐队在音乐艺术上的一次转折点和飞跃。

❸ 美国流行乐团"沙滩男孩"发行于 1966 年的一张专辑，被广泛认为是西方流行乐史上最具影响力的专辑之一。

❹ 美国摇滚乐队，自 1972 年以来一直是著名摇滚歌手布鲁斯·斯普林斯汀的主要伴奏乐队。乐队于 2014 年入选摇滚名人堂。

对于免色我偶尔会产生这样的心情。大体是很有趣的人物，但时不时让人觉得实在懒得见他或和他说话。个中差异相当大。为什么不晓得，反正现在没心绪听他的语声。

我终归没给免色打电话。往后推推吧！一天才刚刚开始。随即把《河流》的第二张 LP 唱片放在转盘上。但当我正躺在沙发上听《凯迪拉克农场》（*Cadillac Ranch*）的时候（"我们大家迟早要在凯迪拉克农场碰头"），电话铃响了。我从唱片上提起唱针，去餐厅接电话。猜想是免色。不料打来电话的是秋川笙子。

"没准今早您几次打来电话，是吧？"她首先这样问道。

我说打了几次电话。"昨天从免色先生那里听说真理惠回来了，心想怎么样了……"

"嗯，真理惠的确平安回家来了，昨天偏午时的事。想告诉您一声，就往府上打了几次电话。您好像不在。于是跟免色先生联系。您去哪里了呢？"

"嗯，有件事无论如何必须处理，就跑出去很远。昨天傍晚刚回来。想打电话，但那地方没电话，我又没有手机。"我说。这倒不是纯属说谎。

"真理惠一个人昨天偏午时分带着浑身泥巴回家来了。幸好没受什么大伤。"

"失踪时间里，她到底在哪里了呢？"

"这还不清楚。"她极力压低嗓音说，简直像怕谁听见似的。"至于发生了什么，真理惠不肯说。因为请求警察搜索了，所以警察也来家里这个那个问那孩子，可她什么也不回答，一味沉默不语。这样，警察也没办法，说等过些时候心情镇定下来后再来问情况。毕竟回到家里了，人身安全得到了保证。反正无论我问也好她父亲问也好都不回答。您也知道，那孩子有顽固的地方。"

"但浑身是泥对吧？"

"嗯，浑身是泥。穿的校服也磨破了，手脚有轻度擦伤什么的。倒不是要去医院治疗那样的伤……"

和我的情形一模一样，我想。浑身是泥，衣服磨破。莫非真理惠也是钻过和我钻过的同样狭小的横洞返回这个世界的？

"一句话也不说？"我问。

"嗯，回到家以后一句话都没出口。别说话语，声都没出一声，简直就像舌头被谁偷走了似的。"

"精神因为什么受了严重打击，以致开不了口或失语了——不会是这种情况？"

"不，我想不是的。相比之下，我感觉好像自己下决心不开口、坚决沉默到底。这种事以前也有过几次，比如因为什么非常生气的时候等等。这孩子，一旦那么下定决心，就横竖贯彻到底。"

"犯罪性什么的没有吧？"我问。"例如给谁绑架啦监禁什么的？"

"那也不清楚，毕竟本人只字不吐。准备等稍微安顿下来后由警察问一下情况。"秋川笙子说，"所以有个冒昧的请求……"

"什么事呢？"

"如果可能，您能见一下真理惠和她说说话吗？只两个人。我觉得那孩子身上好像有只有对您才交心的部分。所以，若是当您的面，有可能把情况说个明白。"

　　我仍右手握着听筒就此思索。和秋川真理惠两人单独到底怎么说、说到什么地步好呢？全然没有念头浮现出来。我怀有自身谜团，她怀有自身谜团（大概）。把一个谜团和另一个谜团拿来重合在一起，会有某种答案浮现出来吗？但我当然不能不见她。有几件事不能不说。

　　"好，见面聊聊好了！"我说，"那么，我去哪里拜访呢？"

　　"不不，像以往那样我们登门拜访。我想还是这样好。当然我是说如果老师您方便的话……"

　　"方便。"我说，"我这边没什么特殊安排。请随便过来，什么时候都行。"

　　"现在就过去也不碍事吗？今天暂且让她请假不上学。当然我是说如果真理惠答应去的话……"

　　"请您转告她：你可以什么也不说，我有几件想说的事。"

　　"明白了，一定如实转告。给您添了太多的麻烦。"说罢，那位美丽的姑母静静放下电话。


　　二十分钟后电话铃再次响了。秋川笙子。

　　"今天下午三点左右登门拜访。"她说，"真理惠也答应了。说是答应，其实也就微微点一下头。"

　　我说三点恭候。

　　"谢谢！"她说，"到底发生了什么？往下如何是好？什么都不明白，一筹莫展。"

　　我也想说同样的话，但没说。那应该不是她所期待的应答。

　　"我会尽力而为。能不能顺利倒是没有把握。"我说。然后挂断电话。

　　放下听筒后我悄然环顾四周——看会不会哪里有骑士团长出现。但哪里也没有他的形体。我有些想念骑士团长。想念他那形体，他那别具一格的说话方式。然而我可能再也不会见到他了。我亲手刺穿那颗小小的心脏杀害了他，使用雨田政彦拿来这里的锋利的厨刀，为了把秋川真理惠从哪里解救出来。我必须知道那个场所是哪里！

**在死把两人分开之前**

　　秋川真理惠到来之前，我再次观看差一点就该完成的她的肖像画，得以在脑海中鲜明地推出完成时将呈现为怎样的画面。然而不可能让画面完成。诚然遗憾，但迫不得已。至于为什么不能画完这幅肖像画，我还无法准确解释，逻辑性推论更是无从谈起。只是单单觉得非那样做不可。不过其缘由总有一天会清楚的。总之我是以含有巨大危险的存在作为对象的，必须时刻注意才行。

　　而后我出到阳台，坐在躺椅上漫然眼望对面的免色白色豪宅。免除颜色的满头银发的潇洒的免色。"只是在门口说了几句，倒像是个有趣的人物。"政彦说。"非常有趣的人物。"我小心纠正。非常非常有趣的人物，此刻我又一次纠正。

　　快三点时，看惯了的蓝色丰田普锐斯爬上坡道，在房前以往那个位置停下。引擎关闭，驾驶位车门打开，秋川笙子下来。双膝合拢，身体迅速旋转，优雅有致。稍隔片刻，秋川真理惠从副驾驶位下来，以不耐烦的懒洋洋的动作。早上密布的阴云不知被风吹去了哪里，剩下的是初冬毅然决然的无限蓝天。含带寒凉的山风不规则地摇颤两位女性柔软的秀发。秋川真理惠把落在额前的头发厌恶地用手撩开。

　　真理惠罕见地穿着半身裙。长度及膝的藏青色毛料裙子。下面是色调发暗的蓝色连裤袜。上身是白衬衫套一件 V 领羊绒衫。毛衣颜色是深葡萄色。鞋是焦褐色乐福鞋。以这副打扮出现的她，看上去像是在上流家庭被小心呵护着长大、极为理所当然的健全而美丽的少女。看不出有离奇古怪的地方。只是，胸部仍几乎不见隆起。

秋川笙子今天下面穿的是浅灰色贴身长裤，仔细擦过的黑色低跟鞋。上面是长些的白色对襟毛衣，腰间系一条皮带。毫不含糊的胸部隆起，即使从对襟毛衣上也显得轮廓分明。手拎一个黑色漆皮小包——女性是总要把什么东西拿在手里的。至于里面装的什么，自是揣度不出。真理惠手上什么也没拿。因为没有平时揣手的裤袋，所以显得有些百无聊赖。

年轻的姑母和少女侄女。固然有年龄之差和成熟程度之别，但哪一位都是美丽女性。我从窗帘空隙观察她们的风姿举止。两人并肩而行，感觉世界多少增加了亮色，好比圣诞节和新年总是联翩而至。

门铃响了，我打开门。秋川笙子向我郑重寒暄。我把两人让到里面。真理惠嘴唇闭成一条直线，依然只字不吐，好像被谁把上下嘴唇缝得结结实实。意志坚强的少女。一旦决定，决不后撤。

我一如往常将两人领进客厅。秋川笙子开始说冗长的道歉话：这次的事添了诸多麻烦……我打断了。没有进行社交性对话的时间余裕。

"如果可以，就让我和真理惠小姐两人单独待一会儿好吗?"我单刀直入，"我想这样好些。大约两小时后请来这里接她。这样没什么的吗?"

"嗯，当然。"年轻的姑母不无困惑地说，"如果小惠觉得没什么，我当然没什么。"

真理惠微乎其微地点了下头，意思是说没什么。

秋川笙子觑一眼小小的银色手表。

"五点前再来这里。那时间里在家里待命，有什么事请打电话。"

有什么事打电话，我说。

秋川笙子好像心里有什么事，手抓黑漆皮小包在那里默然站了一会儿。而后转念似的叹了口气，莞尔一笑，向门口走去，发动普锐斯引擎（声音没听清楚，估计发动了），车消失在坡路那边。这样，剩下来的，只秋川真理惠和我两人。

少女坐在沙发上，嘴唇闭成一条线，一动不动看着自己的膝头。连裤袜包裹的双膝紧紧靠在一起。带褶的白衬衫熨烫得十分整洁。

深深的沉默持续良久。后来我开口道："喂，你什么都不说也可以。如果想沉默，只管沉默就是。所以用不着那么紧张。我一个人说，你只要听着就行。好吗？"

真理惠扬脸看我。但什么也没说。未点头，也没摇头，只是定定看我。脸上没有浮现出任何感情。看她的脸，我觉得仿佛在看大大的白亮亮的冬月。大概她把自己的心一时弄成了月亮——弄成飘浮在空中的坚硬的岩石块体。

"首先有件事要你帮忙。"我说，"来画室可好？"

我从椅子立起走进画室，俄顷，少女也从沙发起身跟我进来。画室中凉瓦瓦的。我首先打开石油炉。拉开窗帘，但见明亮的午后阳光把山坡照得焕然在目。画架上放着尚未画好的她的肖像画。几近完成。真理惠一闪瞥一眼画，随即像看见不该看的东西，立刻移开视线。

我在地板上弯腰弓身，剥开包着雨田具彦《刺杀骑士团长》的布，把画挂在墙上。然后让秋川真理惠坐在木凳上，从正面直视画幅。

_____

"这幅画以前看过吧?"

真理惠略略点头。

"这幅画的名字叫'刺杀骑士团长',至少包装纸上的标签是这样写的。雨田具彦先生画的画。什么时候画的不知道,但艺术性极高。构图超群绝伦,技法炉火纯青。尤其是一个个人物的画法活灵活现,有很强的感染力。"

说到这里,我略一停顿,等待我的话在真理惠的意识上落下脚来。而后继续下文。

"可是这幅画过去一直藏在这座房子的阁楼里,用纸包着以免别人看见。想必因为年长日久,上面落满了灰尘。但我碰巧发现了,拿下来放在这里。作者以外见到这幅画的,恐怕只你我两人。你的姑母第一天也应该看见了这幅画,但不知为什么,似乎完全没引起她的兴趣。至于雨田具彦为什么把这画藏在阁楼里,原因不清楚。这么出色的画、在他的作品中也属于杰作行列的作品,为什么故意不给人看呢?"

真理惠一言不发,坐在凳上以认真的眼神静静凝视《刺杀骑士团长》。

我说:"而我发现这幅画以后,就像这是什么信号似的,开始不断发生五花八门的事、各种不可思议的事。首先是免色这一人物积极向我接近——就是住在山谷对面的免色先生。你去过他家的吧?"

真理惠微微点头。

"其次,我打开了杂木林小庙后头那个奇特的洞。深更半夜传来铃声,循声找去,结果找到那个洞。或者莫如说,铃声好像是从好多块摞在一起的大石头下传出来的。用手绝不可能把石头挪走。过大,过重。

于是免色先生叫来园艺业者，使用重型机械挪开石头。至于免色先生何苦非要特意费这样的麻烦不可，我不太明白，现在也不明白。但反正免色先生费了那么多麻烦和钱款把石堆整个挪开。这么着，那个洞出现了，直径接近两米的圆洞，石块砌得非常细致的圆形石室。那东西是谁为了什么建造的，完全一个谜。当然现在你也知道了那个洞的情况。是吧？"

真理惠点头。

"打开洞，从中出来的就是骑士团长，和这画上的是同一个人。"

我去画前指着那里画的骑士团长形象。真理惠目不转睛地看着，但表情没有变化。

"长相和这一模一样，服装一模一样。只是，身高不出六十厘米，非常矮小。说话方式多少与众不同。不过除了我，别人好像看不见他的模样。他自称是理念，说他被关在那个洞里来着。就是说，是我和免色先生把他从洞中解放出来的。关于理念你可知道什么？"

她摇头。

"所谓理念，总之就是观念。但并不是所有观念都叫理念。例如爱本身恐怕就不是理念。可是促使爱得以成立的无疑是理念，没有理念，爱就不可能存在。但说起这个，话就没完了。老实讲，我也不明白正确的定义那样的东西。反正理念是观念，观念不具形体。纯属抽象的东西。这样，人的眼睛就看不见，因此这个理念就姑且采取这画中的骑士团长形象，即借而用之出现在我的面前。到这里是明白的吧？"

"大体明白。"真理惠第一次开口道，"上次见过那个人。"

"见过？"我吃了一惊，迎面看着真理惠。半天说不出话来。旋即猛

然想起骑士团长在伊豆高原疗养所对我说的话：稍前一会儿见过，简短
说了几句。

"你见过骑士团长？"

真理惠点头。

"什么时候？在哪儿？"

"在免色的家。"她说。

"他对你说什么了？"

真理惠再度笔直地合拢嘴唇，意思仿佛是现在不想再多说。我放弃
从她口中打探什么的念头。

"从这幅画中，此外也出来了好几个人。"我说，"画面左下角那里，
有个满腮胡子的面目奇特的男子吧？就这个！"

这么说罢，我指着长面人。

"我暂且把这家伙叫'长面人'，反正奇形怪状。大小也是紧缩版，
身高七十厘米左右。他也同样从画上钻出来出现在我的面前。他和画上
一样顶起盖子打开洞口，把我从那里领进地下王国。话虽这么说，其实
是我粗暴地硬让他领我进去的……"

真理惠久久注视长面人长相。但还是什么也没说。

我继续道："接下去，我步行穿过暗幽幽的地下王国，翻过山丘，
渡过湍急的河流，而且碰上了这里这个年轻漂亮的女性。就是她！我按
照莫扎特歌剧《唐璜》的角色，称她为唐娜·安娜。个子同样矮小。她
把我带进洞窟中的横洞，而且和死去的妹妹一起鼓励和帮助我钻过那
里。假如没有她们，我不可能钻过那个横洞，说不定就那样被闷在地下
王国出不来了。还有，没准（当然不过是我的推测）唐娜·安娜是年轻

的雨田具彦在维也纳留学时候的恋人。差不多七十年前她被作为政治犯处死了。"

　　真理惠目视画上的唐娜·安娜。真理惠的目光仍如冬日白月缺乏表情。

　　或者唐娜·安娜是被金环胡蜂蜇死的秋川真理惠的母亲亦未可知。也许是她想保护真理惠。也许唐娜·安娜同时表现为各种各样的形象。但我当然没有说出口。

　　"另外，这里还有一个男子。"说着，我把面朝里放在地板上的另一幅画正了过来，靠墙立定，没画完的"白色斯巴鲁男子"的肖像画。一般看来，看到的只是仅以三色颜料涂抹的画面。然而那厚厚的颜料后面画有白色斯巴鲁男子的面目。我能看见其面目。但别人看不见。

　　"这幅画以前也看了吧？"

　　秋川不声不响地大大点了下头。

　　"你说这幅画已经完成了，就这样好了。"

　　真理惠再次点头。

　　"这里描绘的，或者这里往下必须描绘的，是被称为'白色斯巴鲁男子'的人物。他是我在宫城县一座海滨小镇碰上的，碰上两次。碰得别有意味，神秘兮兮。我不知道他是怎样一个人，名字也不知道。可我当时打定主意：非画他的肖像画不可。主意异常坚定。于是我回想他的样子画了起来，却横竖不能画完。所以就这样涂满颜料放着。"

　　真理惠的嘴唇依然闭成一条直线。

　　而后真理惠摇了摇头。

　　"那人到底可怕。"真理惠说。

"那人?"我追逐她的视线。真理惠盯视我画的《白色斯巴鲁男子》。

"你是说这幅画? 这个白色斯巴鲁男子?"

真理惠断然点头。尽管惧怯,但看上去她的视线没有从画上移开。

"你看见那个人的面目了?"

真理惠点头:"看见他在涂抹的颜料里。他站在那里看我,戴着黑帽子。"

我把那幅画从地板上提起,重新背过去。

"你看见了这幅画中的白色斯巴鲁男子,看见一般人可能看不见的存在,"我说,"但最好别再继续看他了。想必你没有必要看他。"

真理惠点头表示同意。

"至于'白色斯巴鲁男子'是不是真的存在于这个世界上,这点在我也不清楚。或者只是谁、是什么一时借用他的形体也不一定,一如理念借用骑士团长的形体。也可能仅仅是我在他身上看见了我自身的投影。不过,在真正的黑暗中,那不纯属投影。那是具有切实触感的活生生的什么。那个世界的人以'双重隐喻'这个名字称呼它。我想迟早完成那幅画。但现在还过早,现在还过于危险。这个世界上,有的东西是不能简单拉到光亮之下的。不过,我或者……"

真理惠什么也不说,一动不动看着我。我没办法顺利说下去。

"……反正在很多人的帮助下,我得以横穿那个地下王国,钻出窄小又黑的横洞,总算回到这个现实世界。而且,大体与此同时,你也平行地从哪里解放出来返回。很难设想这种机缘是单纯的偶然。从星期五开始你在哪里差不多消失了四天。我也从星期六开始三天消失去了哪里。两人都在星期二返回。这两件事肯定在哪里连在一起。而且,骑士团长发挥了不妨说是类似接缝的作用。但他已不在这个世界。他完成任务后去了哪里。往下只能由我和你两人关闭这个环。我说的你肯相信?"

真理惠点头。

"这就是我现在在这里想说的话。为此促成你我两人单独留下来。"

真理惠定定看着我的脸。我说:"即使实话实说,我想也不可能让谁理解。恐怕只能被认为脑袋出了问题。毕竟是逻辑讲不通的偏离现实的事。可我想你肯定能接受。而且,既然要说这个,就必须让对方看这幅《刺杀骑士团长》。不然说法就不能成立。不过,作为我,是不想给除你以外的任何人看这幅画的。"

真理惠默默看着我,眸子似乎多少有生命的光闪去而复来。

"这是雨田具彦先生投入精魂画的画,那里聚结着他种种样样的深邃情思。他是流着自己的血、削着自己的肉画这幅画的。恐怕是一生只能画这一次的那一类画。这是他为自己本身、并且为已不在这个世界的人们所画的画。也就是说,是安魂画,是为了净化已然流出的大量鲜血的作品。"

"安魂?"

"为了安顿灵魂、医治创伤的作品。因此,世间无聊的批评和赞赏或者经济报酬,对于他是毫无意义的东西。莫如说是不可以有的东西。这幅画被画出来并且存在于这个世界的某处——仅仅这点就足够了,即使被纸包起来藏在阁楼而不为任何人看见!我想珍惜他的这一心情。"

深重的沉默持续有顷。

"你从很早就常来这一带玩,沿着秘密通道。是吧?"

秋川真理惠点头。

"那时可见过雨田具彦？"

"样子看见过，但没见面说话，只是偷偷躲起来从远处看的，看那位老爷爷画画的样子。毕竟我是擅自侵入这里的。"

我点头。我可以使那光景在眼前历历浮现出来。真理惠躲在树丛阴里悄悄窥看画室，雨田具彦坐在木凳上心无旁骛挥笔不止，可能有谁观看自己这样的念头根本不会掠过他的脑海。

"老师刚才说有希望我帮忙的事。"

"是的是的，有件事希望你帮忙。"我说，"想把这两幅画好好包起来藏进阁楼，以免被人看见。《刺杀骑士团长》和《白色斯巴鲁男子》——我们已经不再需要这两幅画了。如果可能，想请你帮忙做这件事。"

真理惠默默点头。说实话，我不想一个人做这件事。不仅需要别人帮忙做，而且需要一个目击者和见证人，需要一个能够分享秘密的守口如瓶的人。

从厨房拿来纸绳和美工刀。我和真理惠两人把《刺杀骑士团长》包得牢牢实实。用原来的褐色牛皮纸仔细包好，扎上纸绳。上面又罩上白布，再从外面扎上绳子。扎得死死的，以免别人轻易打开。《白色斯巴鲁男子》因为颜料还没干好，就简单包一下作罢。而后抱着它们进入客卧的壁橱。我爬上梯凳打开天棚盖（想来，和长面人顶开的方形盖十分相似），上到阁楼。阁楼空气凉瓦瓦，但凉得莫如说让人惬意。真理惠从下面递画，我接过来。先接过《刺杀骑士团长》，其次接过《白色斯巴鲁男子》，将这两幅画靠墙并立。

这时我忽有所觉。发觉阁楼里有的，不仅我一个，还有谁。我不由得屏住呼吸。有谁在这里。但那是猫头鹰，和最初上来时看见的大概是同一只猫头鹰。这只夜鸟在上次那根梁上同样悄然歇息，我凑近也好像不以为意，这也一如上次。

"喂，来这里看啊！"我低声招呼下面的真理惠，"给你看极好看的东西。别弄出动静，轻轻上来！"

她以疑惑的神情爬上梯凳，从天花板开口处爬上阁楼，我双手把她拉上来。阁楼地板薄薄积了一层白灰，新毛料裙子应该沾脏了，但她满不在乎。我坐在那里，指着猫头鹰蹲着的那根梁叫她看。真理惠跪在我身旁如醉如痴地看那光景。鸟的样子非常动人，俨然长翅膀的猫。

"这只猫头鹰是一直住在这里的。"我小声对她说，"夜里去树林找东西吃，到了早上就回到这里休息。那里有个出入口。"

我把铁丝网破了的通风孔指给她看。真理惠点头。她浅浅的静静的呼吸声传来我的耳畔。

我们就那样一声不响地定定注视猫头鹰。猫头鹰不怎么把我们放在心上，在那里深思熟虑似的静静休息身体。我们在沉默中分享这个家。作为白天活动者和夜间活动者，各享一半这里的意识领域。

真理惠的小手握着我的手，她的头搭在我的肩上。我轻轻回握了一下。我和妹妹路也曾这样一起度过很长时间。我们是要好的兄妹，总是能够自然而然地息息相通，直到死把两人分开。

我得知紧张从真理惠身上退去。她体内拘板僵挺的东西一点点松缓下来。我抚摸她搭在我肩上的头。流线型柔软的秀发。手碰到她脸颊时，知道她正在落泪，如同心脏溢出的血一样温暖的泪。我以那样的姿势抱了她一会儿。这个少女是需要流泪的。但她未能顺利哭出，大概很久以前就这样了。我和猫头鹰不声不响地注视她这副样子。

午后的阳光从铁丝网破了口的通风孔斜射进来。我们的周围唯有静默和白色灰尘。仿佛从远古运送来的静默和尘埃。风声也听不见。猫头鹰在梁上于无言中保持森林的睿智。那睿智也是从遥远的古代继承下来的。

秋川真理惠久久吞声哭泣。能从身体细微的震颤得知她哭泣不止。我温柔地不断抚摸她的头发，仿佛在时间的长河中逆流而上。

**如果那个人有相当长的手**

"我在免色家来着，这四天一直。"秋川真理惠说。流过一阵子泪，她终于能开口了。

我和她在画室里。真理惠坐在绘画用的圆凳上，裙裾探出的双膝紧紧合拢。我靠窗框站着。她的腿非常漂亮，即使从厚连裤袜上面也看得出来。再长大一些，那双腿想必要吸引许多男人的视线。届时胸也会在某种程度上鼓胀起来。但眼下，她还不过是在人生入口徘徊的一个情绪不稳定的少女。

"在免色先生家?"我问，"不大明白啊，多少详细说说可好?"

"我去免色家，是因为我必须多了解他一些。不说别的，那个人为什么每天晚上用双筒望远镜窥看我家呢? 想知道原由。我想他正是为了这个买的那座大房子，为了看山谷对面的我们家。可为什么非这样做不可呢? 我怎么也理解不了。毕竟实在太不一般了! 那里应该有什么很深的原由，我想。"

"所以去免色家访问了?"

真理惠摇头："不是去访问，是溜进去的，偷偷地。可是出不来了。"

"溜进去的?"

"是的，像小偷那样。本来没有那样做的打算。"

星期五上午的课上完后，她从后门溜出学校。如果早上不打招呼就不上学，学校马上就跟家里联系。但若午休后偷偷溜出来不上下午课，就不会往家里打电话。什么原因不知道，反正就是这样一种状况。因为以前一次也没这么做过，所以即使事后老师提醒，也总可以搪塞过去。她乘大巴回到家附近，但没有回家，而是爬上自己家对面的山，来到免色家跟前。

真理惠原本没有悄悄潜入这座豪宅的打算，那样的念头即使稍纵即逝也未从脑海掠过。话虽这么说，但也没打算按门铃正式申请会面——没有任何计划。她只是像铁皮被强力磁石吸引一样被这白色豪宅吸引了过去。即使从院墙外往里看，也不可能解开关于免色的谜。这点心知肚明。可是她无论如何也抑制不住好奇心，脚自行往那边拐了过去。

到房前要爬相当长的坡路。回头看去，山与山之间的海面碧波粼粼，炫目耀眼。房子四边围着很高的院墙，入口有电动式坚不可摧的大门，两侧安有防盗用监控摄像头。门柱上贴有保安公司的警示标志。轻易近前不得。她藏在大门附近的树丛里，查看一会儿情况。但房子里也好周围也好完全不见动静。没有人出入，里面也没有什么声响传出。

她在那里空落落消磨了三十分钟时间，正想放弃往回走时，一辆客货两用车缓缓爬上坡来——送货公司的小型运输车。车在门前停下，门开了，手拿写字夹板一身制服的年轻男子从中下来。他走到门前按门柱上的铃，用对讲机同里面一个人简短讲了几句。少时，大木门慢慢朝里侧打开，男子赶紧上车，开车进入门内。

没有细想的余地。车刚一进去，她当即跳出树丛，以最快速度跑进正在关闭的大门。虽是极限时机，但好歹在门关闭前顺利跑了进去。有可能被监控摄像头摄入，不过没有被当场盘问。相比之下，她更怕狗。院内说不定放养看家狗。往里跑时这点想都没想。进院关门后，她才猛然想到。这么大的房子，院子里放养道伯曼犬或德国狼狗也没什么奇怪。若有大型狗，那可麻烦透了。她对付不了狗。但庆幸的是狗没来，叫声也没听到。上次来这里时也好像没有提到狗。

她躲在院内灌木丛里四下查看。喉咙深处干得沙沙作响。我像小偷一样潜入这户人家。侵入私宅——我无疑在做违法的事。摄像头的图像势必成为确凿证据。

自己采取的行动是否合适？事到现在已经没了自信。瞧见送货公司的车驶入门内，她几乎条件反射地奔了进去。至于那将带来怎样的后果，根本没有一一考虑的余地。机不可失，只此一个机会——她是怀此一念瞬时发起行动的。比之条分缕析，身体抢先而动。却不知何故，没有涌起悔意。

在灌木丛躲了不久，送货公司的客货两用车沿坡道爬来。门扇重新缓缓朝里打开，车驶到外面。若要退出，唯有此时——在门尚未彻底关闭之间一冲而出。那样，就可以返回原来的安全世界，不会成为犯罪者。然而她没那样做。她只管躲在灌木阴里，静静咬着嘴唇从院内注视门扇缓缓关合。

此后等了十分钟。她用手腕上戴的卡西欧小号 G－SHOCK 准确计测十分钟，然后从灌木丛背后里出来。为了不让摄像头轻易摄取，她弓腰缩背，快步走下通往房门口的徐缓的坡路。时间到了两点半。

被免色看见时如何是好呢？她就此思索。不过，果真那样，她也有总可以设法当场敷衍过去的自信。免色对她似乎抱有某种深度关心（或

类似关心的情感）。自己一个人来这里玩，正巧门开了，就直接进来
了——一定要有游戏感。只要做出淘气孩子的表情这么一说，免色必信
无疑。那个人是想相信什么的，应该对我所说的照信不误。她所不能判
断的，是那种"深度关心"是如何得以形成的——那对于她是善的还是
恶的。

　　走下拐弯后的坡路时，房门出现了。门旁有铃。当然不能按铃。她
绕了个大弯子躲开门前圆形停车廊，一边在这里那里的树下和灌木丛里
隐蔽身体，一边沿着房子混凝土山墙顺时针方向前行。房门旁有可以停
两辆车的车库。车库卷闸门落着。再前行几步，距主房不远的地方有一
座民舍样别致的建筑，似乎是独立的客人用房。其对面有网球场。见到
带网球场的人家对她是第一次。免色在这里到底和谁打网球呢？不过看
上去这网球场好像很久没有使用了。没有拉网，红沙土上有很多落叶，
划出的白线也完全褪色了。

　　房子朝山一侧的窗口不大，全都严严实实落着百叶窗。所以没办法
从窗口窥看房子里面。里面依然不闻任何声响。狗的叫声也听不到。唯
独偶尔传来高树枝头鸟的鸣啭。前行片刻，房子后面另有一座车库，也
是可容两辆车的面积。看样子是后来增建的，以便保管更多车辆。

　　房子后头是利用山坡修建的足够大的日本风格庭园。有台阶，配有
大块石头，步行道在其间如穿针引线一样连绵不断。杜鹃花丛同样修剪
得整齐美观，色调明亮的松树在头顶伸过枝桠。前面还有个凉亭样的东
西。凉亭里放着活动靠背椅式的躺椅，以便在那里休息看书。也摆着咖
啡桌。点点处处有石灯笼，有庭园灯。

　　真理惠随后绕房一周来到山谷这边。房子朝山谷一侧是宽大的阳

台。上次来这里时她上了阳台。免色从那里观察她家。站在阳台的一瞬间她就明白了——可以真切感受那种迹象。

真理惠凝眸往自己家那边望去。她家就在一谷之隔的对面——往空中伸出手（假如那人有相当长的手的话），几乎可以触及。从这边看去，她家无遮无拦，一览无余。她家盖房子时，山谷这一侧还一座房子也没有。建筑规章多少放松而山谷这边开始建房是相当晚近的事（话虽这么说，可也是十多年前的事了）。所以，她住的房子完全没有考虑防备山谷这边的视线，几近全方位开放。倘若使用高性能望远镜、双筒望远镜，那么房内情况想必历历在目。即使她的房间窗口，只要有意，也会看得相当清楚。她当然是谨小慎微的少女。所以换衣服等时候一定注意拉上窗帘。但不能说完全没有疏忽。免色迄今看到的究竟是怎样的场景呢？

她沿着斜坡石阶往下走。下到有书房的下一阶时，那阶的窗口全都紧紧落着百叶窗，里面无法窥看。所以她下到更下面的一阶。这阶面对的主要是杂务间。有洗衣房，有熨衣服用的房间，有大约是住家用人用的房间。另一侧是相当大的健身房，排列着五六台锻炼肌肉的器械。这里和网球场不同，看上去利用得相当频繁。哪一台都擦得干干净净，像上了油似的。还吊着拳击用的大沙袋。从这一阶侧面这边看去，似乎不像其余台阶的侧面警戒得那么森严。许多窗口都没拉窗帘，从外面可以整个看见里面。尽管如此，所有的门和玻璃窗都从内侧牢牢锁着，无法进入。门上同样贴着保安公司的警示标志——目的在于让小偷死心塌地。硬要开门，保安公司就会收到警报。

房子相当大。这么大的空间孤零零只一个人住，她实在难以置信。

此人的生活必定孤独无疑。房子用钢筋混凝土建造得牢不可破，使用所有装置严加封锁。大型狗诚然没有看见（或者不太喜欢狗也有可能），但为防止入侵使用了大凡能搞到的所有防护手段。

那么，往下怎么办呢？她完全心中无数。家中无法进入，又不能出到院外。免色此时此刻肯定在家——他按开关开门，收取送货上门的物品。除他以外没有住在这房子里的人。除了每星期上门一次的专业保洁人员，原则上家中无他人进入。上次来此访问时免色这么说过。

既然没进入屋内的手段，就需要物色此外藏身的场所。在房子四周转来转去，说不定什么时候被他发现。东瞧西找时间里，发现房后庭园角落有个用于存放物资的小屋样的房子。门没有上锁，里面放有庭园里干活用的器具和软管，堆着一袋袋肥料。她走了进去，在肥料袋上弓身坐下。场所当然谈不上多么舒心惬意，但只要老实待在这里，就不至于被摄像头摄进去，也不至于有人来这里查看情况。如此过程中肯定有什么动静，只有静待时机。

尽管处境进退不得，然而莫如说她切身感受到一种健康的激情。这天早上淋浴后裸体站在镜前，发觉乳房约略鼓出了一点点。估计这点也多少引发了激情。当然这也许纯属错觉——渴望那样的心情导致的自作多情亦未可知。不过，即使从各种角度相当公平地审视，即使用手触摸，她也还是感觉那里生出迄今未有过的柔软的隆起。乳头还很小很小（同令人想到橄榄核的姑母的无法相比），但那里荡漾着类似萌芽的征兆。

她一边琢磨胸部小小的隆起，一边在这物资小屋里消磨时间。她在脑海中想像那隆起日新月异的状态——有一对丰满隆起的乳房的日子该会是怎样一种心情呢？她想像自己戴上姑母戴的那种地地道道的乳罩时的情形。不过那还是相当久远的事情吧！毕竟月经今春才刚刚开始。

她感到有点儿口渴，但还能忍耐一会儿。她觑一眼厚墩墩的手表。G－SHOCK 指在刚过 3:05 的位置。今天是周五，绘画班上课的日子，而她一开始就没打算去。装有画材的包也没带。不过，倘若晚饭前不能赶回家，姑母肯定要担心的。要考虑事后相应辩解才行。

可能多少睡了一会儿。在这样的场所、这种状况下自己居然能睡过去——尽管时间很短很短——对此她怎么都不能相信。大概是在不知不觉之间睡过去的。很短，也就十分钟或十五分钟吧。没准更短。可是睡得相当深。猛然睁眼醒来时，意识已被割断。自己此刻在哪里？正在做什么？一时浑浑噩噩。那时自己好像做了个乱七八糟的梦，梦涉及丰满的乳房和奶油巧克力。口中满是口水。而后她陡然想起：自己溜进免色家，正在院中物资小屋里藏身不动。

是什么声响把她惊醒的。那是持续性机械声响。准确些说来，是正在开车库门的声响。门旁车库的卷闸门咣啷咣啷卷了上去。估计免色要开车去哪里。她赶紧走出物资小屋，蹑手蹑脚向房前走去。卷闸完全卷了上去，马达声停了。接着响起车的引擎声，银色捷豹首先把鼻子缓缓探了出来。驾驶位上坐着免色。驾驶席位窗玻璃落了下来，雪白的头发在午后阳光下熠熠生辉。真理惠从灌木丛阴里打量免色的样子。

假如免色往右边灌木丛转过脸，说不定一闪瞥见躲在那里的真理惠——灌木丛过小，不足以充分遮掩身体。但免色一直脸朝正前方。他手握方向盘，显出正认真思索什么的神情。捷豹直接向前行驶，拐过车道的拐角不见了。车库的金属卷闸门通过遥控操作开始缓缓下落。她从灌木丛阴里一跃而出，让身体迅速滑进几乎关合的卷闸空隙，像电影《夺宝奇兵》（*Raiders of the Lost Ark*）里印第安纳·琼斯（Indiana Jones）做的那样。而且是瞬间条件反射式行动。钻进车库，肯定能从那里进入里面——这种类似灵机一动的能力她是具备的。车库的传感器感到了什么，略一迟疑，但卷闸重新开始下落，很快落得严丝合缝。

车库中还放着一辆车。带有米色车篷式样潇洒的深蓝色跑车，日前姑母看得出神的车。她对车没有兴致，当时几乎不屑一顾。鼻子长得出奇，同样带有捷豹标志。价格昂贵这点，即使不具有汽车知识的真理惠也不难想像。恐怕又是件宝贝。

车库尽头有通往住房的门。战战兢兢一拧门拉手，得知门没锁。她舒了口气。至少白天从车库通往住房的门是不锁的。不过免色毕竟是小心慎重之人，所以她没有期待到这个程度。想必他有什么要紧事要思考的吧。只能说自己幸运。

她从门口把脚迈进住房里面。鞋怎么办？迟疑之余，最后决定脱下拿在手中。不能留在这里。房内静悄悄没有一点声息，似乎所有什物都大气不敢出。她确信：在免色去了哪里的现在，这个家中没有任何人。此刻这座房子里有的仅我一个。往下一段时间，去哪里、做什么都是我的自由。

上次来这里时，免色领她大致看了家中情形。当时的事清楚记得。房子的结构大体装在脑袋里。她首先去了占一楼大半的大客厅。从那里可以上到宽大的阳台。阳台带有大大的玻璃拉门。拉不拉开这玻璃门呢？她犹豫了一阵子。免色离开时说不定按下报警装置开关。果真如此，拉开玻璃门那一瞬间铃就会响起。保安公司的报警灯随之闪烁，公司首先往这里打电话确认情况。届时就必须把密码告诉对方。真理惠手拎黑色乐福鞋犹豫不决。

　　不过免色未必按下报警装置开关——真理惠得出这样的结论。既然车库里面的门没锁，那么不至于想出远门，不外乎去附近购物了。真理惠一咬牙拉下玻璃门的保险锁，从里面打开。姑且等候片刻。铃没响，保安公司的电话也没打来。她如释重负（万一保安公司的人开车赶来，那可就不是开句玩笑能了结的），走上阳台。把鞋放在地上，取出套在塑料罩子里的大型双筒望远镜。双筒望远镜在她手里过大，于是把阳台栏杆当作台架试了试，但不如意。四下环顾，发现仿佛双筒望远镜专用架样的东西靠墙立着。类似照相机三脚架，颜色是和双筒望远镜同样的模模糊糊的橄榄绿，可以把双筒望远镜用螺丝固定在那上面。她把双筒望远镜固定在那个专用架上，坐在旁边金属矮凳上，从那里往双筒望远镜里窥看，于是得以轻松确保视野。从对面看不见这边的人影。想必免色总是这样观望山谷对面。

　　她家内部的情形清晰得令人吃惊。通过镜头看去，视野中的所有光景都比实况更加鲜明、更加逼真地赫然浮现出来。双筒望远镜想必具备使之成为可能的特殊光学功能。面对山谷的几个房间因为没拉窗帘，包括细部在内，看上去一切都那般真切。甚至茶几上放的花瓶和杂志都了然在目。现在姑母应该在家。但哪里也没有她的身影。

　　从隔着较远距离的地方细看自家内部，感觉很有些不可思议。心情简直就像自己已经死了过去（缘由不清楚，回过神时，不觉之间成了死者中的一员），从那个世界观望自己曾经住过的房子。尽管那是长期属于自己的场所，但已没有自己的住处。本来是再熟悉不过的亲密场所，却已失去重返那里的可能性——便是这样一种奇妙的乖离感。

接下去她看自己的房间。房间窗口面对这边，但拉着窗帘，拉得严严实实。看惯了的带花纹的橙色窗帘。橙色已经晒得褪了不少。窗帘里面看不见。但若到了晚上打开灯，里面的人影或许得影影绰绰。而究竟能看到什么程度，晚间不实际来这用双筒望远镜看看是不晓得的。真理惠缓缓旋转双筒望远镜。姑母应该在家中哪个地方，然而哪里也找不见她。可能在里面的厨房准备晚饭。或者在自己房间休息也不一定。总之家中那一部分从这边看不见。

我想马上返回那个家。这样的心情在她身上一发不可遏止。她想返回那里坐在早已坐惯了的餐厅椅子上，用平时用的茶杯喝热红茶，想呆呆看着姑母站在厨房里做饭的情景——如果可能，那该是多么美妙啊！她这样想道。自己居然有一天怀念那个家，迄今为止哪怕作为一闪之念都不曾有过。她一向认为自己的家空空荡荡、丑陋不堪。在那样的家里生活简直忍无可忍。恨不得马上长大离开家，一个人住在适合自己口味的居室里。不料此时此刻从隔一道山谷的对面通过双筒望远镜鲜明的镜头观望自家内部，想回那个家的愿望竟是这般迫不及待。不管怎么说那都是我的场所，是保护我的场所。

这时，类似嗡嗡轻叫的声音在耳畔响起。她把眼睛从双筒望远镜离开。随即看见什么黑东西在空中飞舞。蜂！长形大蜂，大概是金环胡蜂。把她母亲蜇死的攻击性野蜂，有非常锐利的针。真理吓得慌忙跑进房间，紧紧关上玻璃门，锁上。金环胡蜂往下也像是要牵制她似的在玻璃门外盘旋了一阵子，甚至撞了几次玻璃。后来勉强作罢飞去了哪里。

真理惠终于放下心来。呼吸仍然急促，胸口怦怦直跳。金环胡蜂是她在这个世界上最怕的东西之一。金环胡蜂是何等可怕，她从父亲那里听了好多次，图鉴上也确认好多次它的形体。不知不觉之间她也开始怀有一种恐惧——说不定自己和母亲同样迟早被金环胡蜂蜇死。自己有可能从母亲身上承袭了同样对蜂毒过敏的体质。即使迟早总有一死，那也应该是很久很久以后的事才对。拥有丰满的乳房和坚挺的乳头是怎么一回事——哪怕一次也好，她想体味那种心情。而若在那之前给蜂蜇死，无论如何也太惨了。

看来暂且不要到外面去为好，真理惠心想。凶狠的野蜂肯定还在这周围盘旋。而且好像已经把她锁定为个人目标。于是她放弃外出念头，决定更仔细地把房子里面查看一遍。

她首先在大客厅里看了一圈。这个房间同上次看时差不多毫无二致。大大的施坦威大钢琴。钢琴上面摆着几本乐谱。巴赫的创意曲、莫扎特的奏鸣曲、肖邦的小品之类。技法上好像不是多有难度的乐曲。不过能弹到这个程度还是相当了得的。这点事儿真理惠也晓得。以前她也学过钢琴（长进不很大。因为比之钢琴更为绘画所吸引）。

带有大理石台面的咖啡桌上摆着几本书。没看完的书。书页间夹着书签。哲学书一本、历史书一本，另有小说两本（其中一本是英语书）。哪本的书名她都不曾见过，作者名字也不曾听过。轻轻翻动书页，都不是能引起她兴趣的内容。这家的主人阅读晦涩书籍、爱好古典音乐。而且抽时间使用高性能双筒望远镜偷偷窥看山谷对面的她家。

他单单是个变态不成？还是其中有某种说得通的理由或目的什么的呢？他对姑母有兴趣？还是对我？抑或双方（那种事情是可能的吗）？

其次，她决定查验楼下房间。下楼先去他的书房。书房里挂有他的肖像画。真理惠站在房间正中，看画看了好一会儿。画上次也看过（为了看这幅画而来这里的）。但重新细看，她渐渐感觉免色就好像实际在这房间里。于是她不再看画，眼睛尽可能不往那边看，转而检查他桌子上的每一件东西。有"苹果"高性能台式电脑，但她没开。她知道肯定层层设防，自己不可能突破。桌面此外没放很多东西。有每日一翻的日程表，但上面几乎什么也没写，只是点点处处标有莫名其妙的记号和数字。估计真正的日程被输入电脑，为几种电器所共有。无需说，应被周密施以保险措施。免色是异常谨慎的人物，绝不至于轻易留下痕迹。

此外，桌面上放的只有哪里的书房桌子上都有的普普通通的文具——铅笔哪一支都几乎是同样长度，头上尖尖的，甚是好看。回形针按规格分得很细。纯白便笺静等被写上什么。数字坐钟分秒不差地记录时间。总之一切都近乎恐怖地井然有序。假如不是人工精巧制作的人，真理惠心想，免色这个人笃定有某种不正常的地方。

桌子抽屉当然全部上锁。理所当然。他不可能不锁抽屉。除此之外，书房里没什么值得看的东西。齐刷刷排列着书的书架也好CD架也好，看上去极为高档的最新音响装置也好，都几乎没有引起她的注意。那些仅仅显示他的嗜好倾向罢了。无助于了解他这个人，不会同他（大概）怀有的秘密发生关联。

离开书房后，真理惠沿着幽暗的长走廊前行。几个房间开着门，每扇门都没锁。上次到这里来时没能看到那些房间。免色领她们看的，只是一楼客厅、楼下书房、餐厅和厨房（她用了一楼客用卫生间）。真理惠一个接一个打开那些未知房间。第一个是免色的卧室。即所谓主卧室，极大。带有衣帽间和浴室。有大双人床，床整理得非常整齐，上面搭着苏格兰花格床罩。没有住在家里的用人，可能是免色自己整理床铺。果真这样，也没什么可惊讶的。深棕色无花睡衣在枕边叠得中规中矩。卧室墙上挂有几幅小版画，似乎是出自同一作者之手的系列作品。床头也放有没看完的书。此人到处看书，无所不至。窗口面对山谷，但窗口不很大，落着百叶窗。

拉开衣帽间的门，宽敞的空间满满一排衣服。成套西服少，几乎全是夹克和单件头轻便西装，领带数量也不多。想必没多大必要做正式打扮。衬衫无论哪一件都像刚刚从洗衣店返回似的套着塑料衣套。许多皮鞋和运动鞋摆在板架上。稍离开些的地方排列着厚度各所不一的风衣。此人用心收集够品味的衣服，精心保养。直接上服装杂志都可以。衣服数量既不过多，又不太少。一切都适可而止。

衣柜抽屉装满袜子、手帕、内裤、内衣。哪一件都叠得一道皱纹也没有，整理得赏心悦目。收有牛仔裤、Polo衫和运动衫的抽屉也有。有个专门放毛衣的大抽屉，聚集着五颜六色的漂亮毛衣，都是单色。然而，哪一个抽屉都没有任何足以破解免色秘密的物品。所有一切都那么完美整洁，井井有条。地板一尘不染，墙上挂的画一律端端正正。

关于免色，真理惠能明确理解的事实只有一项，那就是"无论如何都不可能和此人一起生活"。普通活人基本不可能做到这个地步。自己的姑母也是相当喜欢拾掇的人，但不可能做得如此完美。

下一个房间似乎是客卧。备有一张整理好的双人床。靠窗有写字桌和写字椅。还有个小电视。不过看情形看不出有客人实际住过的痕迹和氛围。总的说来，像是永远弃置不用的房间。免色这个人大概不怎么欢迎客人。只不过是为了某种非常场合（想像不出那是怎样的场合）而大致确保一间客卧罢了。

相邻房间差不多算是贮藏室。家具一件也没放。铺着绿色地毯的地板上摞着十来个纸壳箱。从重量看，里面装的似乎是书。所贴标签用圆珠笔记着类似记号的字样。而且哪一箱都用胶带封得一丝不苟。真理惠猜想大概是工作方面的文件。这些箱子里说不定藏有什么重大秘密。但那大约是与己无关的他的商务秘密。

哪一个房间都没锁，哪一个房间窗口都朝向山谷，同样严严实实落着百叶窗。在这里寻求灿烂阳光和美好景观的人，眼下似乎一个也没有。房间幽暗，一种被弃置的气味。

第四个房间最让她感兴趣。房间本身并不多么让人兴味盎然。房间里同样几乎没放家具，只有一把餐椅和一张平庸无奇的小木桌。墙壁整个裸露，一幅画也没挂，空空荡荡。无任何装饰性东西，看来是平时不用的空房。可是当她试着拉开衣帽间的门一看，那里排列着女性时装。量不是很大。但一个普通成年女性在这里生活几天所需衣服大体一应俱全。想必有个定期来此居住的女性，是那个人用的常备衣服。她不由得皱起眉头。姑母知道免色有这样的女性吗？

但她马上发觉自己的想法错了。挂在衣架上的一排衣服哪一件都是过去款式。无论连衣裙、半身裙还是衬衫，虽然都是名牌、都很时尚，看上去都甚为昂贵，但当下时代应该没有穿这类衣服的女性。真理惠对时装固然知之不详，不过这个程度的情况她还是明白的。恐怕是自己出生前那个时代流行的衣服。而且哪一件衣服都沾满防虫剂味儿，估计长期挂在这里没动。但想必因为保管得好，看不到虫蚀痕迹。不仅如此，还好像按季节适度加湿除湿，颜色都没变。长裙尺码是 5，身高怕是一百五十厘米上下。以半身裙号码看，体型相当曼妙。鞋号是 23 厘米。

　　几个抽屉里装有内衣、袜子、睡衣。全都装在塑料袋里以防落灰。她从袋里取出几件内衣看。乳罩号码为 65C。真理惠根据罩杯形状想像女子的乳房形状。恐怕比姑母略小（当然乳头形状想像不出）。里面的内衣哪一件都优雅有品位，或者约略朝性感方向倾斜，大约是经济上有余裕的成年女性考虑到同怀有好感的男性有肌肤之亲时的状况而在专卖店购买的高档内衣。细腻的丝绸和蕾丝，都要求温水手洗。不是在院子割草时穿的那种。而且无一不渗透了防虫剂味儿。她小心翼翼叠好，按原样放回塑料袋，关上立柜抽屉。

　　这些衣服是免色曾经——十五年前或二十年前——亲密交往的女性穿在身上的衣服。这是少女终于得出的结论。因了某种缘故，那位穿 5 码衣服、23 厘米鞋和戴 65C 乳罩的女性将这些有品位的衣物整套留下而再未归来。可她为什么留下这般奢侈的衣服呢？如果因为什么分手了，那么一般说来是会拿走的。自不待言，真理惠不解其故。不管怎样，免色十分用心保管对方留下的为数不多的衣服，一如莱茵河的女儿们无比小心地守护传说中的黄金。而且，他可能不时来这房间细看这些衣服或拿在手里，按季节更换防虫剂（他不至于委托别人做这件事）。

　　那位女子如今在哪里做什么呢？可能成了别人的太太。得病或遭遇事故去世了也未可知。但他至今仍在追寻她的面影（真理惠当然不知道那位女性即她本人的母亲。这个我也想不出必须将这一事实告知她的理由。具有告知资格的恐怕唯有免色）。

　　真理惠陷入沉思。莫非应因此对免色先生怀有好感才是？因了他在漫长岁月中对一个女性持续怀有如此深切的怀念之情？还是应该多少感到惧怵呢？因了他居然如此完好地保管那个女性的衣服？

　　想到这里时，车库卷闸卷起的声响突然传来耳畔。免色回来了！由于注意力集中在衣服上，未能觉察开门车进来的动静。务必尽快逃离这里。务必躲在哪里一个安全地方。这当口儿她猛然想到一个事实、一个极其重大的事实。旋即惶恐感把她整个擒住。

　　鞋放在阳台地板上了！双筒望远镜也从罩里拿出就那样安在三脚架上。看见金环胡蜂吓得她什么也顾不得了，只管逃进客厅，一切都原封不动留在那里。如果免色出到阳台看见了（迟早总要看见），马上就会觉察自己不在时有人闯入家中。看见黑色乐福鞋的尺码，一眼即可看出是少女的鞋。免色脑袋好使。想到那是真理惠的鞋无需多少时间。想必他要把家中无一遗漏地转圈搜遍，肯定轻而易举找出藏在这里的自己。

　　没有时间允许自己这就跑去阳台收鞋并把双筒望远镜复原。那样做，途中必同免色撞个满怀。怎么办好？她无计可施。呼吸不畅，心跳加快，四肢不听使唤。

　　车的引擎停息，继而响起卷闸下落的声响。免色很快就会进入家中。到底如何是好？到底怎么办……她的脑袋一片空白，兀自坐在地板上闭起眼睛，双手捂脸。

　　"在此静静不动可也！"有人说。

　　她以为是幻听，但不是幻听。一狠心睁眼一看，眼前有一位身高六十厘米左右的老人。他一屁股坐在矮柜上。花白头发在头顶扎起，身穿古色古香的白色衣裳，腰间佩一把不大的剑。理所当然，一开始她认为是幻觉。由于陷入强烈的惶恐状态，致使自己看见了实际根本不存在的存在。

　　"不，我不是什么幻觉。"老人以低沉而清晰的语声说，"我的名字叫骑士团长，我救你来了。"

# 61　必须成为有勇气的聪明女孩

"我不是什么幻觉。"骑士团长重复道。"至于我是不是实有其人自是众说纷纭，但反正不是幻觉。而且我是来这里帮助诸君的。难道诸君不是在寻求帮助吗？"

听起来"诸君"指的像是自己，真理惠推测。她点了下头。说话方式诚然相当奇妙，但确如此人所说，自己当然正在寻求帮助。

"现在才去阳台取鞋是不成的。"骑士团长说，"双筒望远镜也死心塌地为好。不过无需担心，我会竭尽全力不让免色到阳台上去，至少在一段时间内。可是，一旦日落天黑，那就无可奈何了。周围黑下来，他势必到阳台上去，用双筒望远镜看山谷对面诸君家情形。那是每天的习惯。在那之前必须把问题化解掉。我说的能够理解吧？"

真理惠只管点头。总还是可以理解的。

"诸君在这衣帽间里躲些时候。"骑士团长说，"屏住呼吸，一动不动。此外别无良策。合适时机到了由我告知。告知前不得离开这里。哪怕再有什么也不得出声。明白？"

真理惠再次点头。我在做梦不成？还是说此人是妖精或什么呢？

"我不是梦，也不是妖精。"骑士团长看透她的心思，"我是所谓理念，本来就不具形体。但若那样，诸君眼睛看不见，势必有所不便，故而暂且取诸骑士团长形体。"

　　理念、骑士团长……真理惠不出声地在脑袋里重复道。此人能读取我的心理信息。继而她恍然大悟：此人是在雨田具彦家里看到的横长日本画中描绘的人物。他肯定从那画上直接走了下来。正因如此，身体也才小。

　　骑士团长说："是的是的，我是借用那画上的人物形象。骑士团长——那意味着什么，我也不清不楚。但眼下我被以此名字称呼。在此静静等待。时机到了，我来接你。无需害怕，这里的衣服会保护诸君。"

　　衣服会保护我？不大理解他说的意思。但这一疑问没有得到回应。下一瞬间，骑士团长就从她面前消失不见了，犹如水蒸气被吸入空中。


　　真理惠在衣帽间中屏息敛气。按骑士团长的吩咐尽量不动、不出声。免色回来了，进入家中。像是购物回来，传来抱几个纸袋的沙沙声。换穿室内鞋的他轻柔的脚步声从她藏身的房间前面缓缓通过时，她险些窒息。

　　衣帽间的门是百叶窗式的，向下倾斜的空隙有一点点光线透进来。不是多么亮的光。随着傍晚临近，房间会越来越暗。从百叶门的空隙只能瞧见铺着地毯的地板。衣帽间狭小，充满防虫剂的刺鼻味儿。而且四周被墙围着，根本无处可逃。无处可逃这点比什么都让少女害怕。

　　时机到了，我来接你。骑士团长说。她只能言听计从静静等待。另外，他还说"衣服会保护诸君"。大概指的是这里的衣服。不知哪里的陌生女性大约在我出生前穿的旧衣服。衣服为什么会保护我的人身安全呢？她伸出手，触摸眼前的花格连衣裙裙裾。粉红色的裙料软软的，指感柔和。她轻轻攥了好一会儿。手碰得衣服，不知为什么，心情好像多少松弛下来。

如果想穿，说不定我也能穿这连衣裙，真理惠思忖。那位女性和我的身高应该差不多少。5码，即使我穿也不奇怪。当然胸部尚未隆起，那个部位要想想办法才行。但若有意，或者因故必须那样，我也能换穿这里的衣服。这么一想，胸口不明所以地怦怦直跳。

时间流逝。房间一点点增加暗度。黄昏一刻刻临近。她觑一眼手表，暗得看不清字。她按下按钮照亮表盘，时近4:30。应是薄暮时分。现在天短得厉害。天黑下来，免色就要到阳台上去，立马就会发觉有谁闯入家中。必须在那之前去阳台处理好鞋和双筒望远镜。

真理惠在心惊肉跳当中等待骑士团长来接自己。然而骑士团长怎么等也不出现。事情未必如愿以偿。免色不一定给他以可乘之机。何况，骑士团长这个人物——抑或理念——具备怎样的实际能力？可以信赖到什么程度？她都心中无数。但现在除了指望骑士团长别无他法。真理惠坐在衣帽间地板上，双手抱膝，从门缝间注视地板铺的地毯，不时伸手轻捏一下连衣裙的底裙，仿佛那对她是不可或缺的救生索。

房间暗度明显增加的时候，走廊再次响起脚步声。仍是缓慢的轻柔脚步声。声音来到她躲藏的房间前面时，陡然停了下来，就好像嗅到了某种气味。少顷，响起开门声。这房间的门！毫无疑问。心脏冻僵，就要停止跳动。是谁（想必是免色。此外这家中不可能有任何人）把脚迈入房间，随手缓缓关门，咔嚓一声。房间里有那个人，百分之百！那个人也和她一样大气不敢出，侧起耳朵，试探动静。她心里明白。他没有开房间的灯，在幽暗的房间中凝眸细看。为什么不开灯呢？一般说来不是要先开灯的吗？她不解其故。

真理惠从百叶门的空隙瞪视地板。若有谁朝这里走近，可以看见其脚尖。还什么也没看见。然而这房间里有人的明显气息。男人的气息。而且那个男人——估计是免色（除了免色，又有谁会在这座房子里面呢）——似乎在幽暗中目不转睛盯视衣帽间的门。他在那里感觉出了什么，感觉出衣帽间里正在发生与平日不同的什么。此人接下去要做的，就是打开这衣帽间的门！舍此不可能有别的选项。这扇门当然没锁，打开无非伸手之劳——只要伸手把拉手往他那边一拉即可。

他的脚步声朝这边走来。汹涌的恐惧感钳住了真理惠全身，腋下冷汗淌成一条线。我是不该来这种地方的，本应乖乖留在家里才是，留在对面山上那个令人想念的自己的家。这里有某种可怕的存在，那是容不得自己随便靠近的。这里有某种意识运行。想必金环胡蜂也是那种意识的一部分。而那个什么此刻即将把手伸向自己。从百叶门空隙已可看见脚尖，那是大约穿着褐色皮革室内鞋的脚。但因为过于黑暗，此外一无所见。

真理惠本能地伸出手，狠命抓紧挂在那里的连衣裙裾。5 码花纹连衣裙。她在心中祈愿：救我！请保护我！

来人在对开的衣帽间门前久久伫立，什么声响也没发出，甚至呼吸也听不见。俨然石头雕像凝然不动，只是定定观察情况。沉重的静默和不断加深的黑暗。在地上蜷作一团的她的身体微微颤抖不止。牙齿和牙齿相碰，咯咯低声作响。真理惠闭目合眼，恨不得把耳朵塞住、把念头整个甩去哪里。但没有那样，她感到不能那样做。无论多么恐惧，都不能让恐惧控制自己！不能陷入麻木状态！不能丧失思考！于是，她瞪目侧耳，一边盯视那脚尖，一边扑上去似的紧紧握住粉色连衣裙那柔软的质地。

她坚信衣服会保护自己。这里的衣服是自己的同伴。5 码、23 厘米、65C 的一套衣服会拥揽一样保护我、将我的存在变成透明之物。我不在这里。我不在这里。

不知道过去了多长时间。在这里，时间不是均一的，甚至不是有序的。然而还是像有一定的时间过去了。对方在某一时刻要伸手打开衣帽间的门。真理惠已感觉到了那种明确气息。她已做好心理准备。门一开，男子就会看见她；她也会看见男子。她不知道往下将发生什么，也猜测不出。**这个男子可能不是免色**——这一念头刹那间浮上她的脑际。**那么他是谁？**

但最终男子没有开门。犹豫片刻缩回手，直接从门前离开。为什么他在最后一瞬间转念作罢了呢？真理惠无由得知。大概是有什么制止他那样做。随即，他打开房间门，走到走廊，把门关上。房间重新处于无人状态，毫无疑问。这不是什么计谋。这房间里只有自己一人。她坚信不疑。真理惠终于闭上眼睛，大大呼出全身积存的空气。

心脏仍在刻录急速的律动。警钟已经敲响——小说势必这样表达，尽管她不晓得警钟是怎样的东西。正可谓千钧一发。但有什么最后的最后保护了我。话虽这么说，可这场所实在危机四伏。有谁在这房间中觉出了我的气息，绝对！不能总在这里躲藏下去。这次总算有惊无险，但往下未必一直这样。

她仍在等待。房间愈发黑暗。而她在此静等，只能保持沉默，忍受不安与恐惧。骑士团长决不至于把她忘掉不管。真理惠相信他的话。或者莫如说除了信赖那个说话方式奇妙的小个子人物，她别无选项。

蓦然回神，骑士团长出现在这里。

"诸君这就离开这里，"骑士团长以耳语般的声音说，"现在正是时候。快，快站起来！"

真理惠犹豫不决，仍瘫坐在地上，没办法顺利直腰立起。一旦离开衣帽间，新的恐惧感就朝她袭来。除此以外的世界说不定有更可怕的事在等待自己。

"免色君现在正在淋浴。"骑士团长说，"如你所见，他是个爱干净的人，在浴室的时间分外长，但也不可能永远待在那里。机会只有此时。快，尽快！"

真理惠拼出所有力气，好歹从地上站起，向外推开衣帽间的门。房间黑暗无人。离开前她回头看了看，目光再次落在那里挂的衣服上。吸入空气，嗅防虫剂的气味。目睹那些衣服，有可能这是最后一次。不知为什么，她觉得那些衣服对于她是那样切近，那样撩人情思。

"快，快点儿！"骑士团长招呼道，"无有多少时间了。出到走廊左拐！"

真理惠挎起挎包，开门来到外面，沿走廊左拐。她跑上楼梯进入客厅，穿过宽敞的地板打开面对阳台的玻璃门。或许金环胡蜂还在附近，也可能因为天空全黑了而停止活动。不，蜂们未必把天黑当一回事。问题是没有时间考虑那么多。一上阳台，她赶紧拧螺丝把双筒望远镜从三脚架上卸下，装入原来的塑料盒。又把三脚架折起按原样靠墙立定。紧张得手指不听使唤，以致花的时间意外地长。而后拾起放在地上的黑色乐福鞋。骑士团长坐在凳上看着她的一举一动。金环胡蜂哪里也没有，真理惠因之舒了口气。

"这回可以了。"骑士团长点头道。"关上玻璃门，进入里面，然后下到走廊，从楼梯往下走两层。"

往下走两层？那一来势必更要进入房子深处。我不是必须逃离这里的吗？

"这就逃离是不成的。"骑士团长看出她的心思，摇着头说，"出口已紧紧关闭，诸君只能在这里面躲一些时候。在这个地方，听我指挥为好。"

真理惠只能相信骑士团长的话。于是离开客厅，蹑手蹑脚沿楼梯往下走两层。

下完楼梯即是地下二层，那里有用人用的房间，隔壁是洗衣房，再隔壁是贮藏室。尽头是排列着运动器材的健身房。骑士团长把用人房指给她看。

"诸君在这个房间藏一阵子。"骑士团长说，"免色基本不至于到这里来。每天要下到这里洗一次衣服、做一次运动，但眼睛不会连用人房都不放过。所以，只要在这里老实待着，一般不会被发现。房间里有洗手间，有电冰箱。贮藏室贮存了足够多的地震应急用矿泉水和食品，不会挨饿。诸君可以在此较为放心地度日。"

度日？真理惠手提乐福鞋吃惊地问道（当然没有出声）。度日？就是说，莫不是我要好几天留在这里？

"固然令人不忍，但诸君不能马上离开这里。"骑士团长摇动小脑袋说，"这里戒备森严，在诸多意义上被牢牢监控——这点我也无能为力。理念被赋予的能力是有限的，遗憾。"

"要留多久呢？"真理惠压低嗓音询问，"得快些回家才行，不然姑母要担心的。很可能以去向不明为由跟警察联系。那一来就非常麻烦。”

　　骑士团长摇头道:"诚然遗憾,但我无可奈何。只能在此静静等待。"

　　"免色先生是危险人物吗?"

　　"这是难以解释的问题。"说着,骑士团长显出甚是为难的神情。"免色君本身并不是邪恶的人。相反,不妨说是具有非凡能力的正派人物,身上甚至不难窥见高洁的品格。但与此同时,他心中有个类似特殊空间的场所,而那在结果上具有招引非同寻常的东西、危险的东西的可能性。这会是个问题。"

　　这意味怎么回事,真理惠当然不能理解。非同寻常的东西?

　　她问:"刚才在衣帽间站着不动的人,是免色先生吗?"

　　"那既是免色君,同时又不是免色君。"

　　"免色先生本人觉察到了吗?"

　　"有可能。"骑士团长说,"有可能。但他对此也奈何不得。"

　　危险的、非同寻常的东西?或许她所见到的金环胡蜂也是其中一个形式,真理惠想。

　　"完全正确。金环胡蜂最好多多注意。那毕竟是绝对致命的生物。"骑士团长读出她的心理动向。

　　"致命?"

　　"就是说有可能置人于死地。"骑士团长解释,"现在诸君只能老老实实待在这里。马上去外面会很麻烦。"

　　"致命。"真理惠在心中重复。这个说法有凶多吉少之感。

　　真理惠打开用人房进去。这里的空间比免色卧室的衣帽间还多少宽敞一些。附带简易厨房，有电冰箱和电炉，有小微波炉，有水龙头和洗碗槽。另有小浴室，有床。床是裸露的，但壁橱里备有毛毯、棉被和枕头。还有能够简单进餐的一套简易桌椅。椅子只一把。面对山谷有个小窗。从窗帘缝隙可以看见整条山谷。

"如果不想被任何人发现，就得在这儿老老实实别动，尽量不要弄出动静。"骑士团长说，"听明白了？"

真理惠点头。

"诸君是有勇气的女孩。"骑士团长说，"有勇无谋的地方并非没有，但反正有勇气。而这基本是正确的。只要待在这里，就必须多多注意，万万不可掉以轻心。这个地方不是一般场所。麻烦家伙在此徘徊。"

"徘徊？"

"意思就是到处走来走去。"

真理惠点头。至于这里如何不是"一般场所"，到底是什么样的麻烦家伙在此徘徊，她很想就此多了解一些，但轻易发问不得。不清不楚的事太多了，不知该从哪里着手。

"我也许不能再来这里了。"骑士团长透露秘密似的说，"往下我有此外必须去的地方，有此外必须做的事情，那是非常重要的事情。因此，虽然抱歉之至，但往下不大可能帮你了。下一步只能以自己的努力设法脱身出去。"

"可是，怎么样才能以我一个人的努力离开这里呢？"

骑士团长眯细眼睛看着真理惠："好好侧耳倾听，好好凝眸细看，尽最大限度让心变得敏锐起来。此外别无路径。时机到了，诸君自会知晓。噢，现在正当其时。诸君是有勇气的聪明女孩。只要不马虎大意，自然心领神会。”

真理惠点头。我必须是有勇气的聪明女孩。

“打起精神来！”骑士团长鼓励似的说。而后忽然想起，补充一句：“无需担心，诸君的胸部很快就会大起来的。”

“大到 65C 那个程度？”

骑士团长困窘似的摇头：“那么问也没用。我毕竟仅是一介理念而已。对于妇人的内衣尺码不具有丰富知识。反正要比现在大得多这点无有问题。不必担心，时间会解决一切。对于有形之物，时间是伟大的。时间不会总有，但只要有，就会卓有成效。所以，尽管满怀期待就是！”

“谢谢！”真理惠致谢。这无疑是一则好消息。而她是那么需要能给自己带来勇气的消息，哪怕一则也好。

而后，骑士团长倏然消失，仍像水蒸气被吸入空中一样。他从眼前消失后，周围的静默更加深重了。想到可能再也不会见到骑士团长了，不禁有些怅惘。我再也没有可以依赖的了。真理惠躺在没有铺盖的裸板床上，盯视天花板。天花板较低，贴着白色石膏板。正中间有荧光灯。但她当然没有开灯，灯是开不得的。

必须在这里待多久呢？差不多到晚饭时间了。七点半前不回家，姑母想必给绘画班打电话。那一来就要知道我今天没去上课。想到这点，真理惠胸口作痛。姑母肯定十分担心，思忖我身上到底发生什么了呢？非想办法告诉姑母自己平安无事不可。随后她意识到上衣口袋里有手机，但一直关着。

真理惠从衣袋里掏出手机，按下电源开关。显示屏显出“电池电量不足”字样。电池电量显示完全空白，继而显示屏内容消失。她已有很

长时间忘记充电（日常生活中她几乎不需要手机，对这一电子产品不怀
有多大的好意和兴趣）。即使电池耗空也没什么奇怪，抱怨不得。

　　她深叹一口气。至少应不时充电才对，毕竟不知道会有什么事发
生。可是到现在再说这个也没用了。她把断气的手机揣回外衣口袋。
而又忽有所觉，重新掏了出来。平时一直拴着的企鹅饰物不见了。那是
她用买甜甜圈攒的积分作为赠品领得的，一直作为护身符带着。估计细
绳断了。可是到底掉在哪里了呢？她想不起线索。毕竟很少从衣袋掏出
手机。

　　没了小小的护身符，让她感到不安。但想了一会儿作罢。企鹅护身
符说不定不小心丢在哪里了。反正有衣帽间的衣服取而代之，作为新护
身符帮助了我。还有，那位说话方式奇妙的小个头骑士团长把我领来这
里——自己仍被什么小心呵护，别再为那个护身符的不见而想来想
去了。

　　说起她身上此外带的东西，不外乎钱夹、手帕、零币钱包、家门钥
匙、剩一半的薄荷口香糖。挎包里装着笔类、本子和几本教科书。有用
的东西一样也没找到。

　　真理惠悄悄走出用人房检查贮藏室中的东西。如骑士团长所说，这
里存有足够量的地震应急食品。小田原山间一带地壳比较坚实，震灾应
该没有多少。一九二三年关东大地震时尽管小田原市区受灾很严重，但
这一带比较轻微（上小学时作为暑假研究课题，她曾调查过关东大地震
时小田原周边受灾状况）。问题是，地震发生后很难马上弄到食物和水，
尤其在这样的山顶上。于是免色没有懈怠，为此贮存了这两样东西——
此人实在小心谨慎。

她从贮藏室取出矿泉水两瓶、椒盐饼干一包，巧克力一板，拿回房间。拿出这点儿数量，想必不会被发觉。哪怕免色再细心，也不至于连矿泉水的数量都一一过数。她所以拿矿泉水过来，是因为想尽可能不用自来水。不知水龙头发出怎样的声响。骑士团长交待说尽量不要弄出动静。务必注意才行。

真理惠进入房间后，把门从里面锁了。当然，无论怎么锁也没用，免色会有这门的钥匙。但多少可以赢得一点时间，至少让人约略宽心。

虽然没有食欲，但她还是试着嚼了几块饼干，喝了水。普普通通的椒盐饼干，普普通通的水。出于慎重确认日期，两样都在保质期内。不要紧，在这里不会挨饿。

外面已经黑尽。真理惠把窗帘拉开一条小缝，往山谷对面看去。那里可以看见自己的家。没有双筒望远镜，房子里面看不见。但看得见几个房间已经开灯了。凝眸细看，人影也好像看得出。那里有姑母。由于我到了平日那个时刻也没回家，她必然心慌意乱。从哪里能打个电话呢？肯定哪里有电话机。"我平安无事，不用担心"——只简短讲这么一句挂断即可。速战速决，免色也不会发觉。但是，无论这个房间里面还是旁边任何地方，都没见到电话机。

夜间能不能趁着黑暗脱离这里呢？在哪里找到梯子，翻墙即是外面。记得在院子里的物资小屋见到折叠梯来着。但她想起骑士团长的话：这里警备森严，在诸多意义上被牢牢监控。而且说"警备森严"时，他应该不仅仅是说保安公司的报警系统。

还是相信骑士团长的话好了，真理惠想道。这里不是一般场所，是很多东西徘徊的地方。我务必小心谨慎，必须有很强的忍耐力，不宜轻举妄动。她决定按骑士团长的吩咐，在这里留一些时候，老老实实查看情况，等待时机到来。

时机到了，诸君自会知晓。现在正当其时。诸君是有勇气的聪明女孩，自然心领神会。

是的，我必须成为有勇气的聪明女孩。而且要好好活下去，要看到胸部变大。

她躺在裸板床上这样思量。周围迅速暗了下来，更深的黑暗即将来临。

**那带有深奥迷宫般的情趣**

时间同她的意绪无关，循其自身原理推移。她在小房间躺在裸板床上，注视时间以蹒跚的脚步在她眼前行进、通过的情形。因为此外无所事事。如果能看什么书就好了，她想。然而手头没书。纵使有，也不能开灯。只好摸黑一动不动。她在贮藏室中发现了手电筒和备用电池，但那也尽可能不用。

不久夜深了，她睡了。在陌生场所睡过去让人不放心。如果可能，很想一直睁眼熬着。但在某个时候实在困得忍无可忍，眼睛再也睁不开了。裸板床毕竟寒凉，于是从壁橱里拽出毛毯和棉被，把自己紧紧包得像瑞士卷一样，闭上眼睛。没有暖气设备，又不能开空调 **(这里插入关于时间移行的我个人的注释。免色大概在真理惠沉睡当中离开赶到我这里，住在我家而翌日早晨回去的。因而免色那天夜里没在自己家。家里应该没有人，但真理惠不知道这点)**。

半夜醒来一次去卫生间，但这时也没冲水。白天倒也罢了，在夜深人静时分冲水，被听见声音的可能性大。不用说，免色是个慎之又慎细致入微的人，一点点变化都可能觉察。不能冒这样的危险。

这时看表，时针即将指向凌晨两点。星期六凌晨两点。星期五已经过去。从窗帘缝往隔一条山谷的自己家那边望去，客厅仍灯火通明。由于半夜过了我也没回家，人们——其实家里应只有父亲和姑母——肯定睡不着。真理惠感觉自己做了坏事。甚至对父亲也有愧疚之感（这是极为鲜乎其有的事）。自己不该胡闹到如此地步。原本无此打算，但在兴之所至顺水推舟过程中闹出了这样的后果。

无论多么后悔，不管多么自责，也不可能飞越山谷返回家中。她的身体和乌鸦不同。也不能像骑士团长那样任意消失或出现在哪里。她不过是个被封闭在仍处于发育阶段的身体中、行动自由受到时间和空间严格制约的笨拙存在而已。就连乳房也几乎没有膨胀，宛如没发好的圆面包。

四下漆黑，孤苦伶仃。秋川真理惠当然害怕。同时不能不痛感自己软弱无力，心想若是骑士团长在旁边就好了。自己有很多事想问他，对于提问能否回答固然不知道，但至少能够和谁说说话。他的说话方式作为现代日语的确相当奇妙，而理解大意并无障碍。问题是，骑士团长有可能再也不会出现在她面前了。"往下我有此外必须去的地方，有此外必须做的事情。"——骑士团长告诉她。真理惠为此感到寂寞。

窗外传来夜鸟深沉的叫声。估计是猫头鹰或猫耳鸟。它们埋伏在幽暗的森林中启动智谋。我也必须不甘落后地调动智谋。必须成为有勇气的聪明女孩。然而困意再次袭来，眼睛再也睁不开了。她重新裹起毛毯和棉被，倒在床上闭起眼睛。梦也没做的深度睡眠。又一次醒来时，夜空已慢慢放亮。时针转过六点半。

世界迎来星期六的曙光。

真理惠在用人房里静静送走了星期六一天。作为代用早餐，又嚼了椒盐饼干，吃了几块巧克力，喝了矿泉水。然后走出房间悄悄溜去健身房，从堆积如山的日语版《国家地理》（*National Geographic*）中拿了几册过期的快速返回（免色似乎一边踩单车或踩踏步机一边看这些杂志，到处有汗渍），反复看了好几遍。上面有西伯利亚狼的生息状况、月有圆缺的神奥、爱斯基摩人的生活以及年年缩小的亚马孙热带雨林等方面的报道。真理惠平时根本不看这种报道，但也是因为此外没有东西可看，就熟读这些杂志，读得几乎背了下来。照片也细细看了，险些看出洞洞。

杂志看累了，就不时躺下小睡。然后从窗帘缝隙看山谷对面自己的家。这里有那双筒望远镜就好了，她想，就能详细观察自家的内部，能看见人的活动就好了。她想返回挂着橙色窗帘的自己的房间，想泡进热乎乎的浴缸仔细清洗身体每个地方，换上新衣服，然后同自己养的猫一起钻进温暖的被窝。

上午九点多，传来有谁缓缓下楼走来的声音。穿室内鞋的男人的脚步声。大概是免色。走路方式有特征。她想从门扇锁孔往外看，但门没有锁孔。她身体僵硬，蜷缩在房间角落的地板上一动不动。万一这扇门打开，就无处可逃了。免色不至于窥看这个房间，骑士团长说了。只能相信他的话。可是无需说，谁也不知道会发生什么。毕竟这个世界根本不存在百分之百确定无误的事。她大气不敢出，在脑海里推出衣帽间里的衣服，祈祷什么也别发生。喉咙里干得沙沙作响。

免色似乎把要洗的衣服拎来了。大概每天早上这一时刻洗一天分量的衣服。他把要洗的衣物投进洗衣机，加入洗衣液，转动旋钮设定模式，按下启动开关。熟练的操作。真理惠倾听这一系列声音。那些声音清晰得令人吃惊。随即，洗衣机的滚筒开始缓缓旋转。这些操作完成后，他转去健身房区域，开始用健身器材做运动。洗衣机运转当中做运动似乎是他每天早晨的常规安排。一边做运动一边听古典音乐。安装在天花板的音箱中传来巴洛克风格音乐，或巴赫或亨德尔或维瓦尔第，大体这类音乐。真理惠对古典音乐不很详细，就连巴赫、亨德尔和维瓦尔第都区分不开。

她听着洗衣机的机械声、运动器械发出的有规则的声响、巴赫或亨德尔或维瓦尔第的音乐送走了大约一个小时。心神不定的一个小时。或许免色不至于发觉杂志堆中少了几册《国家地理》以及贮藏室里约略减少了瓶装矿泉水、盒装椒盐饼干和巧克力。毕竟相比于总体数量可谓微乎其微的变化。可是会发生什么，那种事谁都不晓得。马虎不得，不可粗心大意。

不久，洗衣机伴随很大的蜂鸣声停了下来。免色以徐缓的步伐赶来洗衣房，从洗衣机里取出洗完的衣物，转到烘干机，按下开关。烘干机的滚筒开始出声旋转。确认后，免色缓缓爬上楼梯。晨练时间似乎就此终了。接下去大概要花时间淋浴。

真理惠闭上眼睛，放下心来大大舒了口气。一个小时后免色恐怕还要来这里，来取回烘干的衣物。但最危险的时刻已经过去，她觉得。他没有觉察我潜藏在这个房间，没有觉出我的气息。这让她放下心来。

那么，在那衣帽间门前的到底是谁呢？那既是免色君又不是免色君，骑士团长说。那究竟是什么意思呢？她没能吃透他话里的含义。对于我那过于费解。但反正那个谁显然知道她在衣帽间里（或有人在里面）。至少明确感觉出了那种气息。但是，那个谁出于某种理由没能打开衣帽间的门。那究竟是怎样的理由呢？果真是那里一排美丽的过时衣服保护了我？

　　真想听骑士团长解释得更详细些。可是骑士团长不知去了哪里。能给我以解释的对象哪里都已没有。

　　这天，星期六一整天，免色好像一步也没出家门。据她所知，没听见车库卷闸响，没听见汽车引擎发动的声响。他来楼下取出烘干的衣物，拿着慢慢上楼。仅此而已。没有人来访这个位于路尽头的山顶之家。无论送货公司还是快递挂号信都没上门。门铃始终闷声不响。电话铃声听得两次。来自远处的微弱声音，但她得以捕入耳中。第一次铃响第二遍、第二次铃响第三遍时听筒被拿起（因此得知免色在家中某处）。市里的垃圾收集车一边播放《安妮·萝莉》一边慢速爬上坡路，继而慢速离去（星期六是普通垃圾收集日）。此外不闻任何声籁，家中大体一片岑寂。

　　星期六中午过去，下午来到，傍晚临近**（关于时间经过，这里再次加入我的注释：真理惠在那小房间屏息敛气之间，我在伊豆高原的疗养机构的房间里刺杀了骑士团长，抓住从地下探出脸的“长面人”，下到地底世界）**。但她没能找到逃离这里的时机。为了逃离这里，她必须极有耐性地等待“那个时机”，骑士团长告诉她。“时机到了，诸君自会知晓。噢，现在正当其时。”他说。

　　可是那个时机左等右盼也不来。真理惠渐渐等累了。老老实实等待什么不大适合她的性格。莫非我要永远在这种地方屏息敛气等待下去？

　　薄暮时分免色开始练钢琴。客厅窗扇好像开了，声音传到她躲藏的场所。大约是莫扎特的奏鸣曲，长调奏鸣曲。记得钢琴上面放着乐谱。他大致弹罢舒缓的乐章，反复练习若干部分。调整指法，直到自己满意。有的部分指法难度大、声音难以均匀发出——他似乎听出来了。莫扎特的奏鸣曲，一般说来大多绝不难弹。但若想弹得得心应手，就往往带有深邃迷宫般的情趣。而免色这个人并不讨厌把脚断然踏入那样的迷宫。真理惠侧耳倾听他在那迷宫中不屈不挠地不断往返的脚步。练琴持续了一个小时。之后传来关闭大钢琴盖的"啪哒"声响。她能够从中听取焦躁意味，但并非多么强烈的焦躁，乃是适度而优雅的焦躁。免色氏即使仅仅一个人（即使本人认为仅仅一个人）在这大房子里，也不会忘记克制。

往下是一如昨日的反复。太阳落了，四周黑了，乌鸦们叫着回山归巢。山谷对面能看见的几户人家逐渐闪出灯光。秋川家的灯光过了半夜仍未熄掉。从灯光中可以窥知人们为她担忧的气氛。至少真理惠有这样的感觉。她为此感到难受——对于为自己牵肠挂断的人，自己竟一无所能。

几乎成为对比的是，同样在山谷对面的雨田具彦的家（即这个我住的房子）完全看不到灯光，似乎那里已经没有人居住。天黑后也一点灯光都不见，全然感受不到里边有人住的氛围。奇怪！真理惠歪头沉思。老师到底去哪里了呢？老师知道我从自家消失了吗？

到了深夜某一时刻，真理惠又困得不行。汹涌的睡魔席卷而来。她穿着校服外衣，裹起毛毯和棉被，哆嗦着睡了过去。如果猫在这里，就可以多少用来取暖，睡前她蓦然想道。不知为什么，她在家养的母猫几乎从不出声，只是喉咙咕噜咕噜响。因此可以和猫一起悄然藏在这里。可是不用说，没有猫。她彻头彻尾孤身一个。关在漆黑漆黑的小屋子里，哪里也逃不出去。

星期日夜间过去了。真理惠醒来时，房间里还有些暗。手表时针即将指向六点。看来天越来越短。外面下雨，不出声的安谧的冬雨。由于树枝有水滴滴落，总算得知是在下雨。房间空气又冷又潮。要是有毛衣就好了，真理惠想。毛料校服外衣下面穿的，只有针织薄背心和棉布衬衫。衬衫下是半袖 T 恤，是针对温暖白天的打扮。真想有一件毛衣。

她想起那个房间的衣帽间里有毛衣。看上去很暖和的米色羊绒衫。但愿能上楼取来！把它穿在外衣下面会相当暖和。问题是，离开这里爬楼梯上楼实在过于危险，尤其那个房间，只能以现在身上穿的忍耐。当然并非忍耐不住的寒冷，并非置身于爱斯摩基人生活的严寒地带。这里是小田原市郊，刚刚进入十二月。

但冬天下雨的早晨，寒气砭人肌肤，险些冷彻骨髓。她闭目回想夏威夷。还小的时候，曾经跟姑母和姑母的女同学一起去夏威夷游玩。在怀基基（Waikiki）海滩租了冲浪板冲浪，累了就歪在白色沙滩上晒日光浴。非常暖和，一切都温馨平和，让人心旷神怡。椰子树叶在很高很高的地方随着信风簌簌摇曳。白云被吹去海湾那边。她一边观望着一边喝冰柠檬汽水。太凉了，喝得太阳穴一下下作痛。那时的事，就连细节她也能栩栩如生地回忆起来。什么时候能再去一次那样的地方呢？若能成行，付出什么代价都在所不惜，真理惠心想。

九点多再次响起室内鞋声，免色下楼来了。按下洗衣机开关，古典音乐响起（这回大概是勃拉姆斯的交响乐），做器械运动，大约持续一个小时。同一程序的周而复始。只是所听音乐不同，其他毫厘不爽。这家的主人毫无疑问是循规蹈矩之人。洗好的衣物从洗衣机转到烘干机，一小时后取回。之后免色再不会下楼。他对用人房似乎毫无兴致（**这里**

再次加入我的注释：兔色那天午后到我家来了，碰巧见到来看情况的雨田政彦并简短交谈。却不知何故，这时真理惠也没发觉他不在家）。

他按习惯中规中矩行动这点，对真理惠比什么都难得——她也可以依其习惯做心理准备和安排行动。最消耗神经的，是接连发生始料未及的事。她把兔色的生活模式记在心里，让自己与之同化。他差不多哪儿也不去（至少在她知道的限度内哪儿也不去）。在书房工作，自己洗衣服，自己做饭，傍晚在客厅面对施坦威练钢琴。时有电话打来，但不多，一天顶多几个。看来他不怎么喜欢电话那个东西。想必工作上必要的联系——那是怎样的程度自是不得而知——是通过书房电脑进行的。

兔色基本自己清扫房间，但也请专业保洁公司的人每星期上门一次。记得上次来时听他本人口中这么说过。他决不讨厌清扫。兔色说这和做饭是同一回事，可以用来调节心情。但只他一个人清扫这么大的房子，实际上是不大可能的，所以无论如何都要借助专业力量。保洁公司的人来的时候，他离家半天。那是星期几呢？若是那天转来，说不定自己可以顺利逃离这里。估计好几个人手拿清扫工具开车进入院内，那当中门应该开闭几次。加上兔色不在家一段时间，从这大宅院里溜走绝非难事。除此以外，我恐怕不会有脱离这里的机会。

然而没有保洁公司的人上门的动静。星期一和星期日同样平安度过。兔色弹的莫扎特一天比一天趋于精确，作为音乐已经成为更有整体感的东西。此人慎之又慎，而且不屈不挠。目标一旦设定，就朝那里勇往直前。不能不让人敬佩。可是，即便他弹的莫扎特成为没有破绽的一气呵成的东西，而作为音乐又能在多大程度上让人听起来心旷神怡呢？真理惠一边倾听从楼上传来的音乐，一边在心里打问号。

　　她靠椒盐饼干、巧克力和矿泉水苟延残喘。有果仁的能量棒也吃了，金枪鱼罐头也吃了一点。哪里也没有牙刷，就巧用手指和矿泉水刷牙。健身房里堆的日语版《国家地理》一页页看下去。关于孟加拉地区的食人虎、马达加斯加的珍稀猿猴、科罗拉多大峡谷的地形变迁、西伯利亚的天然气开采状况、南极企鹅们的平均寿命、阿富汗高原游牧民的生活、新几内亚腹地年轻人必须通过的严酷仪式，她获得了许多知识。关于艾滋病和埃博拉出血热的基础知识也掌握了。这些关于大自然的杂学说不定什么时候用得上。或者毫无用处也未可知。但不管怎样，此外没有能到手的书。她饿虎扑食一般继续翻看过期的日语版《国家地理》。

　　她还时不时把手伸进 T 恤下面确认乳房膨胀的程度。但它偏偏不肯变大。甚至觉得反而比以前小了。接着，她考虑月经。计算之下，距下一次经期还有十天左右。因为哪里也没有月经用品（地震应急贮藏物品中，卫生纸倒是有，但卫生巾和卫生棉条没能发现。想必女性存在没有纳入这家主人的考虑范围）。如果在此隐身期间来了月经，怕是多少有些麻烦。不过，在那之前总可以逃离这里，大概。不至于在这里待十天之久。


　　星期二上午快十点时保洁公司的车终于开来了。从车上卸清扫工具的女性们的喧闹声从前院那边传来。这天早上，免色一没洗衣服二没做健身运动，楼也根本没下。真理惠因之有所期待（既然免色改变日常习惯，那么必有相应的明确原因），结果到底如她所料。保洁公司的大型面包车一到，免色就开着捷豹与之擦肩而过，好像去了哪里。

　　她赶紧收拾用人房，把空水瓶、饼干包装纸收起塞进垃圾袋，放在容易被看见的地方，保洁公司的人应该会处理的。毛毯和棉被按原样整齐叠好放进壁橱。把有人在这里生活几天的痕迹消除得一干二净，小心翼翼地。然后把挎包挎在肩上，蹑手蹑脚上楼。为了避免保洁人员看见，她窥伺时机悄然穿过走廊。想到那个房间，胸口怦怦直跳。与此同时，对衣帽间里的衣服感到恋恋不舍。她很想再次好好看看那些衣服，也想用手抚摸。可惜没有足够的时间。事不宜迟。

　　她在没人发现的情况下顺利来到房门外，沿着拐弯的坡路向上跑去。不出所料，入口大门一直大敞四开，没有为作业人员出入而一次次开门关门。她以满不在乎的神情从那里出到外面的路面。

　　穿过大门时她忽然心想：我这么轻而易举地离开这个场所真的合适吗？难道这里不该有某种非同一般的东西吗？例如《国家地理》里出现的新几内亚部落年轻人被迫通过的伴随剧痛的仪式？那种东西作为记号难道不是必不可少的吗？不过这样的念头仅仅从她脑际一闪而过罢了。相比之下，得以从中逃离的解放感占了压倒性优势。

　　天空阴沉沉的。低垂的乌云看样子马上就要有冷雨落下。但她还是仰望天空大大做了好几次深呼吸，心情幸福得无边无际，简直就像在怀基基海滩仰望随风摇曳的椰子树时一样。自己是自由的，可以迈动双腿去任何地方，再也没必要在黑暗中蜷缩成一团瑟瑟发抖。自己活着——仅此一点就足以庆幸和乐不可支。尽管是短短四天时间，但目力所及，外面的世界看上去是那样鲜活水灵。一草一木都生机蓬勃，充满活力。风的气味让她胸间亢奋不已。

　　但毕竟不能总在这里磨磨蹭蹭。免色说不定想起忘拿什么东西而折身回来，必须尽快离开这里。为了被谁看见也不至于觉得奇怪，她尽可能拉平校服上的皱纹（她穿着校服裹着被睡了好几天），双手理了理头发，以若无其事不慌不忙的神情快步下山。

下山后，真理惠往隔着一条山谷路的对面山上爬去。但她没回自己家，而先往我家赶来。她有自己的小算盘。但我家一个人也没有，怎么按门铃也没有回音。

真理惠转念走进房后的杂木林，走到小庙后面的洞前。但洞口已经严严实实遮上绿色塑料布。此前是没有的。塑料布用绳子牢牢系在地面打的几根木桩上，而且上面排列着镇石，无法轻易窥看里面。不觉之间，有谁——不知是谁——堵上了洞口。大概怕开着洞不管会有危险。她站在洞前，好一会儿侧耳细听。但里面什么声音也没传出（**我的注释：从没有铃声传出这点来看，当时我还没有赶到洞底。或者不巧睡着了也不一定**）。

冷雨点三三两两飘零下来。得回家了，她想，家人想必正在担忧。可是，回到家势必向大家解释这四天自己在哪里了。不能如实交代潜入免色家在那里藏身来着。如实交代会闹得天翻地覆。自己下落不明一事大概已经报警了。倘若警察知道非法侵入了免色家，我必受某种惩罚。

这么着，她就想出一种解释：自己不慎掉进这个洞里了，四天无法从中出来。而老师——即这个我——碰巧发现她在那里，把自己救了出来。她编好这样的脚本，期待我帮腔统一口径。然而当时我不在家，洞又被塑料布封上而轻易出入不得。因此，她编造的脚本成了无法实现的东西（倘她如愿以偿，我就必须向警察说明甚至搬来重型机械特意打开洞的理由。那有可能带来相当尴尬的事态）。

往下她能想到的，不外乎伪装记忆丧失之类。此外别无可行办法。

四天时间里自己身上发生的事全不记得，记忆空空如也。蓦然回神，孤身一人待在山中——只能如此一口咬定。这种涉及记忆丧失的电视剧，以前在电视上看过。至于人们能否接受这样的辩词，她并没有把握。家人也好警察也好，势必这个那个详细盘问。领去精神科医生那里也未可知。但只能一口咬定什么也不记得。要把头发弄得凌乱不堪，手脚沾满泥巴，浑身上下擦伤累累，让人看上去显然一直在山里来着——只能这样尽力表演到底。

而且她实施了。即使好意说来也不能说演技多么高明，但此外别无选择。


以上是秋川真理惠向我挑明的事实真相。正当她从头到尾全部讲完的时候，秋川笙子折了回来——她开的丰田普锐斯停在门前的声响传来耳畔。

"实际发生在你身上的事，最好守口如瓶，最好不要对除我以外的任何人讲，作为我和你之间的秘密好了！"我对真理惠说。

"当然，"真理惠说，"当然对谁都绝对不讲。何况，即使讲也不可能让人相信。"

"我相信。"

"这样，环关闭了？"

"不知道，"我说，"大概还没完全关闭。不过往下总有办法可想。真正危险的部分已经过去，我想。"

"致命部分？"

我点头："是的，致命部分。"

真理惠定定注视了我十秒钟，用很小的声音说："骑士团长真有。"

"不错，骑士团长真有。"我说。而且我亲手刺杀了骑士团长，真真正正。但当然不能说出口。

真理惠明显点了一下头。她必定永远保守这个秘密。那将成为唯独她和我之间的重大秘密。

保护真理惠免受那个什么之害的衣帽间中那套衣服，是她去世的母亲单身时代穿用的这一事实，如果可能，我很想告诉她。但我没能把这点告诉真理惠。我没有那样的权利。骑士团长应该也没有这个权利。手中有这个权利的，这个世界上恐怕只免色一个人。而免色基本不至于行使这个权利。

我们将分别抱着不能挑明的秘密活着。

**63 但事情不是你想的那个样子**

　　我和秋川真理惠共有一个秘密。那恐怕是这个世界上唯独我们两人共有的重大秘密。我把自己在地下世界所体验的一五一十讲给了她听，她把自己在免色家中体验的一切原原本本讲给了我听。我们还把《刺杀骑士团长》和《白色斯巴鲁男子》两幅画牢牢包好藏进雨田具彦家的阁楼——知道此事的，这个世界上仅仅我们两人。当然猫头鹰知道。但猫头鹰什么也不说，在沉默中将秘密吞进肚去，如此而已。

　　真理惠时不时来我家玩（她瞒着姑母，通过秘密通道偷偷来的）。我们脸对脸地沿着时间序列巨细无遗地仔细探讨，力图在这两个同时进行的体验之间找出某个同类项。

　　本来担心秋川笙子会不会对真理惠失踪的四天和我"去远处旅行"的三天两相一致这点怀有什么疑念，但那东西似乎全然没浮现在她的脑海。而且无需说，警察也没关注这一事实。他们不晓得"秘密通道"的存在，我所住的房子不外乎"同一山梁的另一侧"而已。我未被视为"附近的人"，因而警察没来我这里听取情况。看来秋川笙子没有把她当我的绘画模特一事讲给警察。大概她不认为这是所需信息。假如警察把真理惠去向不明的时间同我不见踪影的时间重合起来，我有可能被置于不无微妙的立场。

我终究未能完成秋川真理惠的肖像画。因为几近完成状态，所以只要最后加工一下即可。但我害怕画完成时可能出现的事态。一旦使之完成，免色必然千方百计把画弄到手。无论免色怎么表示，我都可想而知。而作为我，不想把秋川真理惠的肖像画交到免色手里。不能把画送进他的"神殿"。那里有可能含有危险的东西。这样，画最后无果而终。但真理惠非常中意这幅画（她说"画恰如其分地表现了我现在的想法"），提出如果可能，想把画留在自己手头。我高兴地把这幅未完成的肖像画献给了她（三幅素描也一并如约附上）。她说画未完成反倒好。

"画未完成，就像我本身永远处于未完成状态，岂不很妙?"真理惠说。

"拥有完成的人生的人哪里都没有的。所有人都是永未完成的存在。"

"免色先生也是?"真理惠问，"那个人看上去好像早已完成了……"

"即使免色先生怕也未完成。"我说。

免色根本算不上已完成的人，这是我的看法。唯其如此，他才每天夜晚用高性能双筒望远镜向山谷对面持续寻求秋川真理惠的身姿。他不能不那样做。他通过怀有这个秘密而巧妙调控这个世界中自己这一存在的平衡。对于免色来说，那恐怕类似走钢丝的杂技演员手中的长杆。

真理惠当然知道免色用双筒望远镜观察自己家的内部。但这件事她没有向（除我以外的）任何人挑明，对姑母也没有明说。免色为什么必须那样做的原因，她至今也不明了。尽管不明了，但她已没有了刨根问底的心情。她只是再也不想拉开自己房间的窗帘而已。晒得褪色的橙色窗帘总是拉得严严的。夜里换衣服的时候，总是注意关掉房间里的灯。

至于家中除此以外的部分，即使被日常性偷窥，她也不怎么介意。莫如说意识到自己被观察反倒以此为乐。或者单单自己知道此事这点对真理惠别有意味亦未可知。

　　据真理惠的说法，秋川笙子同免色的交往似乎持续下来。每星期她开车去免色家一两次。每次都好像有性关系（真理惠加以委婉表达）。虽然姑母不告诉去哪里，但真理惠当然对姑母的去处心知肚明。回家时年轻姑母脸上比平时血色好了。不管怎样，不管免色心中存在怎样一种特殊空间——真理惠都没有手段阻止秋川笙子同免色持续交往。只能任凭两人随意走两人的路。真理惠所希望的，是两人的关系的发展尽可能别把自己卷进去，让自己得以保持独立于那个漩涡的位置。

　　但那怕是有难度的——这是我的看法——早早晚晚、多多少少，真理惠必然会在自己也意识不到的时间里被卷入漩涡之中，从相距较远的周边很快向不折不扣的中心接近。免色应该是在把真理惠放在心里的基础上推进同秋川笙子的关系的。说到底，有此企图也好没有也好，反正他都不能不那样做。那也才成其为他这个人。况且，纵然无此打算，在结果上搓合两人的也是我。他和秋川笙子最初是在这个家中见面的。那是免色所追求的。在把自己追求的东西搞到手这方面，免色无论如何都是老手。

　　往下免色打算如何处理衣帽间里一系列 5 码的连衣裙和皮鞋呢？真理惠无由得知。但她猜想那些往日恋人的衣服恐怕将永远珍藏和保管在那里或其他什么地方。无论他同秋川笙子以后发展成怎样的关系，免色都不可能把那些衣服扔掉或烧掉。这是因为，那一系列衣服已经成了他精神的一部分。那是理应被祭祀在他的"神殿"的物品之一。

　　我不再去小田原站前的绘画班教绘画了。对学校主办者解释说："对不起，差不多要集中精力搞自己的创作。"他勉强接受了我的解释，说："你作为老师得到的评价可是非常好……"而且那好像并不完全是溢美之词。我郑重地道谢。我在绘画班教到那年年底，那期间他找到了替代我的新老师——六十五六岁的原高中美术教师。女老师，长着一对俨然大象的眼睛，性格看上去不错。

　　免色不时往我这里打来电话。倒也不是有什么事，我们只是一般性闲聊。每次他问小庙后面的洞有无变化，我都回答没什么变化。实际也没有变化，依然被绿塑料布盖得严严实实。散步路上我时不时去看看情况，塑料布没有被谁掀过的痕迹，镇石也原样压着。而且，这个洞再也没有发生费解的事和可疑的事。深更半夜没有铃声传来，骑士团长（以及此外任何对象）也没现身。只有那个洞无声无息存在于杂木林中。被重型机械履带活活碾倒的芒草也渐渐恢复生机，洞的周围正重新被芒草丛遮蔽。

　　免色以为我下落不明期间一直在洞里来着。至于我是如何进入那里的，对他也没有解释。但我身在洞底是毫不含糊的事实，无法否定。所以他没有把我的失踪同秋川真理惠的失踪联系起来。对他来说，两起事件终究是一种巧合。

　　关于免色是否以某种形式觉察谁在他家中悄悄躲藏了四天，我慎重地试探过。但全然看不出那样的迹象。免色根本没注意到有过那种名堂。这样看来，站在"不开之厅"衣帽间前面的，恐怕就不是他本人。那么，到底是谁呢？

电话固然打来，但免色再未一晃儿来访。估计把秋川笙子搞到手使得他感觉不到继续和我进行个人交往的必要性了。或者对我这个人的好奇心已然失去亦未可知。也可能二者兼而有之。不过对于我是怎么都无所谓的事（再也听不到捷豹 V8 引擎排气声这点倒是时而让我觉得寂寞）。

话虽这么说，从不时打来电话这点来看（来电话时间总是晚间八点之前），免色似乎还需要同我之间维持某种联系。或许，向我明言秋川真理惠可能是他亲生女儿这个秘密多少让他心有不安。但我不认为他会担心我可能在哪里将此事透露给谁——秋川笙子或真理惠。他当然知道我嘴牢。这个程度的识人眼力他是有的。可是，将如此隐秘的个人秘密如实告诉别人——无论对象是谁——这点，非常不像是免色所为。原因想必在于，哪怕他再是意志坚强之人，始终一个人怀抱秘密也可能感到疲惫。抑或，当时的他是那么切实需要我的协助也不一定。而我看上去是较为有益无害的存在。

不过，他一开始就有意利用我也好，无意也好，无论怎样我都必须始终感谢免色——把我从那个洞中救出来的，不管怎么说都是他。假如他不赶来，不放下梯子把我拉上地面，我很可能在那黑洞中坐以待毙。我们在某种意义上是互相帮助的。这样，借贷也许可以归零。

我把将未完成的《秋川真理惠的肖像》送给真理惠一事告诉了免色，他什么也没说，只点了点头。委托画那幅画的诚然是免色，但他恐怕已不那么需要那幅画了。也许认为未完成的画没有意思。抑或别有所想也有可能。

说完此事几天后我自己把《杂木林中的洞》简单镶框送给了免色。

我把画放在卡罗拉货厢中拿去免色家（这是我和免色最后一次实际见面）。

"这是对承蒙救命的谢意。如果愿意，敬请笑纳。"我说。

他好像对这幅画十分中意（我自己也认为作为画的效果绝对不差），希望我务必接受礼金，我坚决谢绝了。我已从他手上领取了过多的报酬，不打算再接受什么了。我不想让自己同免色之间产生更多的借贷关系。我们现在不过是隔一条狭谷而居的普通邻人罢了。如果可能，想一直保持这种关系。


在我被免色从洞中救出的那个星期的星期六，雨田具彦呼出了最后一口气。自星期四开始连续三天昏睡当中心脏停止了跳动。如机车开到终点站缓缓停止转动一样静静地、极为自然地。政彦一直陪在身边。父亲谢世后，他往我这里打来电话。

"死法非常安详。"他说，"我死时也想那么静静地死去。嘴角甚至浮出类似微笑的表情。"

"微笑?"我反问道。

"准确说来也许不是微笑，不过反正类似微笑，在我眼里。"

我斟酌语句说道："去世当然令人遗憾，但令尊得以安稳离世，那也许是好事。"

"前半星期还多少清醒来着，好像没有特别想留下的话。活到九十几岁，又活得那么随心所欲，肯定没什么可留恋的。"政彦说。

不，留恋的事是有的。他心里深深怀有极其沉重的什么。但那具体是什么，只有他才知晓。而时至如今，已经谁都永远无从知晓了。

政彦说："往下可能要忙一段时间。父亲大体是名人，过世了要有很多事。我这儿子作为继承人，必须全盘接受。等多少安顿下来再慢慢聊。"

我对他特意告知他父亲的去世表示感谢，放下电话。

雨田具彦的死，似乎给家中带来了更为深沉的静默。呃，这怕也是理所当然。毕竟这里是雨田具彦度过漫长岁月的家。我和这静默共同度过数日。那是浓密而又不给人不快之感的静默，是和哪里也不连接的所谓纯粹的岑寂。总之一系列事件在此画上句号——便是这样一种感触。那是这里存在的重大事件大致出现尾声之后到来的那类静寂。

雨田具彦死后大约过了两个星期后的一个夜晚，秋川真理惠像小心翼翼的猫一样悄然来访。和我聊一会儿回去了。时间不很长。家人监视的目光严厉起来，她不能像以前那样随便离家了。

"胸好像慢慢大了起来。"她说，"所以最近跟姑母一起去买胸罩了。有第一次用的人用的。知道？"

我说不知道。看她的胸，从绿色的设得兰毛衣外面看不出多大的隆起。

"差别还不明显。"我说。

"只有一点点衬垫。毕竟突如其来地鼓胀起来，大家马上就知道塞什么东西了，是吧？所以从最薄的开始，渐渐地一点一点地加大。说要小聪明也好什么也好……"

四天时间在哪儿？她被女警察细细盘问。女警察总的说来待她是和颜悦色的，但也有几次让她相当害怕。不管怎样，真理惠一口咬定除了在山里转来转去什么都不记得，半路上迷路了，脑袋一片空白。书包里总是装有巧克力和矿泉水，料想送到嘴里来着。更多的一句也没说。嘴巴闭得像防火保险箱一般坚牢。这本来就是她的拿手好戏。得知似乎不是以勒索赎金为目的的绑架事件，接下去被领去警察指定的医院检查身体受伤情况。他们想知道的是她是否遭受性暴力。清楚无此迹象之后，警察失去了职业兴趣。不过是十几岁女孩几天不回家在外边游游逛逛罢了，在社会上不是什么稀奇事。

她把当时穿的衣服全部处理了。藏青色校服外套也好格纹裙子也好白衬衫也好针织背心也好乐福鞋也好，统统一扫而光。重新买了一套新的，以便让心情焕然一新。而后像什么事也没发生一样继续一如往日的生活。但绘画班不再去了（不管怎么说，她也不再是适合上儿童班的年龄了）。她把我画的她的肖像画（未完成的）挂在自己房间。

至于真理惠日后将成长为怎样的女性，我想像不好。这个年代的女孩，无论身心，转眼之间就判若两人。几年后碰上，说不定认不出谁是谁了。因此，我很高兴能够以一种形式将十三岁的秋川真理惠的肖像（尽管半途而废）存留下来。毕竟这个现实世界根本没有永远原模原样存续的东西。

我给以前为之工作的东京那位代理人打去电话，说自己想再开始做画肖像画的工作。他为我的申请感到欣喜，因为他们总是需要功力扎实的画家。

“不过，你说过再也不画营业用的肖像画了，是吧?”他说。

“想法有所改变。”我说。但没有解释如何改变的。对方也没再细问。

往下一段时间，我打算什么都不想，只想自动地使用自己的手。我要一幅接一幅批量生产通常"营业用"的肖像画。这一作业还将给我带来经济上的稳定。至于这样的生活能持续到什么时候，我本身也不清楚。前景无从预测。但反正这是我眼下想做的事——忘我地驱使熟练技法，不把任何多余因素招来自己身上；不同理念啦隐喻啦什么的打交道；不卷入住在山谷对面那位富裕的谜团人物啰啰嗦嗦的个人语境；不把隐秘的名画暴露于光天化日之下，不在结果上被拽进狭小黑暗的地下横洞，这是眼下的我最为求之不得的。

我和柚见面谈了。在她公司附近那家咖啡馆喝着咖啡和巴黎水谈的。她的肚子没有我想像的那么大。

"没有和对方结婚的打算？"我劈头问道。

她摇头道："现阶段没有。"

"为什么？"

"只是觉得不那样做为好。"

"可孩子是打算生的吧？"

她略略点一下头。"当然。已无退路。"

"现在和那个人一起生活？"

"没有一起生活。你离开后一直一个人过。"

"为什么？"

"首先是，我还没有和你离婚。"

"可我前些日子已经在寄来的离婚协议书上签名盖章了，因此我想离婚当然已告成立⋯⋯"

　　柚默然沉思片刻，而后开口道："说实话，离婚协议书还没有提交。不知为什么，上不来那样的心情，就那样放着。所以从法律角度说，我和你还一直风平浪静处于夫妻状态。而且，无论离婚还是不离婚，生下的孩子在法律上都是你的孩子。当然，你在这方面不必负任何责任⋯⋯"

　　听得我一头雾水。"可是，你即将生下来的，是那个人的孩子吧？从生物学上说。"

　　柚闭着嘴巴目不转睛看我，然后说："事情不那么简单。"

　　"怎么个不简单？"

　　"怎么说好呢，我还不能具有他是孩子的父亲的明确自信。"

　　这回轮到我定定注视她了："你是说是谁让你怀孕的，你不知道？"

　　她点头，表示不知道。

　　"但事情不是你想的那个样子。我并没有不加区分地跟哪个男人都上床。一个时期只和一个人有性关系。因此从某个时候开始跟你也不做那种事了，是吧？"

　　我点头。

　　"倒是觉得对你不起。"

　　我再次点头。

　　柚说："而且我和那个人之间也小心翼翼地避孕来着，没打算要孩子。你也了解，在这件事上我属于非常小心那类性格。不料意识到时已经怀孕了，完完全全地。"

　　"怎么小心也有失败的时候吧！"

她再次摇头。"要是有那种情况，女人总会有感觉的，有直觉那样的东西起作用。男人不明白那样的感觉，我想。"

我当然不明白。

"反正你即将生孩子。"我说。

柚点头。

"可你一直不愿意要孩子，至少和我之间。"

她说："嗯，我是一直不想要孩子，和你之间也好和谁之间也好。"

"问题是，你现在正要主动地把父亲是谁都不能确定的孩子送到这个人世。如果你有意，本可以趁早打掉……"

"当然也那么想过，也困惑来着。"

"但没那么做。"

"最近我开始这么想，"柚说，"我活着的时候固然是我的人生，但这期间发生的几乎所有一切都可能是在与我无关的场所被擅自决定、擅自推进的。就是说，看上去我好像具有自由意志什么的如此活着，然而归根结底，重要事项我本人也许什么都没选择。就连我的怀孕，恐怕也是那种表现之一。"

我一声不响地听她讲述。

"这么说，听起来好像是常有的宿命论，可我确实是这么感觉的，非常直率、非常真切地。并且这么想，既然这样，那么无论发生什么我也一个人把孩子生下养大好了，看看往下会发生什么好了！我觉得这似乎是非常重要的事。"

"有一件事想问你。"我说。

"什么事？"

"简单一问。只回答 Yes 或 No 即可，我什么都不再多说。"

"好的，问好了。"

"再次回到你这里来可以吗？"

她约略蹙起眉头，定定看了一会儿我的脸。"就是说，你想和我重新作为夫妻一起生活？"

"如果可能的话。"

"可以啊！"柚以文静的语声并不迟疑地说，"你还是我的丈夫，你的房间仍是你离开时的样子。想回来随时可以回来。"

"和交往中的对象，关系还继续？"我问。

柚静静摇头："不，关系已经终止。"

"为什么？"

"首先一点，我不想把出生的孩子的监护权给他。"

我默然。

"听我这么说，他好像很受打击。啊，那怕也是理所当然……"说着，她双手在脸颊上蹭了几下。

"就是说若是我就无妨？"

她把双手置于桌面，再次目不转睛盯视我的脸。

"你莫不是有点儿变样了？脸形什么的？"

"脸形变没变不大清楚，但我学得了几点。"

"我也可能学得了几点。"

我拿杯在手，把剩的咖啡一饮而尽，说道："父亲去世后，政彦这个那个也好像忙得够呛，等种种事情安顿下来要花一段时间。等他告一段落，大约过了年不久，我想就能整理东西离开那个家返回广尾的公寓——我这么做，你那边也不碍事的？"

她久久、久久地看着我，就像在看久违的令人怀念的风景。然后伸出手，轻轻放在桌面上我的手上。

"如果可能，我是想和你重归于好的。"柚说，"其实我一直这么考虑。"

"我也考虑这个来着。"

"能不能顺利我倒不大清楚……"

"我也不大清楚，但试一试的价值总是有的。"

"我不久会生下父亲不确切的孩子，要抚养孩子。这也不介意的吗？"

"我不介意。"我说，"而且，说这种话可能会让你觉得我脑袋有问题，说不定我是你要生的孩子的潜在性父亲。我有这个直觉。说不定是我的情念从远离的地方让你怀孕的。作为一种观念，通过特殊渠道。"

"作为一种观念？"

"就是作为一种假说。"

柚就此思索片刻，而后说道："如果真是那样，我想那可是十分精彩的假说。"

"确切无疑的事，这个世界上根本就不存在。"我说，"不过至少我还能相信什么。"

她微微一笑。这天我们的交谈就此结束。她坐地铁回家，我开着风尘仆仆的卡罗拉返回山顶住处。

**作为恩宠的一种形态**

　　我回到妻的身边重新共同生活。几年过后的三月十一日，东日本一带发生大地震。我坐在电视机前，目睹从岩手县到宫城县沿海城镇接二连三毁掉的实况。那里是我曾经开着老旧的标致 205 漫无目标地盘桓之地。那些城镇之一，应该是我碰见那个"白色斯巴鲁男子"的小镇。但我在电视画面上见到的，是被巨型怪物般的海啸浪头席卷而过几近分崩离析的几个小镇的废墟。维系我同曾经路过的那座小镇的东西，已经荡然无存。由于我连那座小镇的名称都没记得，因此全然无法确认那里所受震灾是多大程度、变成了什么样子。

　　我完全无能为力，连续几天只是瞠目结舌地看着电视画面。无法从电视前离开，很想从中找到同自己的记忆相连的场景，哪怕一个也好。否则，就觉得自己心中某个贵重积蓄有可能被运往某个遥远的陌生地方，直接消失不见。我恨不得马上开车赶去那里，亲眼确认那里还有什么剩下。可那当然无从谈起。干线道路支离破碎体无完肤，村镇孤立无援。电力也好燃气也好自来水也好，所有生活来源都被连根拔除，毁于一旦。而其南边的福岛县（我留下呜呼哀哉的标致那一带），沿海几座核电站陷入堆芯熔化状态，根本靠近不得。

　　在那些地方东游西转的时候，我决不幸福。孤苦伶仃，肝肠寸断。我在多种意义上已然失却。尽管如此，我依然旅行不止，置身于许多陌生人中间，穿过他们谋生度日的诸般实相。而且，较之我当时所考虑的，那或许具有远为重要的意义。我在途中——很多场合是下意识之间——抛弃了若干事物，拾起了若干事物。通过那些场所之后，我成为较以前多少有所不同的人。

我想到藏在小田原家中阁楼里的《白色斯巴鲁男子》那幅画。那个男子——是现实中的人也罢什么也罢——现在也还在那座小镇上生活吗？还有，和我共度奇妙一夜的瘦削女子仍在那里吗？他们得以幸运地逃过地震与海啸而活下来了吗？那座小镇上的情人旅馆和家庭餐馆到底怎么样了？

每到傍晚五点，我就去保育园接小孩。那是每天的习惯（妻重回建筑事务所工作）。保育园距住处成人步行十分钟左右。我拉着女儿的手，慢慢步行回家。若不下雨，路上就顺便去小公园在长凳上休息，看在那里散步的附近的狗们。女儿要养小型犬，但我住的公寓楼禁养宠物。因此，她只能在公园看狗来勉强满足自己。时不时也可以触摸老实的小狗。

女儿名字叫"室"。柚取的名。预产期临近时在梦中看见了这个名字。她一个人待在宽大的日式房间，房间面对宽大漂亮的庭园。里面有一张古色古香的文几，文几上放有一张白纸，纸上只写有一个"室"字——用黑墨写得又大又鲜明。谁写的不知道，反正字很气派。便是这样一个梦。醒来时她能历历记起，断言那就是即将出生的孩子的名字。我当然没有异议。不管怎么说，那是她要生的孩子。说不定写那个字的是雨田具彦，我蓦然心想。但只是想想而已。说到底，不过是梦里的事。

出生的孩子是女孩这点让我高兴。由于和妹妹小路共同度过儿童时代的关系，身边有个小女孩总好像能让我心里安然。那对我是再自然不过的事。那个孩子带着毋庸置疑的名字降临这个世界，对于我也可喜可贺。不管怎么说，名字都是重要的东西。

回到家后，室和我一起看电视新闻。我尽量不给她看海啸袭来的场面。因为对于幼小的孩子刺激过于强烈。海啸图像一出现，我就赶紧伸手挡住她的眼睛。

"为什么?"室问。

"你最好别看，还太早。"

"那可是真的?"

"是的，发生在远处的真事。但并不是发生的真事你都非看不可。"

室对我说的话一个人想了一会儿。但她当然不能理解那是怎么回事。她理解不了海啸和地震那样的事件，理解不了死亡具有的意义。反正我用手把她的眼睛遮得严严的，不让她看海啸图像。理解什么和看什么，那又是两回事。

一次我在电视画面一角一闪看见、或者觉得看见了"白色斯巴鲁男子"。摄像机拍摄被海啸巨浪冲到内陆小山头并弃置在那里的大型渔船，船旁边站着那个男子，以再也不能发挥作用的大象和驯象师般的姿态。但图像马上被切换成别的，以致我无法确定那是否真是"白色斯巴鲁男子"。但那身穿黑皮夹克、头戴带有尤尼克斯标识黑帽的高大身姿，在我眼里只能看作"白色斯巴鲁男子"。

然而他的样子再未出现在画面上。目睹他的身姿只是一瞬之间。摄影机立即切换角度。

我一边看地震新闻，一边继续画用来维持日常生计的"营业用"肖像画。不假思索，面对画布半自动地持续驱动手。这是我寻求的生活。也是别人寻求于我的。这项工作给我带来了稳定收入。那也是我所必需的。我有要养活的家人。

东北地震两个月后，我曾经住的小田原房子失火烧掉了。那是雨田具彦送走半生的山顶之家。政彦打电话告诉我的。我搬走后长期没有人住，一直空着。政彦为房子的管理相当操心，而他的担忧恰恰成为现实，火灾发生了。五月连休结束那天黎明时起的火，消防车接到报警飞驰而来，但那时那座木结构旧房子已经差不多烧塌了（狭窄弯曲的陡坡路使得大型消防车驶入变得极为困难）。也是因为头一天夜里下了雨，幸好没有蔓延到附近山林。消防署调查了，但起火原因归终不了了之。也许因为漏电，或有纵火嫌疑也未可知。

听得失火消息，首先浮上我脑海的是《刺杀骑士团长》——那幅画想必也和房子一起烧掉了，还有我画的《白色斯巴鲁男子》，连同大量唱片收藏。阁楼里的那只猫头鹰可安全逃生了？

《刺杀骑士团长》画作毫无疑问是雨田具彦留下的巅峰佳作之一。它毁于火灾，对于日本美术界应是惨痛损失。曾经目睹那幅画的人为数极少（其中包括我和秋川真理惠。秋川笙子也见过——尽管只是一瞥——当然还有作者雨田具彦。此外大概一个人也没有了），那般贵重的未发表的画被火灾的火焰吞噬，从这个世界永远消失了。我对此不能不感到负有责任。难道它不应该作为"雨田具彦隐秘的杰作"公之于世吗？但我没那么做，而将画重新包好放回阁楼。那幅无与伦比的画想必已化为灰烬（我把画中人物的形象逐一细细画在素描簿上了。关于《刺杀骑士团长》这幅作品，留给后世的，事到如今仅此而已）。想到这里，我这个勉强算是画画的，为之深感痛心。毕竟是那般出类拔萃的作品！我所做的，很可能是对于艺术的背信弃义的行为。

但同时我又思忖，那或许是必须失去的作品亦未可知。在我眼里，那幅画实在是过强、过深地倾注了雨田具彦的魂灵。作为画作诚然无比优秀，但同时又具有招惹什么的能量。不妨称之为"危险能量"。事实上，我也是因为发现那幅画而打开了一个环。把那样的东西暴露在光天化日之下和公众眼前，未必是合适的行为。至少作者雨田具彦本人也是这样感觉的吧？唯其如此，他才没有把这幅画毅然公之于世，而深深藏在阁楼里。不是吗？果真如此，那么就等于我尊重了雨田具彦的意愿。不管怎样，画已消失在火焰中，谁也无法让时间卷土重来。

对于《白色斯巴鲁男子》的失去，我并未感到多么惋惜。迟早我还要向那幅肖像画重新发起挑战。但为此我必须把自己锻造成更坚定的人、更有格局的画家。当我再度产生"想画自己的画"的心情时，我将以截然不同的形式、从截然不同的角度重画"白色斯巴鲁男子"的肖像。那有可能成为之于我的《刺杀骑士团长》。而且，如果那样的情形实际出现了，那恐怕意味着我从雨田具彦身上继承了宝贵遗产。

秋川真理惠在火灾发生后马上给我打来电话，我们就烧毁的房子交谈了半个小时。她打心眼里珍惜那座古旧的小房子。或者珍惜那座房子包含的场景，珍惜那样的风景植根于其生活的日日夜夜。那里也包括曾几何时的雨田具彦的身影。她见到的画家总是一个人闷在画室里专注于画的创作。她见过玻璃窗里面的他的身姿。那一场景的永远失去让真理惠由衷感到悲伤。她感到的悲伤我也能与之共有。因为那个家——尽管居住期间不足八个月——对于我也具有相当深远的意义。

电话交谈的最后,真理惠告诉我自己的胸比以前大了很多很多。那时她已是高二学生或高二那个年龄了。离开那里以来我一次也没同她见过面,只是时不时在电话中聊聊。这是因为我没有多少心绪旧地重游,也没有非办不可的事。电话总是她打来的。

"虽然体积还不够充分,但毕竟变大了。"真理惠像偷偷泄密似的说。我花了一会儿时间才明白过来原来她是在说自己胸部的大小。

"如骑士团长预言的那样。"她说。

那太好了,我说。本想问她有男朋友没有,又转念作罢。

姑母秋川笙子现在也继续和免色氏交往。她在某个时候向真理惠坦言自己和免色氏交往的事。说两人是处于非常亲密的关系,说不定很快结婚。

"要是真那样了,你也和我们一起生活?"姑母问她。

真理惠做出充耳不闻的样子,一如平时。

"那么,你可有和免色先生一起生活的打算?"我难免有些在意,这样试探真理惠。

"我想没有。"她说。随后补充一句:"不过说不清楚的啊!"

说不清楚?

"我的理解是,你对免色先生那个家没有多么好的记忆……"我不无犹豫地问。

"可那还是我小时发生的事，总觉得像是很久很久以前的事了。再说，无论如何也不能设想和父亲两人生活。"

很久很久以前的事？

对于我可是恍若昨日。我这么一说，真理惠没特别说什么。也许她希望把那座大房子里发生的一系列怪事彻底忘掉。或者实际已经忘了也不一定。抑或，随着年龄的增长，她有可能对免色这个人开始有了不少兴趣——没准在他身上感觉出了特殊东西，感觉出了其血脉中共同流淌的什么。

"免色先生家那个衣帽间里的衣服怎么样了呢？这让我极有兴趣。"真理惠说。

"那个房间把你吸引住了？"

"因为那是保护过我的衣服。"她说，"不过也还说不清楚。上了大学，也许在外面哪里一个人生活。"

那怕是不错，我说。

"对了，小庙后面的洞怎么样了？"我问。

"还那样。"真理惠说，"火灾过后，一直盖着绿塑料布没动。一来二去，上面落满了树叶，就连那里有那样一个洞可能都没人知道了。"

那个洞底应该还放着那个古铃，连同从雨田具彦房间借来的塑料手电筒。

"骑士团长没再看见？"我问。

"那以来一次也没见到。现在想来，真有骑士团长这点都好像很难相信。"

"骑士团长真有的哟！"我说，"相信为好。"

不过我心想真理惠很可能会一点点忘记那样的事。她即将迎来十七八岁，人生将迅速成为复杂忙乱的东西，找不出理会什么理念啦隐喻啦那类莫名其妙东西的余地。

时而考虑那个企鹅饰物到底怎么样了。我用它代替过河费给了负责摆渡的无面人。为了过那条水流湍急的河，不能不那样做。我不能不祈愿那个小小的企鹅至今仍从哪里——大概在有无之间往返当中——保佑着她。

我仍不知道室是谁的孩子。如果正式做 DNA 检验，应该可以明白。但我不想知道那种检验结果。或许迟早有一天我会因为什么得以知道——她是以谁为父亲的孩子，真相大白那一天有可能到来。然而，那样的“真相”又有多大意义呢？室在法律上正式是我的孩子，我深深疼爱着这个小小的女儿，珍惜和她在一起的时光。至于她生物学上的父亲是谁或不是谁，对于我怎么都无所谓。那是不值一提的琐事，并不意味着将有什么因此发生变更。

我一个人在东北从一座城镇往另一座城镇移动之间，循着梦境而同熟睡中的柚交合了。我潜入她的梦中，结果使得她受孕而在九个月多一点点之后生出了孩子——我宁愿这样设想（虽然终究不过是我自己一个人悄悄地）。这孩子的父亲是作为理念的我、或作为隐喻的我。一如骑士团长来找我，唐娜·安娜在黑暗中引导我，我在另一世界让柚受孕。

不过我不会像免色那样。秋川真理惠可能是自己的孩子或者不是——他在这两种可能性的平衡之上构筑自己的人生。他把两种可能性放在天平上，力图从其永无休止的微妙起伏中寻觅自己的存在意义。但我没必要挑战那种麻麻烦烦的（至少很难说是自然的）企图。因为我具有相信的力量。因为我能够由衷相信：无论进入多么狭窄黑暗的场所、无论置身于何等荒凉的旷野，都会有什么把我领去哪里。这是我在小田原近郊山顶那座独门独院的房子里居住期间通过若干非同寻常的体验学得的。

《刺杀骑士团长》由于不明火灾而永远失去了。但那幅绝好的艺术作品至今仍实际存在于我的心间。骑士团长、唐娜·安娜、长面人——我能够让他们的音容笑貌历历如昨地浮现在眼前。那般具体，那般真切，几乎伸手可触。每次想到他们，我就像眼望连绵落在贮水池无边水面的雨时那样，心情得以变得无比安谧。在我的心中，这场雨永远不会止息。

想必我将和他们共同度过此后的人生。室，我小小的女儿是他们交到我手里的礼物——作为恩宠的一种形态。我总有这样的感觉。

"骑士团长真有的哟！"我在甜甜沉睡的室的身旁对她说，"你相信为好。"

（第 2 部终）